HIFZI TOPUZ, 1923'te İstanbul'da doğdu. Galatasaray Lisesi'ni (1942), İstanbul Üniversitesi Hukuk Fakültesi'ni bitirdi. 1947-1958 yılları arasında *Akşam* gazetesinde muhabir, istihbarat şefi, yazı işleri müdürü olarak çalıştı. İstanbul Gazeteciler Sendikası başkanlığında bulundu. Strasbourg Üniversitesi'nde devletler hukuku ve gazetecilik alanlarında yüksek lisans (1957-1959) ve yine Strasbourg Hukuk Fakültesi'nde gazetecilik doktorası yaptı (1960).

Paris'te UNESCO Merkezi'nde, iletişim sektöründe özgür haber dolaşımı şefi olarak çalıştı (1959-1983).

Çeşitli konularda 20 kitap yayınladı. Başlıcaları şunlar: *Kara Afrika* (1970), *Uluslararası İletişim* (1958), *İletişimde Karikatür ve Toplum* (1985), *Lumumba* (1987), *Siyasal Reklamcılık* (1991), *Paris'li Yıllar* (1994), *Türk Basın Tarihi* (1996), *Başlangıcından Bugüne Dünya Karikatürü* (1997), *Meyyâle* (1998), *Taif'te Ölüm* (1999), *Paris'te Son Osmanlılar* (1999), *Eski Dostlar* (2000), *Hatice Sultan* (2000), *Gazi ve Fikriye*.

Anadolu Üniversitesi'nde, İstanbul Üniversitesi ve Galatasaray iletişim fakültelerinde uluslararası iletişim ve siyasal iletişim dersleri verdi. 1974-1975 döneminde TRT kurumunda, radyolardan sorumlu genel müdür yardımcılığı yaptı.

HIFZI TOPUZ

Milli Mücadele'de
Çamlıca'nın Üç Gülü

(Tarihsel Roman)

4. Basım

Remzi Kitabevi

ÇAMLICA'NIN ÜÇ GÜLÜ / Hıfzı Topuz

Kapak: Ömer Erduran

ISBN 975-14-0894-6

BİRİNCİ BASIM: Kasım, 2002
DÖRDÜNCÜ BASIM: Kasım, 2002

Bu kitabın her basımı 5000 adet olarak yapılmaktadır.

Remzi Kitabevi AŞ., Selvili Mescit Sok. 3, Cağaloğlu 34440, İstanbul.
Tel (212) 513 9424-25, 513 9474-75, Faks (212) 522 9055
WEB: http://www.remzi.com.tr E-POSTA: post@remzi.com.tr

Remzi Kitabevi A.Ş. tesislerinde basılmıştır.

İçindekiler

BİZ ÇAMLICA'NIN ÜÇ GÜLÜYÜZ

Biz Çamlıca'nın üç gülüyüz,
Aşk bahçesinin bülbülüyüz.
Dillerde gezer söyleniriz,
Gamsız yaşarız eğleniriz.

Yalnız gezene söz atarız
Nâz eyleyene biz çatarız
Yüz bin kokulu gül satarız
Billâhi cana can katarız.

Yesâri Âsım Arsoy – Nihavent Şarkı

I

Çamlıca'da Hulusi Bey Köşkü

Ahmet Hulusi Bey, Birinci Dünya Savaşı'ndan önceki yıllarda Madrid ve Londra'da sefir olarak bulunduktan sonra, bir süre Hariciye Nâzırlığı da yapmıştı. Ama Nâzırlığı çok kısa sürdü. İttihat ve Terakki Cemiyeti Mahmut Şevket Paşa'yı sadrazamlığa getirdikten sonra, Hulusi Bey bir daha Kabine'de görev alamadı. Çünkü oldum olası ne İttihatçılardan hoşlanırdı, ne de Enver, Talât ve Cemal Paşalardan. İngiliz yanlısı olarak tanınmıştı; İttihatçılar ise Alman yanlısıydılar.

Hulusi Bey Nezaret'ten ayrıldıktan sonra, Çamlıca'daki, babasından kalma köşke yerleşti. Bu köşk Çamlıca'nın en görkemli yapılarından biriydi.

Bahçenin ortasında fıskıyeli ve kırmızı balıklı bir havuz yer alıyordu. Suyun üstü yer yer nilüferlerle kaplıydı.

Havuzun çevresinde çiçek tarhları düzenlenmişti. Tarhlar her mevsim değişik çiçeklerle doluyordu. Menekşeler, sümbüller, lâleler, nergisler, hüsnüyusuflar, sardunyalar, ıtırlar, aslanağızları, horozibikleri, ateş çiçekleri...

Bahçe duvarlarının diplerinde mor salkımlar, hanımelleri ve sarmaşıklar uzanıyordu.

Yan tarafta fıstık ağaçları, iki palmiye, leylâklar ve pelinler yer alıyordu.

Köşkün ön bahçesinde, havuzun sağ yanına İspanya'dan getirtilmiş bronz bir boğa heykeli yerleştirilmişti.

Evin önünde geniş bir teras vardı. Terasın ortasında da bir mermer masa, hasır koltuklar, birkaç şezlong ve yanlarında sakız sardunyaları.

Bahçenin hemen arkasındaki bağ, o çevrenin en güzel ve lezzetli üzümlerini veriyordu. İnce kabuklu kınalı çavuş ve yapıncak üzümleri hiçbir bağın üzümüne benzemiyordu. Bağın bir köşesinde al pehlivan, pembe çavuş ve kokulu misket asmaları yetiştirilmişti. Hele köşke gece yatısına gelenler, sabahın erken saatlerinde bağdan buğulu üzüm toplamaya bayılıyorlardı.

Üzümlerin bir başka meraklıları da kirpilerdi. Çavuşların ya da sultaniye üzümlerinin renkleri yeşilden sarıya geçer geçmez, sabah karanlığında kirpiler dikenli giysilerinin altından iki ayak üstüne dikilerek üzümleri didik didik ediyorlardı. Yere sarkan salkımlar onların saldırısından kurtulamıyordu.

Kirpilerin de baş düşmanı köşkün kurt köpeği Fox'tu. Fox evin kızlarıyla bağda dolaşırken bir kütük dibine ya da yanda böğürtlenlerin altına gizlenmiş bir kirpi görecek oldu mu deliye dönerdi. Kirpiyi ısırmaya kalkınca ağzı kan içinde kalır, havlar, çırpınır ama sonunda kirpiyi gizlendiği yerden çıkartırdı.

Bağın orta yerindeki koca bir kiraz ağacı bütün heybetiyle her şeye egemen olmuş gibiydi. Garip bir kiraz ağacıydı bu. Dallarının yarısı sarı kiraz veriyordu, yarısı da kırmızı. Bunu görenler hemen, "Bir dalda iki kiraz/Biri al biri beyaz" türküsünü tutturuyorlardı. Bu kiraz ağacı Hulusi Bey'in marifetiydi. Ağaçlara değişik türden meyveler aşılamayı Avrupa'da öğrenmiş ve bunu keyifle uygulamıştı.

Bağın kenarlarında vişne, dut ve incir ağaçları sıralanıyordu. Bahçenin bir bölümü de çilek ve ahududulara ayrılmıştı.

Saka kuşları ve isketeler bütün meyvelerin baş düşmanıydılar. Kirazlara, dutlara ve çileklere zarar veriyorlardı. Sarıasma kuşları da incirleri rahat bırakmıyorlardı. Sultan Selim incirleri tam ballanırken sarıasmalar hepsini didik didik ediyorlardı.

Meyvelerin düşmanlarını sayarken arıları da unutmamak gerekir. Ama onların da kendi düşmanları vardı: Arı kuşları. Tropik ormanların kuşlarını andıran bu yeşil kuşları bilmeyenler papağan sanırdı. Arı kuşları kovanların ağzına yerleşir ve çıkan arıları tek tek yutarlardı. Arı zehirine karşı herhalde bağışıklık edinmişlerdi.

Bahçede ve köşkte ağustosböceklerinin seslerinden hiç durulmazdı. Hava ısınır ısınmaz ötmeye başlarlar ve ortalık iyice kararana kadar seslerini kesmezlerdi.

Bağın yan tarafındaki tarlada da Hulusi Bey kavun karpuz yetiştirirdi. Her gün birkaç karpuz bir sepete yerleştirilerek kuyuya sallandırılır ve soğutulurdu. Kuyu o zamanlar buzdolabı yerine geçerdi. En kötü şey de zaman zaman sepetin ipinin çözülmesi ve karpuzların kuyuda kalmasıydı. Karpuzları çıkartabilmek için bahçıvan, arabacı ve herkes seferber olurdu.

Köşkün manzarası da akıllara durgunluk verecek gibiydi. Bütün Boğaz ayaklarınızın altındaydı. Yemyeşil sırtlar, korular, çayırlar ve sular arasından güneşin batışını seyretmek tadına doyum olmaz bir zevkti.

Kimlerin köşkü yoktu o zamanlar oralarda? Sadrazam Sami Paşa'nın, onun oğlu Suphi Paşa'nın, Şehzâde Yusuf İzzettin Efendi'nin...

İkinci Mahmut İzzettin Efendi köşkünü üçüncü ikbali yani, Harem'de ilk sırada yer alan yedi kadınından sonra önde gelen üçüncü sevgilisi Tiryal Hanım için yaptırmış ve o öldükten sonra da köşk Abdülaziz'in oğlu Yusuf İzzettin Efendi'ye verilmişti. Yusuf İzzettin Efendi yaşamının kırk yazını bu köşkte geçirmişti.

Onun yanında Hekimbaşı Abdülhak Molla'nın köşkü vardı. O köşkün manzarası anlatıla anlatıla bitirilemezdi. O dönemin ünlülerinden birinin oğlu Semih Mümtaz Bey'e göre köşkün çevresindeki ormanın genişletilmesini engellemek için Molla Hazretleri bir rüya öyküsü uydurmuştu. Molla, ormanın ilerlediği yerlerde bir evliyanın mezarının bulunduğunu rüyasında görmüş ve ilerlemeyi durdurmak için bir türbe yaptırmıştı.

Yine o yakınlarda Viyana Sefiri Arif Efendi ile kardeşinin köşkleri yer alıyordu. Sonra da o köşklerden birine Mekke Emiri Şerif Ali Haydar Paşa yerleşmişti. Eski Hicaz Valisi Ahmet Ratip Paşa'nın köşkü de oradaydı.

Daha ileride Reji Komiseri Nuri Bey'in köşkü bulunuyordu.

Nuri Bey 1871 yılında Paris Komünü'ne katılan, sonra da uslu uslu devlet yönetiminde yer alan Jön Türklerden biriydi. Daha daha kimlerin köşkü vardı o sırtlarda? Öküz Mehmet Paşa'nın köşkü, Osman Paşa'nın köşkü ve daha bir yığın görkemli köşk...

Kimler konuk olurdu o köşklere? Abdülhak Hamit, Recaizâde Ekrem Bey, Ercüment Ekrem Talû, Sermet Muhtar Alus, Yahya Kemal, Halide Edip Hanım, Ahmet Hamdi Tanpınar, Abdülhak Şinasi Hisar ve daha birçok şair ve yazar.

Hulusi Bey otuz yaşlarındayken, babasının isteğine uyarak eski sefirlerden birinin kızı Handan Hanım'la evlenmişti. Handan Hanım gençlik yıllarını babasının yanında Avrupa ülkelerinde geçirmiş, İngilizce ve Fransızca öğrenmişti. O da sevgili eşi gibi İngiltere hayranıydı. Türk doğmuş olmanın üzüntüsünü yaşıyordu. Köşkü İngiltere'den getirtilmiş salon takımlarıyla donatmıştı. Eşinin üzerinde büyük etkisi vardı. Hulusi Bey de karısını taparcasına seviyor ve bir dediğini iki etmiyordu. Handan Hanım ve eşi mutlu bir görüntü veriyorlar ve çevrelerindeki insanları kıskandırıyorlardı.

Handan Hanım'la Hulusi Bey'in ikişer yıl arayla üç kızları oldu. İkisi İngilizce öğrendi, biri de Fransızca. Mütarekenin ilk yılında Neriman 21, Perihan 19, Ümran da 17 yaşındaydı.

1914'te savaş patlak verdiği zaman bütün aile Müttefiklerden, yani İngilizlerden, Fransızlardan ve İtalyanlardan yana olmuştu. Hepsi savaşın İngiltere ve Fransa'nın zaferiyle sona ereceğine inanıyordu. Başka nasıl olabilirdi ki? Ama iktidardaki İttihatçılar bir oldu bittiye dayanarak Osmanlı devletini Almanların yanında savaşa sokunca bütün aile Enver, Talât ve Cemal Paşalara düşman olmuştu. Sonuçta tahminleri doğru çıkmış, savaş Almanya'nın ve Osmanlı devletinin yenilgisiyle sonuçlanmıştı.

Nedim Ağabey

Hulusi Bey'in kızlarının üçü de Nedim Bey'e delicesine âşıktı. Kimdi bu Nedim Bey? Nedim Bey akrabalarıydı. Hem de öyle uzak akraba değil, Handan Hanım'ın halasının oğluydu. Harbiye'yi bitirdikten sonra İkinci Kolordu'da görev almış, ama her fırsatta Hünkâr Hazretlerini, Sadrazamı ve Harbiye nâzırlarını acımasız bir dille eleştirdiği için hiçbir önemli göreve getirilmemişti. Yani sicili bozuktu. Hakkında pek çok jurnal verilmişti. O da artık bunları kanıksamıştı, yükselmek hiç umurunda değildi.

Kızların üçü de onun ellerinde büyümüştü. Nedim Bey kızları hiç unutmaz, her bayram ve doğum günlerinde elleri kolları hediyelerle yüklü gelirdi. Kızlar da onu görünce bayram ederler ve coşkuyla boynuna sarılırlardı.

Nedim Bey onlara eskiden başından geçen serüvenleri ve aşk öykülerini ballandıra ballandıra anlatır, kızlar da hep aynı heyecanla onu dinlerlerdi. Oysa bunlar hiç de yeni olaylar değildi. Önemli olan anlatım biçimiydi.

Nedim Ağabey'in kızlara anlattıkları yalnız bunlar değildi elbette. Gündemde özgürlük konuları da yer alıyordu. Namık Kemal'den ve Tevfik Fikret'ten sık sık şiirler okunuyordu. Nedim Bey onları öyle bir coşkuyla okuyordu ki, kızlar da aynı heyecanı yaşıyorlardı. Bunlar hep özgürlük ve başkaldırı şiirleriydi. Bu tür şiir saatleri hep Handan Hanım'ın köşkte bulunmadığı zamanlarda düzenleniyordu.

Nedim Ağabey bazen de sözü Mustafa Kemal'e getiriyor ve onun başarılarını anlatırken Hünkâr Hazretlerine ve bütün Saray takımına verip veriştiriyordu. Bunlar kızların hiç kimseden duymadıkları konulardı. Böylece kızlar gizli bir suç ortaklığı duygusuna kapılarak başkaldırının tadını çıkartıyorlardı.

Nedim Bey bazen de dil konularından söz ediyordu:

— Türkçemizi ne ölçüde yitirdiğimizin farkında mısınız? Dilimiz zaten Arapça'nın ve Farsça'nın etkisi altındaydı, şimdi de Fransızca'nın ve İngilizce'nin etkisi altında. Pera Palas hiç Beyoğlu'na yakışıyor mu? Neden Beyoğlu Sarayı demiyorsunuz? Bu sırf, kendimizi yabancılara beğendirmek için bir özenti.

Neden Galata Bonmarşesi diyoruz? Bunun Türkçe adı Galata Ucuzluk Pazarı değil mi?

Neden Rose Noir kabaresi? Kara Gül değil? Şark Kulübü, Cercle d'Orient'dan daha güzel değil mi? Neden futbol? Ayaktopu diyemez miyiz?

Nedim Bey bu konularda bir yığın örnek verdikten sonra şöyle diyordu:

— Sorun çok ciddi. Dilde bağımsızlığımız elden gidiyor. Bu bir kültür sorunudur. Yavaş yavaş Fransızların ve İngilizlerin egemenliği altına giriyoruz. Önce ekonomik bağımsızlığımızı yitirdik, sonra da kültürel bağımsızlığımızı. Bunu siyasal bağımsızlık izleyecek. Neye varacak bunun sonu? Böyle giderse elli yıl sonra sokaklarda hiç Türkçe tabela göremeyeceğiz. Önce gazeteler, sonra da okul kitapları yabancı sözcüklerle donanacak. Çocuklarımızın dilini anlayamayacağız. Aman kızlar, çok dikkatli olalım. Yavaş yavaş bütün ulusal kimliğimizi yitiriyoruz.

Nedim Ağabey kızlara aşk ve duygu şiirleri de okuyordu. Âşık olmak, sevmek, sevilmek ve sevişmek düşüncesi deli ediyordu kızları. Ama düşlerinin kahramanlarına nerede rastlayacaklardı? Çevreleri de o kadar kısırdı ki. Nerde o duygulu, düşünceli ve yakışıklı gençler?

Nedim Ağabey acaba kızların hangisiyle daha fazla ilgileniyordu, onu bir türlü anlayamıyorlar, birbirlerini de fena halde kıskanıyorlardı.

Nedim Ağabey kızların hepsine sanki birer mavi boncuk vermişti. Her birine ayrı ayrı iltifatlar eder, mutlaka hepsinde ayrı ayrı güzellikler ve özellikler bulur, onları vurgulamaktan hiç mi hiç yorulmazdı. Kızlar da durmadan Nedim Ağabey'den tatlı sözler beklerlerdi. Her yeni giysi, her yeni takı Nedim Ağabey'in hoşuna gitsin diye seçilirdi.

Nedim Ağabey bazen kızlardan birinin elini avuçlarının içine alır ve uzun uzun sıkar, bazen de gözleri bu yakınlaşmaya eşlik ederdi. Sonra gözlerini kızlardan birinin gözlerine diker, tatlı tatlı gülümser, onlar da gözlerini ondan hiç ayırmazlardı. Kızlar Nedim Ağabeylerinin sigarasını yakmak için de birbirleriyle âdeta yarışırlardı. Tatlı ve yumuşak bir el kibriti uzattığı zaman

Nedim Ağabey o eli avuçlarının içine alır ve kolay kolay bırakamazdı.

Kanepede otururken de bazen kızların bacakları Nedim Ağabey'in dizine değer ve aralarında sıcak bir elektriklenme olurdu. Ama ne o istekli bacak geri çekilirdi, ne de Nedim Bey'in her şeyi algılayan ve değerlendirmesini bilen dizi.

Köşke geliş ve gidişlerdeki yanak yanağa öpüşmelerin de yavaş yavaş trafiği değişti. Önce Nedim Ağabey'in dudakları kızların dudaklarına yaklaştı, sonra da kızların dudakları Nedim Ağabey'in dudaklarını arar oldu. Her şeye karşın hedefler bilinçli bir biçimde tam seçilmiyor ve dudakların uçları birbirine hiç değmiyordu. Oysa Nedim Ağabey iyi bir nişancıydı, hedefi 12'den vurmasını bilirdi ama kızları ürkütmekten çekiniyordu. Birini, içinden geldiği gibi tam isabet öpmeye kalksa bu olay elbetteki ötekilerin gözünden kaçmayacak ve gerginlik konusu olacaktı. Ya üçünü de aynı biçimde öpse kim bilir ne olurdu? Mutlaka ilk öpülen ötekini kıskanır ve olay çıkardı. Nedim Ağabey buna fırsat vermedi ve hiçbirisiyle dudak dudağa gelmedi. Oysa kızlar hep bunu bekliyorlar ve öpüşürken başlarını çevirmemeye özen gösteriyorlardı. İçlerinden belki de, "Ne beceriksiz adam şu Nedim Ağabey," diyorlardı.

Gerçekte Nedim Bey kadınlardan, kızlardan korkacak adam değildi. Kendini kadınlara beğendirmekten çok hoşlanırdı. Beğenilmek için de elinden geleni yapardı. Ama işi fazla ileri götürmek de hiç işine gelmezdi. Sonra ne olurdu bunun sonu? Eğer biri kendisine tutulacak olursa onu tekeli altına almaya kalkar, kıskanır ve ona göz açtırmaz olurdu. Bu özenilecek bir durum muydu? Nedim Bey özgürlüğüne düşkündü. İltifat etsin, dalga geçsin, biraz flört etsin, kendisine yüz versinler, hepsi bu kadar. İlişkiyi tadında bırakmak gerekirdi.

Diyelim ki biriyle buluştu, o kız hemen bütün yakınlarına bunu duyurmayacak mıydı? Çevresindeki kadınlar, kızlar her ne kadar, "Vallahi başka hiç kimseye anlatmam," derlerse desinler, her şeylerini tüm ayrıntılarıyla birbirlerine anlatırlardı. Hem de bütün akla gelmez ayrıntıları. Tabii kendilerine kırık not verilmesine neden olabilecek davranışlarından hiç söz etmezler ve ilişkinin parlak yanlarını da yaldızlayarak anlatırlardı. Nedim Bey de çocuk değildi ki, bu yaşa kadar neler görmüş neler geçirmişti.

Nedim Bey'in kızlarla bir duygusal bir ilişki kurmaya yanaşmamasının bir nedeni daha vardı ki, gerçekte en önemli neden buydu galiba. Nedim Bey gençlik yıllarında kızların annesi Handan'a tutkundu. Aynı yaşlardaydılar. Handan çok hoş ve güzel bir kızdı. Arkadaşları onların bir gün evleneceklerini umut ediyordu. Birbirlerinden çok hoşlanıyorlardı. Sık sık teyze-hala ziyaretleri oluyor ve uzun uzun yalnız kalıyorlardı. Handan da Nedim'i çok beğeniyor ve onun içini gıcıklayacak davranışlarda bulunmaktan hiç geri kalmıyordu. O yıllarda Handan Dame de Sion'da okuyordu. Ailenin kızlarına gösterdikleri bu özen ileride iyi bir evlilik yapabilmeleri içindi. Yoksa Handan'ın bir iş ya da meslek sahibi olması kimsenin aklından geçmiyordu. Kızların eğitimi aile için bir yatırımdı. Babıâli'de üst düzeyde bir memur ya da zengin bir paşazâde, kız aileleri için iyi bir damat adayı olabilirdi. Bu gibi gençlerin kısa zamanda paşalığa yükselebilmesi uzak bir olasılık değildi. Çoğu zaman genç kızlar da bu çeşit evlilikler için koşullandırılmış olurlar ve herhangi bir damat adayını kolay kolay beğenmezlerdi. O dönemde kızlar için evlilik yaşı genelde 14-18' di. Ama bazı kızlar, "paşa da paşa" diye tuttururlar ve yaşları 30'u aşana kadar, kendilerini mutlu edecek paşayı beklerlerdi.

Handan'ın ailesi de bu çeşit bir damat arıyor ve kızlarının bir Harbiye öğrencisine gönlünü kaptırmasından korkuyordu. Kızlarının eğitimi için yapılan bunca masraf ve gösterilen özen boşuna mıydı? Handan, Nedim'den ne kadar hoşlanırsa hoşlansın annesinin sözünü dinlemek zorundaydı ve halasının oğluyla arasındaki duygusal ilişkiyi bir evliliğe dönüştürmek niyetinde değildi. Bu yüzden de Hulusi Bey'in ailesi Handan'ı ailesinden istediği zaman hiç kimse bu talebi reddetmedi.

Hulusi Bey ideal bir damat adayıydı. Babası, Abdülhamit döneminin ünlü paşalarındandı. Hulusi, Robert Kolej'i bitirdikten sonra Hariciye Nezareti'ne girmiş ve önemli yerlerde bulunmuştu. Parlak bir nikâh ve düğün töreni düzenlendi ve evlendiler.

Nedim ilk göz ağrısı Handan'ın bu evliliğini hiç içine sindiremedi. Düğüne gitmediği gibi, birkaç yıl onların evine adımını atmadı. Ama zaman bu aşkı küllerle örttü. Handan artık çoluğa çocuğa karışmıştı. Bütün eski heyecanlar, duygular unutuldu. Nedim bir süre sonra bu evliliği kabullenmek zorunda kaldı. Zaten artık ikisi de başka dünyaların insanları olmuştu. Handan soyluluğa ve gösterişe özenen, yurt ve dünya olaylarıyla hiç ilgilenmeyen, hanım hanımcık bir ev kadını olmuştu. İstanbul'da, Saray'da, hükümette, devletin içinde neler olup bittiğini ona Hulusi Bey anlatıyor, o da dünyayı kocasının gözlükleriyle görüyordu. Ne bir gazete, ne de bir kitap okuyordu.

Handan'ın çevresindeki insanların hepsi Hünkâr Hazretlerine körü körüne bağlı, Saltanat hayranı kimselerdi. "Allah devlete ve millete zeval (zarar) vermesin, Padişah Efendimizi başımızdan eksik etmesin"den başka söz bilmiyorlardı. Çünkü Zâtı Şahane (Padişah) hiç hata etmezdi. Ne Dame de Sion'da kafasını işletebilen, ne de gezdiği ülkelerden bir şeyler kapabilen Handan da bu insanlara uymuştu.

Handan'la Hulusi Bey'in kızlarının da ileride iyi bir koca bulmaları için iyi bir eğitim görmeleri gerekiyordu. Neriman'la Perihan'ın Arnavutköy'deki Amerikan Koleji'ne gitmeleri uygun görüldü. Aynı yıl okula yazıldılar. Eve bir piyano alındı, bir hoca tutuldu, haftada bir gün piyano dersleri başladı.

Kızların en küçüğü Ümran ise ne İngilizceye meraklıydı ne de piyanoya. O mutlaka 'sör'lerde okumak istiyordu. Bu yüzden ablalarından iki yıl sonra Dame de Sion'a verildi. Haşarı bir öğrenciydi. Kısa sürede sınıfın en yaramaz ve en ele avuca sığmaz öğrencisi olarak tanındı. Her gün sörleri deli ediyor ve türlü cezalar alıyordu. Ama dersleri çok iyiydi. Hiçbir dersten kırık not almıyor ve her yıl sınıf birinciliğine yöneliyordu. Hele hele kompozisyonda hiçbir öğrenci onun düzeyine erişemiyordu. Racine'leri, Corneille'leri, Molière'leri, Lamartine'leri, Musset'leri ve Hugo'ları ezbere biliyordu.

Kardeşlerinden ayrı yöntemlerle yetişiyordu. Onları küçümsüyor, ama İngiliz edebiyatından hiçbir şey anlamadığı için ablaları da Ümran'la dalga geçiyorlardı.

Çamlıca'daki köşk her gün dolup taşıyordu. Kimler gelmiyordu ki? Hulusi Bey'in akrabaları, Handan Hanım'ın teyzeleri, halaları, onların çocukları, dayılar, amcalar, enişteler... Bu ne muazzam bir aileydi. Uzaktan yakından akrabaların sayısı 200'ü geçiyordu. Hele bayramlarda bütün bu insanlar sıraya diziliyordu. Köşkte ne oturacak iskemle, ne de koltuk kalıyordu. El etek öpmeler, kucaklaşmalar, ölmüşleri anarak ağlaşmalar, pohpohlamalar, bir yığın alaturka övgü sözleri, derinlemesine bir nezaketle atbaşı giden eşsiz yalakalıklar...

Tabii bunların yanı sıra tencereler dolusu yemekler, tepsiler dolusu kebaplar, baklavalar, sürahiler dolusu şerbetler, limonatalar, şuruplar...

Normal zamanlarda köşkün bir de kendi halkı vardı ki, onların da sayısı hiç küçümsenecek gibi değildi.

Köşk halkını kimler oluşturuyordu? Herkesten önce Hulusi Bey'in annesi İkbal Hanım vardı. Köşkte büyük saygı gören İkbal Hanım'a 'Büyükhanım' deniyordu. Erzurumluydu. İstanbul'daki soyluların ve kibarlık budalalarının havasına uymak için hiçbir çaba göstermemişti. Pazen entarileri, hırkaları, yün terlikleri ve başörtüsüyle hâlâ Anadolu geleneklerini sürdürüyordu. 93 Harbi'nin yarattığı bunalımlardan bir türlü kurtulamamıştı. İnsan içine çıkmaktan da pek hoşlanmaz ve genelde odasında kendi kendine oyalanırdı. Elinden hamur işleri gelir ve zaman zaman mantı ve su böreği yapardı. Üzüm mevsiminde pekmez kaynatır, pestil, tarhana ve salça yapar, dut ve vişne kurutur, turşu kurar ve kışlık erzak depo ederdi. Bahçedeki bütün otları da tanır, ebegümeci, labada, kaz ayağı, madımak toplar ve onlardan yaz yemekleri hazırlardı. Kantaron çiçeği, adaçayı, kekik, ısırgan otu gibi bütün şifalı bitkileri de ayrı ayrı değerlendirirdi.

Büyükyenge Servet Hanım köşkün temel direklerindendi. Servet Hanım kimin yengesiydi? Kaç yıldır köşkte oturuyordu? Onu bilen pek kalmamıştı. Ama gerçekte Servet Hanım Hulusi Bey'in büyük amcalarından birinin eşiydi. Çoluğu çocuğu olmamış ve kocası öldükten sonra, belki kırk yıl önce o da köşke yerleşmişti. Boşnak kökenliydi. İyi rakı içer, davudî sesiyle sofrada alaturka eski şarkılar söyler ve ud çalardı. Kızlar bayılırlardı Servet yengeye. O da hepsiyle dostluk eder, dertlerine ortak olurdu.

Haremağası Nuri Ağa, Esma Sultan'ın sarayı dağıldıktan sonra Çamlıca'daki köşke gelmişti. Sudan kökenliydi. Arapça biliyordu. Gençliğinde çok güzel bir adam olduğu belliydi.

Aşçı Ömer Ağa, İranlıydı. Bütün yaşamı konaklarda, köşklerde geçmişti. Hiç evlenmemişti. Genç erkeklere meraklı olduğu söylenirdi. Ama bu merakını hiç belli etmezdi.

Gülfidan Bacı Habeşistan kökenliydi. 4-5 yaşlarındayken Tophane'deki esir pazarından satın alınmıştı.

Sütnine Kadriye Hanım Girit kökenliydi. Eşi 93 Harbi denen Osmanlı-Rus savaşında ölmüş ve yeni doğan çocuğuyla sokaklarda kalan Kadriye Hanım, Handan Hanım'a süt vermek için köşke alınmıştı. Bir süre sonra bebeğini de yitiren Kadriye Hanım köşke yerleşip kalmıştı. Ailede ona 'Sütnânım' deniyordu. Neriman'ı, Perihan'ı ve Ümran'ı da kendi çocukları gibi büyütmüştü.

Bahçıvan Ramazan Arnavut kökenliydi. Köşkte Laz hizmetçi kız Kezban'la evlendirilmişti. Bahçedeki uşak evinde oturuyorlar, Kezban da eve hizmet ediyordu.

Arabacı Hasan Ağa on yıldan beri Hulusi Beylerin yanında çalışıyordu. Kürt kökenliydi. Evliydi, bir oğlunu Çanakkale Savaşlarında yitirmiş olmanın acısını hâlâ unutamamış, yaşamı kararmıştı.

Emekli Baş Şehbender (Başkonsolos) Hayri Bey, Hulusi Bey'in uzaktan akrabası olurdu. Hiç evlenmemişti. Bütün yaşamı genelde Yunanistan, Rusya ve İran gibi komşu ülkelerde şehbenderlik görevlerinde geçmiş, sonunda başşehbenderliğe yükselmişti. Bulunduğu yerlerde görevi, oralara gelen vatandaşlara idari işlerde yol göstermek, Osmanlı devletinin ticari çıkarlarını korumak, oraların durumu hakkında Hariciye Nezareti'ne bilgi vermek ve devlete zarar verme olasılığı olan kişilerin peşine hafiye takarak haklarında zaman zaman İstanbul'a jurnallar (raporlar) göndermekti. İyi yaşadı, bol bol okudu, hiçbir değeri olmayan yazılar yazdı, emekli olduktan sonra da İstanbul'a döndü. Ne birikmiş parası vardı, ne de babadan kalma bir evi. Hulusi Bey Çamlıca'daki köşkte ona bir oda verdi, böylelikle köşkün ayrılmaz bir parçası oldu.

Etliye sütlüye karışmadan oturur ve arada bir kendini görmeye gelen dostlarıyla yarenlik ederdi. Kimler vardı bu dostların arasında? Ünlü paşazâdelerden Semih Mümtaz Bey, Sakallı Celâl Bey, eski Maarif, Maliye ve Evkaf nâzırlarından Deli Raşit (Erer) Bey ve eski hariciyecilerden Abdülhak Şinasi (Hisar) Bey. Zaten onlar sık sık Çamlıca'ya başka dostlarını görmeye gelirler, Hayri Bey'e de uğrarlardı.

Semih Mümtaz Bey Cenevre'de okumuştu. Uzun yıllar Babıâli'de (başbakanlıkta) çalıştı. Üst düzeyde yöneticilerden, eski sadrazamlardan, nâzırlardan ve Âyan Meclisi üyelerinden tanımadığı yoktu. Aşırı ölçüde nazik ve zarif bir adamdı.

Sakallı Celâl Bey Galatasaray'ı bitirmiş ilk Türk sosyalistlerdendi. Çok titiz bir insandı. Bazen dostlarının evine elinde sefertasıyla gider, evinden getirdiği yemeklerden başkasını yemezdi.

Raşit Bey bütün yaşamı boyunca sömürgecilikle savaşmış ve Osmanlı İmparatorluğu'nda yabancı ortaklıkların ülkeyi sömürmeleri konusunda Fransızca bir kitap yazmıştı.

Abdülhak Şinasi Bey Rumelihisarı'nda otururdu. Dışişleri'nde çalışıyordu. Edebiyata meraklıydı. O da sık sık Çamlıca'daki akraba ve dostlarını ziyarete gelirdi.

Köşke sık sık gelen ve gece yatısına kalan konukların başında Fuham Paşa'nın eşiyle kızları yer alırdı. Fuham Paşa'nın üç kızı vardı: Naciye, Şadiye ve Behice. Bu kızlar Hulusi Bey'in kızlarıyla aynı yaşlardaydılar. Onlar Alman eğitimiyle yetişmişler, Alman hemşirelerden ders almışlardı. Üçü de iyi Almanca konuşuyordu.

Fuham Paşa Konya'da bir çiftlik satın almıştı. Emekli olduktan sonra orada tarım işletmeciliği yapacak ve at yetiştirecekti. Kızlar da şimdiden ata binmesini öğrenmişlerdi.

Onlar geldikleri zaman köşkte bir kültürler çatışması yaşanıyordu. İngiliz, Fransız, Alman kültürlerinin üstünlüğü üzerinde tartışmalar oluyordu. Şehbender Hayri Bey ise Osmanlı kültürünü savunuyordu. Arnavut kökenli Ramazan, Laz kökenli hizmetçi Kezban, Kürt kökenli arabacı Hasan, Arapça konuşan Nuri Ağa, Habeş kökenli Gülfidan Bacı, Boşnak kökenli Servet Hanım, Rumca'yı ana dili gibi konuşan Giritli Kadriye Hanım, Çerkez evlatlık Nevbahar ve Acem aşçı Ömer Ağa bu konulara hiç kafa yormuyorlar, kendi gelenek ve göreneklerini sürdürüyorlar ve kendi dillerini konuşuyorlardı. Köşk değil sanki bir uluslar topluluğuydu burası. Osmanlı kültürünün zenginliği de bu çeşitlilikten geliyordu.

Köşkü ziyaret edenlerin arasında en ilginç ve sevimli olanlardan biri de Ali Amca'ydı. Ali Amca, Hulusi Bey'in öz kardeşiydi. Ağabeyi köşkte olmadığı zaman annesi İkbal Hanım'ı görmeye gelir ve bu geliş gidişleri hep gizli tutulurdu. Çünkü Hulusi Bey bir gün ona, "Bu köşke bir daha adımını atarsan ayaklarını kırarım!" diye bağırmış ve kardeşini küfürlerle evden kovmuştu.

Ali Amca

Ali Amca çocukluğunda haylazdı, dalgacıydı, okuldan kaçmış ve hiçbir baltaya sap olamamıştı. Okuması yazması bile yoktu. Hulusi Bey kardeşini adam etmek için elinden geleni yapmış ama onun yaşamını düzene sokamamıştı. Zaman zaman ona birtakım işler bulmuş, ama Ali Amca işi asmış, kaytarmış ve kapı dışarı edilmişti.

Ali Amca çocukluğunu ve gençliğinin ilk yıllarını köşkte geçirmişti ve köşkün küçük beyi gibi yaşamıştı. Sabahtan akşama kadar şarkılar, türküler söylüyor, yan gelip yatıyordu. İçkiye de çok meraklıydı, evde ne kadar içki varsa tüketiyordu. Ona rakı dayanmıyordu. Ağabeyinin dolaplarda gizlediği yıllanmış Fransız şaraplarını ve İskoçya viskilerini de yok ediyor, Hulusi Bey ise değerli konukları için özenle sakladığı bu içkileri bulamayınca deliye dönüyordu.

İkbal Hanım Ali'nin bu sorumsuz davranışlarına deli oluyor ve, "Oğlum Ali, evlâdım, sen ne zaman akıllanacaksın? Bak, yaşın yirmiyi geçti, hâlâ aklın bir karış havada," diye sızlanıyordu.

Ali artık ailenin yüz karası olmuştu. Bir kusuru daha vardı: Çapkınlığı. Köşkte ne kadar hizmetçi, besleme, evlâtlık varsa hepsini baştan çıkarmıştı. Handan Hanım da bunları duyunca bunalımlar geçiriyordu. Kızları korumak için elinden geleni yapıyor, ama nafile, Ali Amca Handan Hanım'ın evde olmadığı saatlerde bir yolunu bulup mutlaka kızları sıkıştırıyordu. Hem de ne diller döküyor, ne şaklabanlıklar yapıyordu. Hiçbir kız dayanamıyordu Ali Amca'nın bu tatlılığına.

Son olarak Handan Hanım'ın sevimli evlâtlığı Murgidil'e kafayı takmıştı. Murgidil (Gönül Kuşu) 5 yaşındayken köşke gelmiş ve Handan Hanım onu öz kızlarından ayırt etmemişti. Ona ev işleri, dikiş ve okuma yazma öğretmiş ve gül gibi bakmıştı. Murgidil'in anası babası Çerkez'di. Boşanmışlar ve çocuk ortada kalmıştı. Büyüdükçe serpildi, güzelleşti, göğüsleri ortaya çıktı, kalçaları dolgunlaştı, saçlarını uzattı, zarif haller takındı. 13 yaşında cilveli bir hava geldi Murgidil'e.

Ali Amca da fena hoşlanıyordu bu kızdan. Yanından ayrılmıyor ve zaman buldukça mutfakta ya da bahçede kızı sıkıştırıyordu.

Murgidil önceleri Ali Amca'nın bu davranışlarını çok yadırgıyordu ama sonraları bu girişimlerden hoşlanmaya başladı. Ali Amca göğüslerine dokundukça içi bir hoş oluyor, yüzünü ateş basıyor, yüreği çarpıyordu. Ali Amca daha sonraları kızın bacaklarına da uzandı, Murgidil'in yüreği daha başka bir türlü çarptı. Günün birinde Ali Amca kızı dudaklarından öptü, hem de uzun uzun.

Sonra bir gün köşkte Handan yenge ve kızları yokken Murgidil'i odasına aldı. Kız önce kendini bırakmak istemedi, çırpındı bir süre. Ama sonra yine içi bir hoş oldu; dayanamadı. Kendini koyuverdi.

— Ali Amca, dedi, neye varır bunun sonu? Hiç düşündün mü?

— Düşünmedim. Ne olur? Her işte bir hayır vardır. Benden hoşlanmıyor musun?

— Hiç hoşlanmaz mıyım? Gördün işte. Teslim oldum senin gibi bir canavara.

— Murgidil, bana canavar falan deme. Ben seni seviyorum. Alacağım seni.

— Alsan iyi olur, benim de gönlüm sende, biliyorsun. Ama Handan ablam hiç razı olur mu? Öldürür beni, vallahi öldürür.

— Hiçbir şey yapamaz. Sen de köşkün kızı olursun.

— Zaten köşkün kızı değil miyim?

— Değilsin ya. Evlâtlıksın.

— Öyle deme Ali Amca, beni kızlarından ayırmıyor ki.

— Sen onu bilmezsin Murgidil, o ne yılandır o!

Murgidil kadın olmaktan çok hoşlanmıştı. Her fırsatta buluşup sevişiyorlardı. Ama birkaç ay sonra kız bir de baktı ki artık âdet görmüyor. Etekleri tutuştu.

— Ali, dedi, ben hamile kaldım galiba.

— Kaldınsa kaldın. Ne olur, doğurursun. Ne güzel bir yavrumuz olur.

— Deli olma Ali, ben nerede doğururum yavrumu? Nerede yaşarız? Sen de köşkte bir sığıntısın.

— Halt etmişsin sen onu. Köşk benim de köşküm sayılır.

— Zor sayılır. Görürsün Hanya'yı, Konya'yı.

Bir ay sonra Murgidil'in karnı şişmeye başlamaz mı? Bir yandan da mide bulantıları, baş dönmeleri...

Murgidil yemek kokularına da dayanamıyor, mutfağa giremiyordu.

Handan Hanım'ın hiç gözünden kaçar mı böyle şeyler? Murgidil'i aldı karşısına.

— Söyle bakalım, dedi. Sen ne haltlar ettin?

Kız ağladı, sızladı. Sonunda baklayı ağzından çıkardı Handan Hanım çok sinirlenmişti.

— Seni kaltak seni, dedi. Seni orospu seni. Evime aldım, besledim, büyüttüm, al sana. Zaten söylemişlerdi bana, evlâtlıklardan hayır gelmez diye. Demek ki o Ali denen serseriyle mercimeği fırına verdiniz? İkiniz de beş para etmezsiniz. Gözüm görmesin sizi. Hemen pılını pırtını toplar gidersin. Ne haliniz varsa görün. Yazıklar olsun sana. Evimde meğer orospu yetiştirmişim. Git artık nerede istersen orada orospuluk et, pespaye kız! Yıkıl karşımdan!

Murgidil hüngür hüngür ağlıyordu, ağzını açıp tek kelime söyleyemedi. Hemen odasına koştu. Giysilerini bir bohçaya doldurdu. Nesi vardı zaten. Köşkteki öteki insanların da ağzını bıçak açmıyordu. Ne sütnine Kadriye Hanım tek kelime söyleyebildi, ne büyük yenge Servet Hanım, ne de hizmetçi Kezban. Yalnız Gülfidan Bacı geldi Murgidil'in yanına:

— Kızım, dedi, üzülme. Bu da geçer. Biz neler gördük hayatta. Korkma. Aslan gibi erkeğin var. Yarın bir yuva kurarsınız. Gül gibi geçinir gidersiniz. Onlar ettikleriyle kalırlar.

Murgidil gözyaşlarına boğularak köşkten çıktı. Doğru arabacı Hasan Ağa'nın ahırın bitişiğindeki odasına gitti. O da Murgidil'i böyle hıçkırıklar içinde görünce yüreği parçalandı.

— Kızım, sen üzülme, dedi. Her şey olacağına varır. Hele Ali bir gelsin, ben köyde size bir yer bulurum. Yerleşir oturursunuz. Bırak artık ağlamayı. Allah başka keder vermesin.

Bir süre sonra Ali Amca geldi. Her şeyi öğrenmişti. Murgidil hemen onun boynuna sarılıp ağlamaya başladı. Ali Amca da,

— Kız, dedi, gördün mü, başımıza açtığın belâyı? Köşkten kovulduk. Şimdi ne halt edeceğiz?

Hasan Ağa:

— Düşünme Ali, dedi, ben yarın size köyde bir yer bulacağım.

— İyi de, neyle geçineceğiz?

— O da kolay, Murgidil'i bir eve yerleştiririz. Ev işlerine bakar. Sen de bir baltaya sap olursun elbette. Arabacı arayan çoook.

Gerçekte de işler Hasan Ağa'nın dediği gibi oldu. İkisi de birer işe yerleştiler. İmam nikâhı ile evlendiler. Altı ay sonra Murgidil sağlıklı bir doğum yaptı. Nurtopu gibi bir bebek doğurdu.

Ali Amca köşkten kovulmuştu ama annesi İkbal Hanım oğlunu çok özlüyor, Hulusi Bey'in ve Handan Hanım'ın köşkte olmadığı zamanlarda onu gizlice eve alıyordu. Ana oğul özlemle kucaklaşıyorlar ve tatlı tatlı dertleşiyorlardı. İkbal Hanım torununu da çok merak ediyordu ama Ali Amca onu bir türlü köşke getiremiyordu. Ali de annesine çok düşkündü. Köşke her gelişinde elleri kolları dolu oluyor ve yalnız annesine değil, Neriman'a, Perihan'a ve Ümran'a hediyeler dağıtıyordu.

Murgidil bu yaşamdan mutlu muydu? Mutlu görünüyordu. Çocuğunu kucağından düşürmüyor, üzerine titriyordu. Ama Ali artık eski Ali değildi. Davranışları sertleşmiş ve kaba denebilecek bir adam olmuştu. Murgidil'i eskisi gibi kucaklayıp öpmüyor, giysileriyle, yaptığı yemeklerle hiç ilgilenmiyor ve çok az konuşuyordu. Her akşam eve geç geliyor, rakısını içip oturduğu yerde uyuyordu. Murgidil ona hoş görünmek için elinden geleni yaptığı halde Ali'nin yüzü hiç gülmüyordu.

Murgidil bir gün kendisini iyi hissetmemişti, başı ağrıyor ve sırtı sancıyordu. Öğle üzeri eve dönmek için evinde çalıştığı hanımdan izin istedi. Kucağına yavrusunu alıp evine döndü. Bir de ne görsün?

Ali komşunun kızıyla kucak kucağa değil mi? Kan beynine sıçradı.

— Ali, dedi, artık sen benim kocam değilsin.

Ali:

— Pekâlâ öyle olsun, dedi. Boş oldun. Ne cehenneme gidersen git.

Murgidil çalıştığı eve yerleşti. Komşunun kızı da Ali'nin evine... Ama o hikâye de ancak üç beş ay sürdü. Sonra bir başka kız çıktı Ali'nin karşısına, onunla evlendi. Bir çocuğu oldu. Sonra onu da bıraktı. Ama annesini hiç ihmal etmedi. Yine gizli gizli buluşmalar, yine gözyaşları. Yine özlem. Ali Amca'nın yaşam biçimi böyleydi işte.

Yetim Zehra

Köşke en son yerleşen, 14-15 yaşlarındaki yetim Zehra idi. Gazeteler Todori Çetesi'nin Şile'de bir köyü basarak sekiz kişiyi öldürdüğünü, köyün kızlarını da dağa kaçırarak ırzlarına geçtiklerini yazmışlardı. Zehra işte bu talihsiz kızlardan biriydi.

Todori çetesi 1919 yılında Şile'den Büyükbakkalköy'e, Paşaköy'e, oralardan Bostancı'ya, Kartal'a, Pendik'e uzanan bölgelerde dehşet saçıyordu. Bu çeteye bağlı başka çeteler de vardı. Çakır Yorgo çetesi, Karabacak çetesi, Anesti Kaplan çetesi.

Bu çeteleri Yunanlılar ve Rumlar destekliyorlardı. Üç amaçları vardı: Birincisi soygunculuk ve yağma; ikincisi kırsal kesimde terör havası estirerek Türkleri kaçırmak; üçüncüsü de Kuvayı Milliye'ye yardım edenleri yok etmek.

Todori'nin yönetimindeki çetelerin dışındaki belli başlı çeteler de şunlardı: Milto Çetesi, Paşaköylü Çetesi, Milti Kaptan Çetesi, Stelyanus Çetesi, Panayot Çetesi, Apostol Çetesi, Bahari Çetesi, Çakıcı Yorgi Çetesi, Vitalis Çetesi, Yirmiler Çetesi, Paşaköy'ün Ellilik Çetesi...

Neler yapmıyordu bu çeteler? Kuvayı Milliye'ye yardım ettikleri bilinen insanları ya kurşunlayarak ya da boğazlarını keserek öldürüyorlar, bazen de ağaçlara asıyorlar, jandarmaları, polisleri vuruyorlar, kızları kaçırıyorlar, evleri soyuyorlar, bazen de yakıyorlar, köylünün hayvanlarını alıp götürüyorlardı.

Kendi güçleri yetmediği zaman çeteciler İngilizleri devreye sokarak Kuvayı Milliyecileri onlara öldürtüyorlardı. Nitekim Beykoz'da Kaymakdonduran denilen yerdeki taş ocaklarında çalışan yirmi yedi Karadenizli'yi Kuvayı Milliye'ye hizmet ediyorlar diyerek İngilizlere yakalatmışlar ve onlar da hepsini kurşuna dizmişlerdi.

Peki, bu Rum çeteleriyle savaşan Türk çeteleri yok muydu?

Vardı elbette. Onların da amacı Çamlıca, Kısıklı, Bulgurlu, Dudullu, Küçük ve Büyükbakkalköy yörelerindeki çeteleri sindirerek Anadolu'ya uzanan Menzil Hattı'nı güven altında tutmaktı. Ama bunun yanı sıra köyleri Rum çetelerinin baskınlarından koruyorlardı.

Kimlerdi bunlar? Laz Osman Çetesi, Arnavut Ali Bey Çetesi, Sağır Murat (ya da Korsan Murat) Çetesi, Küçük Aslan Çetesi, İpsiz Recep Çetesi, İsmail Kaptan Çetesi, İzmit yöresindeki Yahya Kaptan Müfrezesi, Gebze'de Dayı Murat Müfrezesi, Şile'de Yusuf Ziya Müfrezesi, Alemdar Müfrezesi, Bulgar Sadık Müfrezesi, Demir Hulusi Bey Müfrezesi...

Korsan Murat Bey bir gece Selimiye kışlasını basarak bütün silâh ve cephaneyi Üsküdar açıklarında duran *Alemdar* gemisine yükletmiş ve Zonguldak'a kaçırmıştı.

İstanbul'un çevresinde sürekli çete savaşları oluyor, Türk ve Rum çeteciler birbirleriyle kıran kırana dövüşüyorlardı.

Yetim Zehra'yı köşke sütçünün karısı getirdi. Zehra, iki gözü iki çeşme, hüngür hüngür ağlıyordu, yanakları al al olmuştu. Sanki bir suçluluk duygusu içindeydi. Sütçünün karısı Handan Hanım'a:

— Abla, dedi. Bu çocuk benim akrabam olur. Duymuşsundur herhalde, Rumlar köyü basmışlar, bu kızın babasını, anasını öldürmüşler, sekiz kişiyi şehit etmişler. Boyları devrilir inşallah. Yarına çıkmasınlar. Kahrolasıcalar dört kızı ormana kaçırmış, hepsinin ırzına geçmişler. İşte bu Zehracık o zavallılardan biri. Kimsesi yok. Bize haber saldılar, kızı alıp getirdim. Buralarda bir kapıya yerleştirmek istiyorum. Aklıma siz geldiniz. Pırlanta gibi bir çocuktur. Elimde büyüdü. Ben teyzesi olurum. Ne olur, sevaptır, bu çocuğu yanınıza alın. Evi siler süpürür. Kezban'a yardımcı olur. Bahçeyi sular. Alışverişinizi yapar, yatakları toplar, toz alır. Ne bileyim, her işi yapar. Kurtarın bu kızcağızı.

Handan Hanım,

— Aa, tabii, ne demek, o da bu evde büyür. Ona yer mi yok? Tanrı'nın hediyesi, dedi.

Zehra, Handan Hanım'ın ellerine sarıldı, öptü.

— Allah sizden razı olsun. Teyzemin yüzünü kara çıkartmayacağım, dedi.

Handan Hanım sonra hizmetçi Kezban'ı çağırarak,

— Al bu çocuğu hemen hamama sok, bir temiz yıka, dedi. Ne olur ne olmaz, belki biti piresi vardır. Çamaşırlarını kazana koyup kaynat. Bizim kızların eskilerinden de ver, giyinsin.

Kezban önde, yetim Zehra arkada, salondan çıktılar. Zehra eziklik içindeydi ve mutsuzdu. Anasını, babasını ve yakınlarını yitirmenin acısını içine sindiremiyordu. Yerinden yurdundan kopmuş, el kapılarına düşmüştü. Irzına geçilmiş diye ona ne gözle bakacaklarını düşündükçe yüzünü ateş basıyordu.

Hamamdan çıktıktan sonra uzun sarı saçlarını taradı, ördü. Vücudu, omuzları, kolları hâlâ çürük içindeydi. O pis canavarlar nasıl saldırmışlardı onlara? Ormanda bir çoban kulübesine götürmüşlerdi dördünü birden. Yedi sekiz kişiydiler. Kızlar bağırıyor, çırpınıyorlardı. Ama neye yarar? Haydutlar birden saldırdılar, kızların giysilerini, şalvarlarını yırtarak çıkardılar. Yerlere yatırdılar hepsini. İkişer kişi ellerinden tutuyordu. Sırayla her biri kızların üzerine çullandı. Onlar bağırdıkça tokadı basıyorlardı. Kimisi kızların yanaklarına, omuzlarına dişlerini geçirdi. Saçlarını çekip kopardılar. Hepsi kana bulandı. Haydutlar bütün kızların ırzına geçtiler. Bu kanlı boğuşma ne kadar sürdü, Zehra bunu anımsamıyordu.

Sonunda yorgun düşmüşlerdi. Aralarında Rumca bir şeyler konuşup toparlandılar. Giderken de:

— Sakın buradan bir yere kımıldamayın, dediler. Artık bizim karılarımızsınız. Biz şimdi gidiyoruz, ama akşama rakılar alıp geleceğiz. Bizi eğlendireceksiniz. Bütün gece sizin tadınızı çıkartacağız.

— Kaçmaya kalkmayın. Kurşunu yersiniz. Eviniz artık burası. Sizi Hristos (İsa) bile kurtaramaz.

Ve gittiler.

Kızlar kanlar içinde birbirlerine sarıldılar. Gözlerinin yaşı dinmiyordu. Biri:

— Kaçalım, dedi.

— Vururlar.

— Vururlarsa vursunlar. Zaten öldürdüler bizi.

— Köye nasıl döneriz?

— Ben anladım nerede olduğumuzu, yolu biliyorum. Buradan dereye ineriz. Oradan da gizlene gizlene köyün yolunu buluruz.

— Bu gâvurlardan kurtuluş yok. Köyde de bizi bulurlar, yine kaçırırlar.

— Biz de köyde durmayız gayrı. Başka yere kaçarız.

— Nereye kaçacaksın kız? Kim bizi evine buyur eder? Bu canavarlar oraya da gelir, bizi bulurlar. Akıllarına koymuşlarsa bir kez, kurtuluş yok. Gözleri dönmüş bunların.

— Hele bir köye varalım da...

— Kız, ya gebe kalmışsak? Ne olur halimiz?

— Ben karnımda gâvurun piçini büyütemem.

— Hiçbirimiz büyütemeyiz. Ama ne yaparız? Mutlaka gebe bırakmışlardır bizi. Az mı uğraştılar bizimle? Allah canımı alsın, hepimiz gebe kaldık.

— Çocuğumuz olur mu dersin? Bu yaşta?

— Deli deli konuşma, elbette olur. Ablamın bu yaşta bebeği olmadı mı?

— Gidip derede temizlenelim.

— Çıldırdın mı sen? Suyla çocuk hiç gider mi?

— En iyisi ebeye danışalım. O şimdi çaresine bakar.

— Zor bakar. Kasabadaki sağlık ocağına da gidemeyiz ki. Ne derler bize? Adımız kötüye çıkar.

— Çıkacak zaten.

Yine birbirlerine sarıldılar. Kan sızıyordu bacaklarından, yanakları ve göğüsleri de yara bere içindeydi. Adım atacak güçleri yoktu. Her yanları sızlıyordu. Haydutların uzaklaştığını anladıktan sonra birbirlerine tutuna tutuna patikadan aşağı inip dere boyuna vardılar. Kurbağalar ötüyor, su kaplumbağaları kaçışıyordu. Yüzlerini gözlerini yıkadılar. Üşüyorlardı da. Sonra hiç ses çıkarmadan köyün yolunu tuttular.

Köyden hiç ses çıkmıyordu. Yanık kokuları geliyordu burunlarına. Alçak herifler köyü de ateşe vermişlerdi. Yangın sönmüştü ama yer yer dumanlar yükseliyordu. Köye yaklaşınca seslendiler. Ahırlardan iki üç kadın çıktı karşılarına, komşularıydı. Çığlıklar atarak kızları karşıladılar, kucaklaşıp ağlaştılar.

— Biz sizi artık hiç dönmeyecek sanmıştık. Şükür Allah'a, sizi bize bağışladı. Ama yandık kızlarım yandık.

— Ana, nerede bizimkiler?

— Köyde insan mı kaldı kızım? Kalanlar da cenaze namazına camiye gittiler!

Zehra Çamlıca'da, yaşadığı felâketin etkisi altındaydı hâlâ. Kafası zonkluyor, kulakları uğulduyor ve gözleri kararıyordu. Korkunç bir ölümden kurtulmuş gibiydi. Gerçekten de kurtulmuş muydu acaba? Kezban'ın gösterdiği odaya girdi. Bohçasını odadaki iskemlenin üzerine bıraktı. Nesi vardı zaten bohçasında. Bir fistanı, iki donu, bir sabun bezi, bir çift yün çorabı, bir de tarağı. Yatağa uzandı. Ne kadar da yorgundu. Ama hiç gözüne uyku girmeyecek sanıyordu. Oysa uyuyup kalıverdi. Hep karabasanlar görüyordu. Canavarlar oraya da gelip üzerine çullanıyorlardı! Elleriyle göğsünü, karnını ve bacaklarını korumaya çalışıyordu.

— İmdaat, yetişin! diye bağırdı.

Ama rüyadan uyanır uyanmaz da karabasan gördüğünü anladı. Üzüldü bağırdığına.

Derken odanın kapısı açıldı telâşla. Bir ses duydu.

— Ne oldu kardeşim, nen var?

Odaya Ümran girmişti. Onu ilk kez görüyordu. Sıcak bakışları ve tatlı sesiyle candan bir arkadaş gibiydi.

— Bir şey yok abla. Kusura bakma, rüya görmüşüm.

— Merak etme Zehra, burada sana hiç kimse bir şey yapamaz. Kimse bu eve giremez. Kurtuldun artık. İstersen biraz uyu, rahatlarsın.

— Yok abla, uyumam artık, geçti, şimdi iyiyim. Burayı da basmazlar değil mi abla? Siz beni bırakmazsınız.

— Hiç bırakır mıyız Zehra? Buraya hiç kimse adımını atamaz. Hele bir gelmeye kalksınlar, adamlarımız topunun canını cehenneme gönderir.

— Sağ ol abla. Çok korktum da. Bizim öteki kızlar ne oldu acaba?

— Merak etme Zehra, sütçünün karısı hepsini bir yerlere yerleştirmiş.

— Abla, beni buradan kovmayın sakın. Kulunuz, köleniz olayım sizin.

— Hiç kovar mıyız Zehra? Artık burada yaşayacaksın.

Zehra'nın gözlerinden yine yaşlar boşanıyordu. Ama bunlar sevinç gözyaşlarıydı.

— Abla ben şimdi ne olacağım? Beni artık hiçbir koca almaz değil mi? Ya gebe kalmışsam? Ölürüm daha iyi.

Ümran genç kızlığı yitirmenin o günün koşullarında ne kötü yorumlara yol açacağını biliyordu ama Zehra'yı avutmak için şöyle dedi:

— Öyle olur mu Zehra? Gebe kalmışsan çaresine bakarız, sen üzülme. Senin gibi bir kızı herkes bayıla bayıla alır. Sen bir kötülük etmedin ki? Sana saldırmışlar, zorla ırzına geçmişler. Senin ne kabahatin var? Seni seven erkek bunu konu etmeyecek. Seni olduğun gibi kabul edecek. Bütün güzelliğinle, tatlılığınla, sevimliliğinle, sıcaklığınla, aklınla, konuşmalarınla, inceliğinle. Kızlığının gitmiş olmasını hiç kafana takma. Unutmaya çalış. Çok güzel günler göreceksin, çok mutlu olacaksın. Burada yeni arkadaşların olacak, ablaların olacak, sana okuma yazma öğreteceğiz. Belki bir saz çalacaksın, belki de bizimle şarkılar, türküler söyleyeceksin. Başına gelen felâketi hiç anımsamayacaksın.

— Sahi mi söylüyorsun abla? Ya senin başına böyle bir iş gelseydi?

— Üzülürdüm üzülmesine ama, yaşamım bu yüzden kararmazdı. Bana bu acıyı çektirenlerle savaşmak için ya silâha sarılırdım, ya da silâha sarılanlara yardım ederdim, gücümün yettiği kadar.

— Benim gücüm mü kaldı?

— Öyle deme Zehra, hepimize bir görev düşecek, karınca kararınca.

— Yaşa be abla, içimi ferahlattın.

Yetim Zehra yavaş yavaş köşke alıştı. Neriman, Perihan ve Ümran ablalarıyla arkadaş oldu. Onlar gittikleri yerlere Zehra'yı da götürmeye başladılar. Zehra artık köşkün kızlarından sayılıyordu. Bir gün Nedim Bey köşke iyi haberlerle geldi. Kızlarla kısa bir süre konuştuktan sonra Yetim Zehra'nın yanlarına gelmesini istedi.

— Dinle bak Zehra, dedi, seni sevindirecek haberlerim var. Ananın ve babanın öcü alındı. Seni kaçıran çeteciler de cezalarını buldular. Sevin artık.

— Ne diyorsunuz Nedim Ağabey? Geberdi mi o canavarlar.

— Evet kızım, hepsinin hesabı görüldü!

Kızlar da sevinçle sordular:

— Nasıl olmuş Nedim Ağabey, anlatın lütfen.

— Son günlerde iki hain çetenin icabına bakıldı. Bunlardan biri sizin köyü de basmış olan Todori Çetesiydi. Bu çeteyi yok etmek görevi Kuvayı Milliye'de Demir Hulusi Bey'e verilmişti. Demir Hulusi Bey ilk önce Bulgar Sadık denen Sadık Baba'yı yanına alarak Todori'yi Şile yakınlarında pusuya düşürdü, bütün çetecileri yok ettiler. Gözünüz aydın. Şileliler artık rahata kavuşacaklar.

İkinci olay da Paşaköylü Milti Kaptan Çetesinin yok edilmesi. Bu çete de Büyükbakkal, Küçükbakkal, Paşaköy çevresinde kol geziyordu. Bunların astıkları astık, kestikleri kestikti. Todori Çetesiyle de yakın ilişki içindeydiler.

Bizim Bulgar Sadık dediğimiz Sadık Baba bu Milti Kaptan'a fena takmıştı. Onun işlediği cinayetlere deli oluyordu. Günlerce Milti Kaptan'ın izini sürdü. Bir gün Bulgar Sadık'a Milti'nin Kuzguncuk Panayırı'na eğlenmeye gittiğini haber vermişler. Sadık Bey, "Tamam, demiş, yedim ben o Milti'yi!"

Bulgar Sadık hemen müfrezesini toplayarak Dudullu'da pusu

kurmuş. Başlamışlar beklemeye. Akşam, ortalık kararırken bir de bakmışlar Milti'nin arabası görünüyor. Hemen yola fırlamışlar, ama Milti de onları görmüş, adamlarıyla yol kenarında mevzi alıp ateşe başlamış. Sadık Bey'in adamlarına yaylım ateşi açmışlar, ama çetecilerle bir türlü başa çıkamamışlar.

Milti'nin cephanesi tükeniyormuş herhalde. Gizlendiği yerden, "Bulgar Sadık!" diye bağırmış, "Gel anlaşalım, teslim ol, canına kıymayacağım!" Sadık Bey de, "Ulan Milti!" diye haykırmış, "Sen az mı cana kıydın? Yetti artık."

Karşıdan ses gelmemiş ama, Sadık Bey Milti'nin gizlendiği yeri anlayınca hemen belindeki el bombasının fitilini ateşleyerek oraya fırlatmış. Korkunç bir patlama ile alevler fışkırmış çetecilerin gizlendikleri mevziden. Birkaç dakika bekledikten sonra bombanın patladığı yere yavaş yavaş yaklaşmışlar. Bir de bakmışlar ki Milti'nin kafası paramparça, ötekiler de can çekişiyorlar.

Sevinçten kızların dördünün de gözlerinden yaşlar boşandı.

II

Karakol Cemiyeti, Milli Kongre
ve Direniş

Yüzbaşı Nedim Bey Birinci Dünya Savaşı'nın sona erdiği aylarda Harbiye Nezareti'nde İkinci Piyade Şubesi'ne atanmıştı. Bu şubenin eskiden görevi ordunun her çeşit silâh ve cephanesini sağlamak ve İstanbul'daki bütün silâh depolarını denetlemekti. En büyük depo Maçka Silâhhanesi'ydi. Ondan sonra da Taksim'de Taşkışla, Kasımpaşa'da Tersane ve Bahriye depoları, Pîripaşa ambarları, Sütlüce ve Karaağaç depoları, Tapa ve Şenlik fişek fabrikaları, Kâğıthane Poligonu, Maltepe Endaht (Atış) Okulu deposu, Başıbüyük, Sarayburnu cephanelikleri, Zeytinburnu ambarı, Bakırköy Barut Fabrikası deposu, Davutpaşa, Rami kışlaları, Hadımköy ambarları, Beykoz fabrikası ve Saraçhane ambarları sırada yer alıyordu. Buralarda çeşit çeşit silâh, cephane, top malzemesi ve yedek parçalar bulunuyordu.

Mondros mütarekesi Osmanlı devletine büyük sorumluluklar yüklemişti. Bütün ordu derhal silâhtan arındırılacak, silâh altındaki erler ve yedek subaylar evlerine dönecek ve muvazzaf askerler, yani meslekten olan subaylar ve astsubaylar da ordudan ayrılacaklardı. Zaten ordu diye bir şey kalmıyordu ki. Kışlalarda ancak ülkenin iç düzenini koruyacak güvenlik güçleri kalacaktı. Onların görevi bir çeşit inzibat işiydi.

Silâhhane, ambar ve depolardaki bütün silâh, cephane ve yedek parçaların artık işgal kuvvetlerine teslimi gerekiyordu. Bu teslim işine askerler çok üzülüyordu. Depolar dolusu silâh nasıl düşmana bırakılırdı? Kimsenin ağzını bıçak açmıyordu.

Nedim Bey'in Harbiye Nezareti'ndeki yakın arkadaşları bir

arayış içindeydiler. Hiçbir direniş umudu yok muydu? Neler yapmak gerekiyordu? Nasıl bir örgüt kurulabilirdi ki?

Devleti savaşa sürükleyen hükümetin üç büyük sorumlusu Enver, Talât ve Cemal Paşalar bir Alman denizaltısıyla İstanbul'dan kaçmadan önce İttihatçıların ileri gelenlerinden Kara Kemal Bey'e, "Dayanacaksınız," demişlerdi. "Çözülmeyeceğiz, yeniden örgütleneceğiz. Sonuna kadar savaşacağız. Biz kaçmak zorunda kalıyoruz. Ama siz buradasınız. Bütün İttihatçılar burada. Bir örgüt kurun ve direnişe geçin. Düşmanı kendi topraklarımızda yok etmek zorundayız."

Kara Kemal Bey bu sözlerden çok heyecanlanmış ve Kurmay Albay Kara Vasıf Bey'i ertesi gün evine çağırtarak konuyu ilk kez ona açmıştı.

Her ikisinin de Talât Paşa'ya büyük saygısı vardı. Kara Vasıf Bey kendilerine böyle önemli bir görev verilmesine çok sevinmiş ve,

— Kemalciğim, demişti, bu işi başaracağız. Zafere ne zaman, nasıl ulaşacağız, bilemiyorum. Ama alnımızın akıyla bu işin üstesinden geleceğiz.

— Evet Vasıf, biz İttihat ve Terakki Cemiyeti'ni yer altına indireceğiz. Her şeyden önce İstanbul'da örgütlenmemiz gerekiyor. Bir yeraltı örgütü kuracağız. İstersen hemen burada adını koyalım. Ne diyelim dersin?

— Mademki bunun başında biz varız. Sen Kara Kemal, ben Kara Vasıf. Örgütün adı da Kara olmalı.

— Nasıl yani? Kara Teşkilât mı diyeceğiz?

— Hayır, hayır, öyle değil. Kara ile başlayan bir ad bulalım. Karadeniz, Karayılan, Karayazı gibi bir şey olsun.

– Harika. Ama Karadeniz dersek bölgesel bir örgüt anlamına gelir. Karayılan sakıncalı bir ad, insanları ürkütürüz. Karayazı kaderciliği hatırlatır. Başka bir ad bulalım.

— Karakol dersek nasıl olur? Örgütün kısa adı K.G. olur (Karakol Cemiyeti). Bunda hem ikimizin adı var, hem de kol gücümüz. Karakol 'kara güç' anlamına da gelir. Yoksa amacımız herhalde bir polis karakolu açmak olmayacak.

— Çok haklısın ama, insanlar karakoldan da çekinmezler mi?

— Çekinsinler, düşmanlarımız da bizden korksunlar. Biz hem

korkutacağız, hem de güven sağlayacağız.

— Çok doğru, düşünmemiştim. Büyük bir işe girişiyoruz. Bütün İttihatçıları yeniden bir bayrak altında toplayacağız. Sultan Hamit'i nasıl devirdikse şimdiki hükümeti de öyle devireceğiz.

— Evet ama İngilizler bütün arkadaşlarımızı tutukluyorlar. Ortalıkta adam kalmadı.

— Olsun, İttihatçılar tükenmez. Ölür ölür yeniden dirilirler. Daha on binlerce İttihatçı var bu ülkede. Hepsini aramıza alacağız. Kimlerden başlayalım?

— Bak, benim aklıma kimler geliyor. Her şeyden önce Yenibahçeli Şükrü, gözüpek bir arkadaştır.

— Hiç şüphem yok. Başka?

— Çerkez Reşit Bey. Ne dersin?

— Çok iyi. Başka?

— Enver Paşa'nın amcası Halil Bey, Kel Ali (Çetinkaya), Baha Sait Bey, Avukat Refik İsmail (Kakmacı), Sevkiyatçı Ali Rıza Bey, Karadeniz Kumandanı Galatalı Şevket Bey, Yenibahçeli Nail Bey, Yenibahçeli Şükrü Bey.

— Kafkas Fırkası kumandanı Kemalettin Sami Bey, Edip Servet Bey, Topçuoğlu Nazmi Bey, Doktor Fahri (Can) Bey de olabilir... Daha başka?

— Acele etmeyelim. Şimdilik bu arkadaşlar yeter. Onlarla bir araya gelip kimleri aramıza katacağımızı konuşuruz.

— Doğru, öneriler tabandan gelsin.

Karakol Cemiyeti'nin kurucuları bir süre sonra bir araya geldiler. Liderlik konusunda aralarında tartışmalar oldu. Hepsi doğal lider olarak Enver Paşa'yı görüyordu, ama o yurtdışında olduğu için yeni bir lider seçmeleri gerekecekti. Avukat Refik İsmail, Mustafa Kemal Paşa'yı önerdi. Çoğunluk bu öneriye sıcak bakıyordu. Cevat Abbas'la görüştüler. Öneriyi Paşa'ya o iletti, ama Paşa'nın tepkisi pek olumlu görünmüyordu. Bunun üzerine Refik İsmail, Mustafa Kemal'i ziyarete gitti ve kendisine bu konuda ne düşündüğünü sordu. Paşa'nın İttihatçılara hiç güveni yoktu. İstanbul'da kurulacak bir komitenin vatanı kurtaracağına asla inanmıyordu. Savaşı Anadolu'da başlatmaktan başka çare görmüyordu. Karakol Cemiyeti de böyle bir savaşı yönetecek güçte değildi. Mustafa Kemal Paşa nazik bir biçimde bu öneriyi geri çevirdi.

Karakolcular ilk iş olarak bir tüzük hazırlamaya yöneldiler. Tüzüğün ilk maddesinde Karakol Cemiyeti'nin "insan haklarını ve ulusal bağımsızlığı koruyacağı" belirtildikten sonra şöyle deniyordu:

"İnsanlığın mutluluğunu sağlamaya, ulusal bağımsızlık ve hukuku elde etmeye, vatanın bütününü korumaya çalışan bir cemiyet vardır, adı Karakol'dur."

Tüzükte sonra da şu vardı: "Karakol insanlık ilkelerine uyan ve ona göre davranan bütün dış güçlerle işbirliği yapacaktır... Cemiyet gücünü barışsever kurullardan ve genelde sosyalist ve işçi gruplarının uluslararası desteğinden almaktadır."

Bu sözler, o zamana kadar hiç duyulmamış türde sözlerdi.

Cemiyetin Genel Görevler Yönetmeliği'nde de çok yadırganacak anlatımlar yer alıyordu. Örneğin bir ulusal ordudan söz ediliyordu. Neydi bu ulusal ordu? Anadolu'da daha böyle bir ordu kurulmuş değildi. Peki, nasıl oluşacaktı bu ordu? Yönetmeliğe göre bu ordunun başkomutanının ve komutanlarının adları gizli tutulacaktı. Örgütün temeli gizliliğe dayanıyordu. Kurucuların kod adları vardı... Nuh: Kara Kemal; Cengiz: Kara Vasıf; İsa: Galatalı Şevket...

Kara Kemal İttihat ve Terakki Cemiyeti'nin önde gelenlerinden biriydi. 1913'te Parti'nin Genel Merkez Kurulu üyesiydi. Sosyalist bir ekonominin kurulmasından yanaydı. Parti kendisini İaşe (Beslenme) Nâzırlığına getirmişti. Kara Kemal'in ekonomi konularında hiçbir birikimi yoktu. Savaş sırasında, yardımcısı Memduh Şevket'in (Esendal) önerisiyle, karaborsacılara ve istifçilere karşı, büyük kapitale dayanmadan, halkın ve özellikle esnafın katılımıyla birtakım ortaklıklar kurmaya yöneldi. "Kara Kemal Şirketleri" olarak adlandırılan bu ortaklıklar yine de harp zenginleriyle baş edemedi. Aslında Kara Kemal'in tasarladığı programın sosyalizmle hiç ilgisi yoktu. Kara Kemal'in, savunduğu sosyalizmin kuramlarını bildiği de hiç söylenemezdi. Ama İttihatçılar arasında sosyalizme bir ölçüde sıcak bakanlar vardı. Meclisteki sosyalist milletvekilleriyle ve Meclis dışındaki sosyalistlerle ilişki içindeydiler. Buna karşın, İttihatçı Maliye Nâzırı Cavit Bey Avrupa'daki büyük sermaye ile işbirliğinin yollarını arıyordu. Cavit Bey ve yandaşları sosyalizmin yabancı sermayeyi ürküteceğini düşündükleri için sol akımları çok sakıncalı buluyorlardı.

Partiye yön verenler büyük sermayeden yana olanlardı. Bir süre sonra da sosyalist parti ve kulüpler kapatıldı, sosyalist parti üyeleri tutuklandı, işçi eylemleri, grevler ve işçi dernekleri yasaklandı.

Sovyet Devrimi İttihatçıları büsbütün şaşkına çevirdi. O sıralarda İkinci Enternasyonal'in Stockholm'de Kongresi hazırlanıyordu. İttihatçılar bu kongreye Doktor Âkil Muhtar'ı ve Salah Cimcoz'u delege olarak göndermeye karar verdiler, ama kongre onları kabul etmedi.

Savaş sona erdikten sonra İttihatçılar darmadağın oldular. Meclis, devleti batırdıkları için haklarında kovuşturma açtı. Başta İttihatçıların son sadrazamı Sait Halim Paşa olmak üzere bütün kabine üyeleri sorguya çekildiler.

Böyle gergin bir hava içinde 1918 Kasımı'nın on dördünde İttihat ve Terakki Cemiyeti'nin son kongresi toplandı ve Parti kendi kendini dağıtmaya karar verdi. Kara Kemal Beyle Kara Vasıf Bey işte bu dağılma kararından hemen sonra Karakol Cemiyeti'ni kurma işine giriştiler.

İstanbul'da Hürriyet ve İtilâf (Anlaşma) Partisi'nin yönetiminde kurulan yeni hükümetler eski dönemdeki sorumlu kişilerin, yani İttihatçıların peşini bırakmadılar. Bakanlar kurulu 1918 Kasımı'nın ortalarında İttihatçıların mallarına el konmasını kararlaştırdı. Bir süre sonra da İttihatçılar Harp Divanı'na verildiler. Kara Kemal de bunların arasındaydı. Talât, Enver, Cemal Paşalar, Doktor Nâzım, Bahattin Şakir Beyler yurtdışına kaçmışlardı ama Parti'nin bütün genel merkez kurulu üyeleri Divanı Harp'te yargılandılar.

Karakol Cemiyeti'nin kurucuları o sıralarda yeni koşullara uyarak kendi aralarında bir iş bölümü yaptılar. Kara Kemal Bey devre dışı kalıyordu. Askerlik işleri Kemalettin Sami (Paşa)'nın görevi oldu. Kara Vasıf Bey aydınlarla işbirliğinden sorumlu tutuldu. Mavnacılarla işbirliği Sevkiyatçı Rıza Bey'in göreviydi. İstanbul'dan Anadolu'ya silâh ve adam kaçırma işi de Yenibahçeli Şükrü Bey'le Yüzbaşı Dayı Mesut Bey'e bırakıldı.

Dayı Mesut Bey zenciydi, ama hiç kimse onun Kara Afrika kökenli olmasını yadırgamıyordu. Milli Mücadele'ye büyük hizmetlerde bulundu.

Yenibahçeli Şükrü, Mustafa Kemal Paşa'nın yaşlarındaydı. Enver Paşa'nın yaverliğini yapmıştı. Koyu bir İttihatçıydı. Çok iyi silâh kullanırdı. Korkunç bir kol ve bilek gücüne sahipti. Arkadaşları ona, "Tanrı sana kırk manda kuvveti vereceğine iki kuş beyni verseydi daha iyi olurdu," diye takılırlardı. Belirgin hiçbir siyasal düşüncesi yoktu. Tutucu arkadaşlarını desteklerdi. Hilâfetin kaldırılmasına karşıydı. Enver Paşa'ya körükörüne bağlıydı. İsmet Paşa bir gün ona, "İttihatçıların kafalarını koparacağız," deyince o da, "Bir gün senin de kafanı koparırlar," diye yanıt vermişti. Kara Vasıf Bey'i tutmasının nedeni de aynı semtte doğup büyümüş olmalarıydı.

Karakol Cemiyeti'nin işbölümünde Yenibahçeli Şükrü Bey Kocaeli ve havalisi Kuvayı Milliye kumandanlığını da üstlendi ve Anadolu'ya silâh ve adam kaçırmak için oluşturulan ve 'Menzil Hattı' denen kaçış yolunun da sorumlusu oldu.

Şükrü Bey, Mustafa Kemal Paşa'yla zaman zaman görüşüyordu. Hatta bir gün Tokatlıyan Oteli'nde buluşmuşlar, sonra da Şişli'deki eve yaya gitmişlerdi. Paşa kendisinin birçok işlerde yararlı olacağına inanıyordu.

Şükrü Bey'in ordudaki görevi Maltepe Endaht (Atış) Okulu kumandanlığıydı. Maltepe Okulu Menzil Hattı üzerinde en önemli merkezlerden biriydi. Menzil Hattı geniş bir örgüte dayanıyordu. Bu örgütün Üsküdar, Kadıköy, Gebze, Şile, Kartal, Beykoz, Kefken ve Tepeören bölgelerinde temsilcileri ve adamları vardı. Bunlar o yerlerdeki Rum çetelerinin temizlenmesi işiyle de uğraşıyorlardı.

Menzil Hattı'nın İstanbul'a en yakın merkezi Üsküdar'da Sultantepesi'nde bulunan Özbekler Tekkesi'ydi. Halide Edip Hanım'la Dr Adnan (Adıvar)'ın ve Cami (Baykurt) Bey'in de Anadolu'ya giderken ilk durağı orası olmuştu. Tekkeye gelenler kapıyı açan kişiye, "Bizi İsa yolladı," diyerek içeri girerlerdi. Parola buydu.

Tekke'den sonra uğrak yeri olarak Maltepe, Yalnız Selvi, Dudullu, Samandra, Köseler, Tepeviran, Çal Köyü, Ermişe Köyü, İkizce-i Osmaniye, Adapazarı, Doğançay ve Geyve vardı. Çamlıca'da göz doktoru Esat Paşa'nın, Kartal'da Ahmet Rami Bey'in çiftlikleri ve Şeref Çavuşoğlu'nun, Sarıyer'de, tam karakolun karşısında kiraladığı yalı da ilk buluşma merkezleriydi. Kaçırılan silâhlar çoğu kez bu merkezlerde toplanıyordu. Sarıyer'deki yalıdan da gece sabahlara kadar takalara silâh yükleniyordu. Yüzlerce Kuvayı Milliyeci görev almıştı Menzil Hattı'nda. Binlerce subay, öğretmen ve aydın da, bu yollardan Ankara'ya ulaşıyordu.

Karakol Cemiyeti kısa zamanda İstanbul'un en güçlü yeraltı örgütü oldu. İşgale karşı çıkan sayısız subay ve vatansever bu örgüte katıldı. Ne var ki Karakol'un yöneticilerinin amacı Anadolu'da gelişen Kuvayı Milliye eylemlerini de kendilerine bağlayarak, yönetimi ellerinde bulundurmaktı. Daha ilk başlarda Anadolu ile aralarında bir gerilim oluşmamasına özen gösteriyorlardı. Bu yüzden de ordudaki subaylar Karakol Cemiyeti'ne hizmet etmekten hiç çekinmiyorlardı.

Bu sıralarda Anadolu'ya geçmiş olan Mustafa Kemal Paşa, Karakol Cemiyeti'nin etkinliklerini kuşkuyla karşılıyordu. Özellikle başkomutanla bütün komutanların adlarının gizli tutulacağı bir ulusal ordu oluşturma fikri Paşa'nın hiç hoşuna gitmemişti. Çünkü bu yönetmelik Ankara'da huzursuzluk yaratmıştı. Yönet- meliğe göre gizli olan kararları açıklayanların da asılmaları öngörülüyordu. Paşa bu girişimlerden çok kuşkulandı ve Kara Vasıf Bey'i Sivas'a çağırarak kendisine sordu:

— Vasıf Bey, bu gizli başkomutanlar ve gerçek kumandanlar kimlerdir, bana söyler misiniz? Sizin bu gizli örgütünüzün başkumandanı kimdir, lütfen onu da açıklar mısınız?

Kara Vasıf Bey güç bir durumda kalmıştı. Böyle bir soru beklemiyordu.

— Anlatayım Paşam, dedi, müsaade ederseniz.

— Hayır Vasıf Bey, ben sizin maksadınızı çok iyi anlıyorum. Siz İttihat ve Terakki Cemiyeti'ni canlandırmak istiyorsunuz. Adını açıklamadığınız başkumandanınızın adını da söyleyeyim: Enver Paşa.

— Hayır Paşam, bizim başkumandanımız sizsiniz. Talât Paşa Berlin'den gönderdiği bir notta: "Bundan sonra Başkumandanınız Mustafa Kemal Paşa'dır, onun açtığı bayrak altında birleşiniz," demişti.

— Vasıf Bey, ben Karakol Cemiyeti'nin hedefini çok iyi biliyorum. İngiltere ve Fransa İttihat ve Terakki'nin çalışmalarını anlamasın diye bu yolu seçtiniz. Amacınız hep aynıdır. İttihat ve Terakki'ye yeni bir ad buldunuz, onunla iktidara gelmek niyetindesiniz. Memleketi yine maceralara sürükleyeceksiniz. Enver Paşa ile yazıştığınızı da biliyorum. Sayın Albayım, örgütünüzün işgal altındaki bölgelerde çalışmalarına hiç karşı değilim. Ama burada, işgal altında olmayan kentlerde partizanlık yapamazsınız. Buradaki örgütümüzün adı Anadolu ve Rumeli Müdafaa-i Hukuk Cemiyeti'dir. Eğer bizimle çalışacaksanız Karakol'un adını kullanamazsınız. Biz ne Babıâli baskınını onaylarız, ne de Yıldız yağmasını. Nerede olduğunuzu size hatırlatırım...

Kara Vasıf Bey ne söyleyeceğini bilemiyordu.

— Paşa Hazretleri, diye söze başlayarak, biz sizin adınızı vermemekle sizinle beraber olduğumuzu galip devletlerin öğrenmelerini önlemek istedik. Elbette başkumandan sizsiniz, dedi.

Mustafa Kemal Paşa'nın gözlerinden ateş fışkırıyordu.

— Vasıf Bey, dedi, Karakol Cemiyeti, adıyla, tüzüğüyle ve içinde çalışan kişilerle birlikte tarafımızdan ilga ve iptal edilmiştir (yok edilmiştir). Bilmem sözlerimi anlayabildiniz mi?

Kara Vasıf Bey dayak yemiş gibi olmuştu.

— Evet Paşa Hazretleri, evet, demekle yetindi.

Bu olay Mustafa Kemal Paşa ile Kara Vasıf Bey arasında köprülerin atılmasına neden olmadı. Vasıf Bey Mustafa Kemal'den on yaş büyük olmasına karşın ona çok saygılı davrandı. Sivas Kongresi'nin son günü Temsil Kurulu'na da seçildi. Vasıf Bey artık Karakol Cemiyeti'nden hiç söz edecek durumda değildi.

Bir süre sonra İstanbul'a döndü. İstanbul hükümeti yeni seçimlere hazırlanıyordu. Günün en önemli konusu yeni Meclis'in nerede toplanacağıydı. İstanbul'da mı, yoksa Anadolu'da mı? Çoğunluk Meclis'in İstanbul'da toplanmasından yanaydı. Kuvayı Milliyeciler ise buna kesinlikle karşıydılar. Düşman gözetimi altındaki bir başkentte Meclis nasıl toplanabilirdi?

Ne var ki Meclis'in Anadolu'da toplanması İstanbul'un başkentliğine son verilmesi anlamına gelebilirdi. O koşullarda İstanbul'un Türklerden alınması da söz konusu olacaktı. Zaten yabancı basında İstanbul'da Türk egemenliğine son verilmesi yolunda yazılar çıkıyor, İstanbul gazeteleri de buna "İstanbul başkent olarak kalacak ve Meclis burada toplanacaktır" diye yanıtlar veriyorlardı.

Böyle bir hava içinde 18 Aralık 1919'da seçimler yapıldı. Kara Vasıf Bey de seçilenler arasındaydı. Seçimlerden yaklaşık üç hafta sonra Meclis-i Mebusan İstanbul'da büyük bir törenle açıldı. Ama seçilenlerin çoğunun aklı Ankara'daydı. Ankara'dan yana olanlar Felah-ı Vatan Grubu'nu oluşturdular, Hüseyin Rauf (Orbay) Bey, Kara Vasıf Bey, Bekir Sami Bey, Celalettin Arif Bey ve Cami (Baykurt) Bey de onların arasındaydı.

12 Ocakta'ta Meclis'in açılmasından iki ay dört gün sonra düşman kuvvetleri İstanbul'u resmen işgal ettiler. Aslında o gün-

den önce de İstanbul işgal altında sayılırdı. İstanbul limanında Fransız düşman gemileri ve bazı bakanlıklarda İngiliz ve Fransız askerleri vardı ama 16 Mart'ta bütün kent düşman işgaline uğradı. Sokaklar, hastaneler, okullar, her yer düşman askerleriyle doldu. İngilizler Kuvayı Milliye'nin saldırılarını önlemek için bu yola başvurduklarını söylüyorlardı. Kukla İstanbul hükümetinin de buna karşı gelecek hiçbir gücü yoktu.

Aynı gün akşamüzeri, İngiliz askerleri Meclis'e girerek Kara Vasıf Bey'i, Hüseyin Rauf Bey'i, Şeref Bey'i ve Numan Usta'yı tutuklayıp götürdüler.

Bütün Meclis şaşkına dönmüştü. İşte Mustafa Kemal Paşa bu olasılığı düşündüğü için Meclis'in İstanbul'da toplanmasına karşı çıkmıştı.

Meclis kendini dağıttı. İstanbul Meclisi'ne seçilmiş olan milletvekillerinden 69'u da o günlerden bir ay sonra Ankara'da toplanacak olan Türkiye Büyük Millet Meclisi'ne katılmak üzere Ankara'ya kaçtılar.

Karakol Cemiyeti 1920 Nisanı'nda adını değiştirdi, Zabitan Grubu oldu. 1921 Ekimi'nde de adı Yavuz Grubu'na çevrildi.

İstanbul'da artık çok gergin günler yaşanıyordu. İşte o sıralarda kurulan Nemrut Mustafa Divan-ı Harbi de, Mustafa Kemal ve Ali Fuat Paşaların, Doktor Adnan Bey'in, Halide Edip Hanım'ın ve daha birçoklarının idamına karar verdi. Padişah da bu kararı onayladı.

İttihatçılar ise hâlâ rüya görüyorlardı. Enver Paşa o günlerde Cemal Paşa'ya yolladığı bir mektupta Kara Vasıf Bey'den iyi haberler aldığını, İttihatçıların ülkede yüzde 95 oranında üstün bir durumda olduklarını, bütün umutlarının Panislamizme ve Turancılığa bağlı olduğunu yazıyordu. Kara Vasıf Bey, Enver Paşa'ya da Türkistan'a ve Kafkasya'ya geçerek, eylemleri oradan yönetmesini öneriyordu.

Demek ki Kara Vasıf Bey Sivas Kongresi'nden sonra ne Enver Paşa'dan vazgeçmişti, ne de Panislanizmden ve Turancılık sevdasından.

Ya daha sonra? Kara Vasıf Bey 4 Kasım 1921'de Malta'dan döndü.

Vasıf Bey iki hafta sonra Ankara'daydı. Milletvekili olarak Büyük Millet Meclisi'ne girdi. Alkışlarla karşılandı. Ama iki ay sonra da Müdafaa-i Hukuk Grubu'ndan ayrıldığı bildirildi. Bir süre sonra, 1922 başlarında Vasıf Bey Meclis'te Mustafa Kemal Paşa'ya karşı olan grubun içinde yer aldı. Siyasal yaşamını böylece noktalamış oldu. Kendinden pek söz edilmedi. Gazeteler sadece 1931 yılının son günlerinde, aramızdan ayrıldığını yazdılar. 60 yaşındaydı. Ailesi ölümünden üç yıl sonra Karakol soyadını aldı.

Ya Kara Kemal Bey ne oldu? 1920 Martı'nda önce Limni'ye, sonra da Malta'ya gönderildi. Sürgünde çile doldururken İngiliz Yüksek Komiseri Rumboldt 24 Kasım 1920'de, yani, sekiz aylık bir sürgün dönemi sonunda tutuklulardan 58'inin Sevres Antlaşması'na göre kurulacak bir mahkemede yargılanacaklarını açıkladı. Bu kişiler arasında Kara Kemal, Ahmet Şükrü (Esmer), Ağaoğlu Ahmet, Abdülhalik (Renda) Beyler, Sait Halim Paşa, Halil Mustafa, Ali İhsan (Sabis) Paşa da vardı.

O sıralarda Ermeni komitecileri de bir bildiri yayınlayarak Ermeni olaylarından sorumlu birçok İttihatçıyı öldürmek için and içtiklerini açıkladılar. Kimler vardı bu kara listede? Enver Paşa, Talât Paşa, Kara Kemal, Sait Halim Paşa, Mustafa Kemal Paşa, Velit Ebuzziya, Bahattin Şakir...

21 Eylül 1921'de gazeteler Malta'da tutuklu bulunan Türklerden 16'sının bir kaçakçı gemisiyle kaçtıklarını yazdılar. Kaçanlar arasında Kara Kemal ve Ali İhsan (Sabis) Paşa da vardı.

Peki, ya ondan sonra? Kara Kemal Bey yurda döndükten bir süre sonra kurduğu şirketin başına geçti ve Meserret Hanı'ndaki yazıhanesinde çalışmalarını sürdürdü.

1926 yılında 16 Haziran'da ise gazetelerde ortalığı allak bullak eden bir haber yayınlandı: "İzmir'de Mustafa Kemal Paşa'ya karşı düzenlenen bir suikast ortaya çıkartılmıştır. Ali (Çetinkaya) Bey'in başkanlığındaki Ankara İstiklâl Mahkemesi bu kovuşturma için derhal İzmir'e gitmiştir. Mahkeme üyeleri şunlardır: Kılıç

Ali Bey, Dr. Reşit Galip Bey ve Savcı Necip Ali (Küçüka) Bey. 14 kişi tutuklanmıştır. Hüseyin Rauf (Orbay) Avrupa'da olduğu için yakalanamamıştır. Kara Kemal Bey de bulunamamıştır." İddianamede Kara Kemal Bey'in sanıklarla işbirliği yaptığı ileri sürülmekteydi.

Kimler vardı sanıklar arasında? Eski Maliye Nâzırı Cavit Bey, Ziya Hurşit, Refet (Bele) Paşa, Hüseyin Avni (Ulaş), Eski Dışişleri Nâzırı Bekir Sami Bey, Mersinli Cemal Paşa, Ayıcı Arif, İsmail Canbolat, Efe Sarı Edip, Laz İsmail vb...

O sabah gazeteleri okuyan eski İttihatçılardan Dr. Fahri (Can) Bey hemen Kara Kemal'in evine koştu ve kendisine suikast olayını bildirdi. Kara Kemal Bey şöyle dedi:

— Bundan kötü ne olabilir ki? Ben bu memlekette çok hıyanetler, alçaklıklar düşünebilirdim. Hatta gördüm de. Fakat Mustafa Kemal'e karşı bir elin kalkabileceğini asla düşünemezdim. Allaha çok şükür ki başaramamışlar ve melunlar yakayı ele vermişler... Ya, evlât, görüyorsun bu kahpe dünyada ne alçak insanlar var. Kahpeliğin de bir haddi var. Söyle oğlum, böyle bir şey olur mu? Mustafa Kemal'e el kalkar mı?

Dostları Kara Kemal Bey'e gizlenmesini önerdiler, çünkü adı aranılanlar arasındaydı. Kara Kemal bunları duyunca deliye döndü. Nereye saklanacaktı?

Cerrahpaşa'da Cambaziye Mahallesi'nde Tatlısu Sokağında eski Posta Müdürü İhsan Bey'in 10 numaralı sarı boyalı evinin selâmlık bölümüne gizlendi. Ama yoldan geçen "bir muhbir vatandaş" Kemal Bey'i pencereden görerek polise haber verdi. Polisler selâmlıktaki odada bir sigaranın yanmakta olduğunu görünce bahçeye çıkıp her bir yanı aramaya başladılar. Kemal Bey çaresizlik içinde tavuk kümesine gizlenmişti. Polisler kümesi de basınca Kemal Bey elindeki tabancayı beynine sıkarak yaşamına son verdi (28 Temmuz 1926).

Bir devrimcinin acı sonu. İşte devrimin kendi öz evlâtlarını yemesinden kara bir örnek.

Milli Kongre ve Direniş

Esat Paşa Askeri Tıbbiye'yi bitirdikten sonra Paris'te göz hastalıkları üzerinde çalışmış ve orada yeni buluşlarıyla dünya çapında ün kazanmış bir hekimdi. Vatana dönünce Tıbbiye'ye girerek orada çağdaş bir göz kliniği kurdu.

Esat Paşa Dar-ül Fünun'deki görevinin dışında Hilaliahmer Cemiyeti ile Milli Talim ve Terbiye Cemiyeti'nin başkanlığına getirildi ve o alanda da değerli çalışmalar yaptı. Paşa, Osmanlı devletinin çöküşünü bir türlü içine sindiremiyordu. Sivil toplum örgütlerinin hep birlikte direnişe geçmelerini öneriyordu.

Yakın arkadaşlarıyla günler boyu bu konuyu tartıştı.

Fransız Başkumandanı Franchet d'Esperey ile gidip görüştü. İşgal kuvvetlerinin Türklere yaptığı hakareti Fransız ulusuna yakıştıramadığını ve Türklerin böyle bir davranışı hak etmediklerini anlattı.

Esat Paşa'nın gerek siyasal çevrelerde, gerek gazeteci ve yazar çevrelerinde büyük saygınlığı vardı. Şişli'ye gidip Süleyman Nazif'le konuştu. Evde ne soba vardı, ne de mangal. Üşüye üşüye oturup neler yapılması gerektiğini tartıştılar. Sonra Halide Edip Hanım'ın evine gitti, neler yapabileceklerini konuştular.

Esat Paşa mutlaka bir şeyler yapılması gerektiğine inanıyordu. Başı kim çekecekti? Ülke çapında saygınlığı olan bir kişiyi arıyordu. Yakın dostu Şeref Çavuşoğlu ile birlikte Fındıklı'ya gidip Meclis Başkanı Ahmet Rıza Bey'le bu işi görüşmeye karar verdi. Sirkeci'den at arabasıyla Fındıklı'ya gideceklerdi. Arabacı dört mecidiye istedi. Oysa Paşa'nın cebinde topu topu üç mecidiye vardı, arabaya binemediler ve Fındıklı'ya yağmur altında yaya gittiler.

Ahmet Rıza Bey kendilerini pek sevimli karşılamadı. Esat Paşa onun başa geçmesi için dünya kadar dil döktü, ama nafile. Ahmet Rıza Bey, "Ben Âyan Meclisi reisiyim. Padişah bana güveniyor. Kendisine ihanet edemem," dedikten sonra sözlerini şöyle sürdürdü:

"Ben size tertemiz bir bayrak verdim. Siz onu kirlettiniz. Artık bundan sonra Enver'in ve Talât'ın kirlettiği bayrağı elime alamam. Kuracağınız örgüte de asla giremem..."

Bu olumsuz sözlerden sonra Esat Paşa işin başa düştüğünü anladı.

Paşa 11 Aralık 1918'de Binbirdirek'teki Milli Talim ve Terbiye Cemiyeti Merkezi'nde büyük bir toplantı düzenledi. Bu toplantıya Milli Kongre adı verildi. 50'den çok dernek ve kuruluş katıldı bu toplantıya: Türk Ocağı, Edebiyat Fakültesi, Tıp Fakültesi, Çocuk Esirgeme Derneği, Galatasaraylılar Yurdu, Kabataş Teavün (Yardımlaşma) Cemiyeti, Matbuat Cemiyeti, Muallimler Cemiyeti, Ressamlar Cemiyeti, Çiftçiler Derneği, Ahali İktisat Fırkası (Partisi), Radikal Avam Fırkası, Sulhü Selah (Barış) Cemiyeti, Müdafaai Milliye Cemiyeti ve 20'ye yakın kadın derneği. Ayrıca, İstanbul'da ne kadar kalburüstü politikacı, yazar, gazeteci ve sanatçı varsa, onlar da bu kongrede yer aldı.

Toplantı sonunda yayınlanan bildiride Kongre'nin amacının Kuvayı Milliye denen bütün ulusal güçleri birleştirerek, kurulmakta olan Milletler Cemiyeti'ne özgün ve bağımsız bir ulus olarak girilmesini sağlamak olduğu belirtiliyordu.

Hürriyet ve İtilaf hükümeti buna karşı gelecek güçte değildi. İngilizler de çekindiler, Milli Kongre'yi dağıtmak için bir girişimde bulunamadılar.

Esat Paşa Hürriyet ve İtilaf hükümeti için tehlikeli bir adam sayılıyordu. Hükümet kendisini tutuklatmak için bahane arıyordu. Sonunda 12 Mayıs 1919'da yani Mustafa Kemal Paşa'nın Samsun'a gitmek için İstanbul'dan ayrılmasından dört gün önce Esat Paşa Fuat Köprülü ile birlikte tutuklandı, ama birkaç gün sonra kendisini bırakmak zorunda kaldılar.

Milli Kongre ise çalışmalarını sürdürüyordu. İlk tutuklamadan üç hafta sonra polis Milli Kongre Merkezi'ni bastı. Esat Paşa yeniden tutuklandı. Bu kez de gazeteci Talha Ebüzziya ile birlikte (12 Haziran'da) Kütahya'ya sürgüne gönderildi.

Bu sürgün dönemi ancak bir ay sürdü, Paşa İstanbul'a döndü.

Milli Kongre böylece büyük bir başarı elde etmiş oluyordu. Esat Paşa'nın adı İstanbul'da bayrak oldu.

Milli Kongre'nin kuruluş aşamasında Trakya ve Anadolu'nun çeşitli bölgelerinde de yeni yeni direniş örgütleri oluşturuluyordu. Bunlardan ilki 1918 Kasımı sonunda Trakya'da kurulan Trakya-Paşaeli Müdafaa Heyeti Osmaniyesi'ydi. Onun ardından, 1918'in son günlerinde Adanalılar Adana Müdafaa-i Hukuk-u Milliye Cemiyeti'ni kurdular. Bunun kurulmasında Mustafa Kemal'in rolü vardı. Mustafa Kemal Suriye dönüşü orada bulunduğu günlerde Adanalılara büyük bir örgüt kurmalarının doğru bir iş olduğunu söylemiş, ama onlar o zaman buna yanaşmamışlardı. Sonraki aylarda işgal tehlikesini gören Adanalılar kendiliklerinden bu örgütü kurdular.

Yine aynı dönemde, Trakya yöresinin Ermeniler ve Rumlara bırakılacağı duyulunca, Karadeniz havalisinde bir Rum devletinin kurulmasından endişe edilerek, İstanbul'da "Trabzon çevresinin öz yönetimi" adlı bir dernek kuruldu. Bunu Lazistan Selâmet-i Milliye Derneği, Lazistan'ın Kurtuluşu Derneği ve Trabzon Haklarını Koruma Derneği izledi.

Onların ardından Manisa'da "Vatanın Kurtarılması" ve Menteşe'de "Müdafaa-i Vatan" cemiyetleri kuruldu. İzmirliler de Martta (1919) İzmir Tiyatrosu'nda bir toplantı düzenleyerek direnişe geçeceklerini haykırdılar. İzmir Müdafaa-i Hukuku Osmaniye Cemiyeti kuruldu. Alaşehir'de Redd-i İlhak Kongresi diye adlandırılan bir toplantı yapıldı. Bunun ardından yine İzmir'de "Redd-i İlhak Heyet-i Milliyesi" adı verilen bir örgüt kuruldu.

Bu arada, İstanbul'da Doğu İlleri Ulusal Haklarını Savunma Derneği adlı bir örgüt kurulmuş, Diyarbakır ve Erzurum illeri de direniş eylemlerine başlamışlardı.

Amerikan Devlet Başkanı Wilson barıştan sonra bütün ulusların bağımsızlığının sağlanması amacıyla Wilson Prensipleri denen bir program yayınlamıştı. İstanbul'da da bundan esinlenilerek Wilson Prensipleri Derneği adlı bir örgüt kuruldu. Refik Halit (Karay), Celâl Nuri (İleri), Necmettin Sadık (Sadak), Ahmet

Emin, Velit Ebuzziya, Yunus Nadi gibi bütün ünlü gazeteciler bu derneğe katıldılar.

Topkapılı Cambaz Mehmet Bey

O dönemde direniş hareketinin önemli isimlerinden biri de Topkapılı Cambaz Mehmet Bey'di. Direnişle ilgili hangi taşı kaldırsan altından Cambaz Mehmet Bey çıkıyordu. Adı neredeyse efsaneleşmişti.

Topkapılı Cambaz Mehmet Bey çok dinamik, zeki ve girişimci biriydi. Çevresine çok insan toplanmıştı. Tazı gibi koşar, silâh atmada, bıçak sallamada rakip tanımazdı. Hiçbir şeyden yılmaz, en olmayacak işlere girişebilirdi. Bütün gizli işlerin yolu Topkapılı'dan geçiyordu.

Topkapılı Hâkimzâde Cambaz Mehmet Bey'in gerçekten ilginç bir yaşam öyküsü vardı. Mahalle okulunu üçüncü sınıftan bırakmış ve kendi kendini yetiştirmişti.

Yaşamına yön veren en önemli olay Çanakkale Savaşı'nda Mustafa Kemal'i tanımış olmasıydı. Mustafa Kemal onu onbaşı yaparak mangasının başına geçirmiş, bir süre sonra da derecesini çavuşluğa yükseltmişti. Kanlı savaşların olduğu günlerin birinde de ona, "Göreyim seni Topkapılı," demişti. Mehmet Çavuş bütün savaşımlarında bu sözleri anımsayarak kumandanının izinden gitmeye çalıştı. Askerlikten sonra Topkapı'daki tulumbacıların başına geçti ve yangından yangına koştu.

Kısa zamanda bütün kabadayıları, bıçkınları, hırsızları ve yankesicileri çevresinde toplayarak güçlü bir şebeke oluşturdu. Bazılarına göre onun peşinden gidenlerin sayısı beş bini geçiyordu. Cambaz Mehmet'in astığı astık, kestiği kestikti. Onu dinlemeyenler İstanbul'da barınamazdı.

Savaş bitip de Mustafa Kemal Paşa Güney'den İstanbul'a gelince Mehmet Çavuş Şişli'deki eve gidip kumandanı buldu. Önce elini öptü, sonra kucaklaşıp öpüştüler. Bir süre özlem giderdikten sonra Mehmet Çavuş ona sordu:

— Paşam, ne yapmamı istiyorsunuz, bana görev verin.

Paşa,

— Topkapılı, dedi. Sırası gelince söyleyeceğim. Zaten sen ne yapman gerektiğini bilirsin.

Topkapılı durumun gittikçe kötüye gittiğini görüyor ve kendi düzeyinde birtakım hazırlıklar yapıyordu. İşgal ordularının savaş gemileri İstanbul limanındaydı. Yarın ne yapacakları hiç belli olmazdı. Topkapılı'nın ilk işi Paşa'yı koruyacak bir güç oluşturmak oldu. Şişli'deki evin çevresine nöbetçiler yerleştirdi. Bunlar eve girip çıkanları sürekli olarak izliyor ve kuşku yaratacak bir şey olursa gidip Topkapılı'ya haber iletiyorlardı. Bu durumdan Paşa'nın hiç haberi yoktu.

Mehmet Bey, Mustafa Kemal Paşa'nın Dokuzuncu Ordu Müfettişliğine atandığını öğrenir öğrenmez arkadaşlarını toplayarak,

— Durum çok ciddi, dedi, Paşamı Anadolu'ya gönderecekler ama İngilizler onun gitmesinden korkarlar. Daha yola çıkmadan ona bir suikast düzenleyebilirler. Onu korumak bize düşer. En değerli adamlarımızı, satıcı, hamal, polis, jandarma kılığına sokarak Paşa'nın çevresinde kuş uçurtmayacağız. Polis giysilerini emniyetteki arkadaşlar sağlayacaklar, jandarma üniformalarını da subay dostlarımız bulup getirecekler. Derhal göreve başlayacağız.

Gerçekten de ertesi gün, çuvallar dolusu giysi getirildi. Mehmet Bey'in kabadayı takımı bunların içinden kendilerine en uygun olanı seçip giyindiler. Her biri yakışıklı bir polis ya da jandarma olmuştu. Artık bu giysileri hiç üzerlerinden çıkarmak istemiyorlardı.

15 Mayıs 1919 günü *Bandırma* vapuru Paşa'yı Samsun'a götürmek üzere limanda beklerken rıhtımda gezgin satıcılardan, ayakkabı boyacılarından, hamallardan, polislerden ve jandarmalardan geçilmiyordu. Bu da yetmiyormuş gibi, içi balıkçılarla dolu sandallar ve motorlar da geminin çevresinde dört dönüyorlardı. Topkapılı ayrıca geminin içine kamarot ve çımacı kılığıyla da kendi adamlarını yerleştirmişti.

Mustafa Kemal ve arkadaşları hiçbir olay çıkmadan gemiye yerleştiler. Cambaz Mehmet Bey de hiç kimsenin yanına yaklaşmadan rıhtımdan, Paşa'nın gidişini izlemekle yetindi.

O günlerde düzenli ve disiplinli bir örgütün kurulması için bazı girişimler oluyordu. Bunların en önemlisi de piyade yüzbaşısı Emin Ali Bey'le, muhasebeci İhsan Bey'in ve itfaiye kumandanı Yüzbaşı İsmail Hakkı Bey'in 1920 yılının ilk aylarında Topkapı'da bir evde toplanarak oluşturdukları gruptu. Buna Müdafaa-i Milliye Teşkilâtı adı verildi. Birkaç hafta içinde bu gruba birçok kişi katıldı. Topkapılı Mehmet Bey de bu üçlü gruba ilk katılanlardan biri oldu ve hemen başkan durumuna geçti. Mehmet Bey daha önce de Karakol Cemiyeti'ne katılmış ve örgüt işlerinde deneyim kazanmıştı.

Müdafaa-i Milliye Teşkilâtı kısa zamanda çok başlı bir duruma dönüştü. Kimin gerçek başkan olduğu pek belli değildi. Kuruluştan birkaç ay sonra da, yani 1920 Nisanı'nda Topkapılı Mehmet Bey ve arkadaşları aynı teşkilâtın içinde bağımsız bir örgüt oluşturdular. Buna da Mim Mim Grubu dendi. Bu grupta hem askerler vardı, hem de siviller. Cambaz Mehmet Bey başkan durumundaydı, ama Topçu Kaymakamı Halil Kemal (Koçer) Bey de başkan olduğunu söylüyordu. Teşkilâtı Mahsusa denen eski gizli haberalma servisinin yöneticilerinden Süvari Kaymakamı Hüsamettin (Ertürk) Bey de Teşkilâtın Ankara ile ilişkisini yürüttüğü için başkan durumundaydı. Yani örgütte tam bir başkanlık karmaşası yaşanıyordu. Ama bütün bunlara karşın Mim Mim Grubu çok başarılı işler yapıyor ve Cambaz Mehmet Bey'in kabadayılardan, hamallardan ve hırsızlardan oluşturduğu çeteler silâh depolarının boşaltılmasında akla gelmez yararlılıklar gösteriyorlardı.

Cambaz Mehmet Bey,

— Depolardan silâh çalma işini ben üzerime alıyorum. İstanbul'un bütün hırsızları, yankesicileri, arabacıları benim emrimdedir. Onlar en az benim kadar, sizin kadar vatanseverdir, diyordu. Bu insanlar belki önceleri it, kopuk, haraççı ya da serdengeçtiydiler. Ama şimdi, hiç kuşkunuz olmasın, her işte onlara güvenebilirsiniz.

Topkapılı inandığı davaya sonuna kadar bağlı kaldı. Gizli örgütlerin birçoğunda rol aldı. Sonra da Kurtuluş Savaşı'nın bir adsız kahramanı olarak unutuldu gitti. Yaptığı işlerin karşılığı olarak kendisine verilen tek armağan İstanbul Şehir Meclisi üyeliğiydi. Yaşamı 1932 yılında noktalandı.

III

İstanbul Mitingleri

17 Mayıs 1919 Cumartesi sabahı Nedim Bey telâşlı ve gergin bir havada Çamlıca'daki köşke geldi. Hulusi Bey'in kızlarının üçü de oradaydılar. Kucaklaştılar, öpüştüler. Nedim Bey,

— Kızlar, diye söze başladı, bugün size çok kötü bir haberim var, önceki gün Yunanlılar İzmir'i işgal etmişler. Herkes kan ağlıyor.

Kızların üçü birden,

— Ne diyorsunuz Nedim Ağabey, diye haykırdılar.

Perihan,

— Demek ki İzmir'i yitirdik, dedi. Nasıl olur? Hani İzmir Yunanlılara verilmeyecekti?

Terastaki koltuklara oturdular. Köşkte her işe koşan hizmetçi Kezban hemen Nedim Bey'in az şekerli kahvesini getirdi.

— Evet, sizi dinliyoruz Nedim Ağabey. Bize anlatın bu faciayı.

Nedim Bey söze nereden başlayacağını bilmiyordu. Üzüntülü bir sesle,

— Birkaç günden beri böyle bir olayı bekliyorduk, dedi. Harbiye Nezareti'ne bu konuda sürekli haberler geliyordu. Maliye Müfettişi Muvaffak Bey İzmir'deki Kolordu Kumandanı Ali Nadir Paşa'ya İzmir'in işgal edileceğini üç gün önceden haber vermiş. Paşa bu haberi duyunca heyecanlanmıştı. "Ne yapmamız gerekir?" diye soruyordu. Haberi Sadrazam Damat Ferit Paşa'ya ilettik. Ferit Paşa'nın tepkisi şu oldu: "Bu haber yalandır. Kim bunu uyduruyorsa hemen tutuklasınlar."

Haberi Maliye Müfettişinin yaydığı anlaşılınca Dahiliye Nâzırı hemen İzmir'e bir telgraf çekip onun tutuklanarak İstanbul'a gönderilmesini emretmiş.

Harbiye Nâzırı Şakir Paşa da İzmir'deki Kolordu Kumandanı'na bir tel çekerek işgal olayının Ateşkes Antlaşması hükümlerine uygun olduğunu ve bu karara uyulması gerektiğini bildirmiş.

Kolordu Kumandanı Ali Nadir Paşa da ne yapsın, emrindekilere işgal kararına uyulması gerektiğini söylemek zorunda kalmış. İngiliz Yüksek Komiseri Amiral Calthorpe o gün İzmir'de bulunuyormuş. İzmir Valisi'ni ziyaret ederek, "Aman," demiş, "çok rica ediyorum, olay çıkmasın. Askerler kışlalarda kalsınlar. Huzuru bozacak bir şey yapılmaması için gerekli önlemleri almazsanız çok kötü olur."

Yüksek Komiserin İstanbul'daki yardımcısı da aynı gün Damat Ferit Paşa'yı ziyaret ederek, "Haber doğru," demiş. "İzmir işgal edilecek. Başka çare yok. Bunu yapmak zorundayız."

Ümran hırsından titreyerek haykırdı:

— Vay alçaklar vay!

Perihan daha soğukkanlıydı:

— Damat Ferit Paşa da herhalde, "Böyle bir şey yapamazsınız," dememiştir, değil mi Nedim Ağabey?

— Evet, öyle bir şey dediğini duymadık. İngilizlere karşı koymak ondan hiç beklenir miydi? Onun gerçek efendileri her zaman İngilizler olmuştur.

— Peki, başka neler duydunuz?

— Yunanistan'da halk büyük gösteriler yapıyormuş. Atina Belediye Başkanı halkın karşısına çıkarak, "İyonya'nın güzel çiçeği İzmir artık Yunanistan'ındır!" diye haykırmış. Başbakan Venizelos, "İlahi adalet artık gerçekleşiyor!" demiş. İzmir Rumlarına da bir mesaj yollamış. Rumlar Aya Fotini Kilisesi'nde toplanarak bu mesajı dinlemişler. Venizelos mesajında, "Rumlar artık uşaklıktan kurtuldu. Ama sakın İzmir'de Türklere karşı aşırılığa kaçıp da düşmanlık yaratmayın," diyormuş. Metropolit Hrisostomos ve bütün dinleyiciler hüngün hüngür ağlamışlar. Bütün dükkânlar ve meyhaneler kapatılmış. Halk, "Yaşasın aslan Larissa[*] Tümeni!" diye haykırmış.

İzmir'de Reddi İlhak Cemiyeti, yani İzmir'in Yunanistan'a verilmesine karşı çıkanların kurdukları ulusal kurul aynı gün bir bildiri yayınlayarak İzmirlileri direnişe çağırmış. Halk o gece İzmir'deki Yahudi Mezarlığı'nda toplanmış, sabaha kadar ateş yakmışlar, olayı protesto etmişler.

İzmir'deki Rumlar da evlerini Yunan bayraklarıyla donatmışlar. Kolordu Kumandanı Ali Nadir Paşa bütün subayları kışlada toplayarak, "Yarın İzmir işgal edilecek, sakın karşı koymayın," demiş. Cezaevleri boşaltılmış. Cezaevinin karşısındaki silâh deposunu mahkûmlar yağma etmişler. Silâh deposunu denetleyen İtalyan askerleri de Yunanlılara kızdıkları için bu olaya hiç karşı gelmemişler.

Önceki gün, yani 15 Mayıs Perşembe sabahı saat 8'de Yunan askerleri İzmir'e çıkmaya başlamışlar. Kadifekale'ye Yunan topları yerleştirilmiş. Metropolit Hrisostomos Yunan askerlerini takdis etmiş. Rumlar rıhtımda coşkun gösteriler yapmışlar, Venizelos'un büyük boy bir fotoğrafı önünde oyunlar oynamışlar.

Yunan İşgal Kuvvetleri Komutanı Zafiriu da bir bildiri yayınlayarak, "Amacımız yasaların korunması ve halkın refahının sağlanmasıdır," demiş.

— Nasıl sağlayacaklarmış bakalım? Göreceğiz.

— Atina'da da büyük gösteriler yapılmış.

— Peki, İzmir'de Yunan askerlerine hiç karşı koyan olmamış mı?

— Olmaz olur mu Perihan? İlk kurşunu *Hukuku Beşer* gazetesi sahibi Hasan Tahsin atmış. Başkaları da Yunan askerlerine ateş açmışlar. Ortalık birdenbire karışmış ve Hasan Tahsin orada şehit olmuş.

— Aferin Hasan Tahsin'e. Allah ruhunu şad etsin. İlk kahramanlık örneğini vermiş oldu.

(*) Yunanistan'da Tesalya'nın merkezi.

— Sonra Rumlar yağmacılığa başlamışlar. Kışlayı basmışlar. on dört subayı öldürmüşler. Askerlik Dairesi Başkanı Fethi Bey'in de, "Zito Venizelos!" (Yaşasın Venizelos) diye bağırmasını istemişler. Bunu gururuna yediremeyen Fethi Bey bağırmamış. Bunun üzerine onu da öldürmüşler. Yüz elli subayı, beş yüz kırk eri ve iki bin kadar sivili de, "Zito Venizelos!" diye bağırtarak limandaki *Pekin* gemisine bindirmişler. O sırada bir Efzun[*] askeri de Kolordu Kumandanı Ali Nadir Paşa'ya bir tokat atmış.

— Hani şu, "Aman bir olay çıkartmayın," diye bildiri yayınlayan Ali Nadir Paşa'ya, değil mi?

— Evet, Paşa boyun eğmenin cezasını tokat yiyerek çekmiş oldu.

— Peki Nedim Ağabey, bu olanlara karşı İstanbul'da ne gibi tepkiler oldu?

— İstanbul'da halk bu olayları hemen duyamadı. Oysa bütün Ege ayağa kalktı. İzmir'in işgali her yerde protesto ediliyor. Denizli Müftüsü, "İşgale uğrayan memlekette halkın silâha sarılması dinin gereğidir. Fetva veriyorum, silâh ve cephanenin azlığı savaşa engel olamaz. Direnişe geçin. Ama Hıristiyan halka dokunmayın," demiş. Memleket kaynıyor. Sadrazam Damat Ferit Paşa da dün istifa etti.

Hani Yunan kökenli ünlü bir silâh yapımcısı vardır, Sir Basil Zaharof. O da İzmir'in işgalinin kendi çalışmalarının sonucu olduğunu söylemiş, Fransız Başbakanı Clemenceau ile İngiliz Başbakanı Llyod George'a da teşekkürlerini bildirmiş.

Gazetelere sansür konduğu için basın ilk gün hiçbir şeyi duyuramadı. Dün iki gazete, *Tasviri Efkâr* ile *Yeni Gazete* bu olayları ilk kez yazdılar. Gazeteler toplatıldı ve kapatıldı.

— Peki, Nedim Ağabey, biz ne yapacağız? İstanbul'da hiçbir gösteri düzenlenmeyecek mi? Böyle elimiz kolumuz bağlı, bu olaylara hiç karşı koymadan oturacak mıyız?

— Hayır, bugünlerde İstanbul'un çeşitli semtlerinde protesto

(*) Etekli, kırmızı fesli ve papuçlu Yunan piyade askeri.

gösterileri düzenlenecek. Siz de bunlara katılacaksınız. Fırsat bulursanız konuşun da.

— Yaşa Nedim Ağabey, biz de konuşmak isteriz. Neler söyleyelim sence?

— İzmir'in işgali protesto edilecek. Sizin de o konularda bir şeyler söylemeniz uygun olur. Ne bileyim. Türk ulusunun bunu hak etmediğini, halkın buna çok sert tepkiler gösterebileceğini söyleyin. İnsanları direnmeye çağırın. Özgürlüğü, bağımsızlığı haykırın.

— Anladık Nedim Ağabey, bu işi öyle bir coşkuyla yaparız ki! Siz hiç merak etmeyin. Sizin izinizden gittiğimizi kanıtlayacağız. Görün bakın. Ne zaman başlayacak bu gösteriler?

— İlk gösteri 19 Mayıs'ta, yani iki gün sonra, Fatih'te. Halide Hanım konuşacak. Siz de katılın.

— Mutlaka katılacağız.

Kızların üçü de 19 Mayıs Pazartesi sabahı heyecanla hazırlanarak Fatih'in yolunu tuttular. Neydi o meydanın durumu? Mahşer! Kimilerine göre meydanda 50 bin kişi vardı, kimilerine göre 80 bin. Siyah üzerine beyaz ayyıldızlı bayraklar sallanıyordu pencerelerden, balkonlardan. Arı kovanı gibi bir uğultu yükseliyordu dört bir yandan. "İzmir Türk'ündür!" diye pankartlar görülüyordu.

Derken bir alkıştır koptu. Kürsüye 35 yaşlarında siyah başörtülü bir kadın çıktı. Herkes bu kadını tanıyordu. Yer yerinden oynadı. Bu Halide Edip Hanım'dı. Söze şöyle başladı:

— Türkler ve Müslümanlar, bugün kara günümüzü yaşıyoruz. Fakat sabahı olmayan bir gece yoktur. Yarın şanlı bir sabaha kavuşacağız.

Hanımlar, bugün elimizde top ya da tüfek yok. Ama ondan büyük, ondan kuvvetli bir silâhımız var: Hak ve Allah. Tüfek ve top düşer ama Hak ve Allah bakidir.

Halide Hanım'ın her sözü alkışlarla kesiliyor ve coşkulu gösterilerin sonu gelmiyordu. Halide Hanım konuşmasını şöyle sürdürdü:

— Analar, kalbimizde aşk, iman ve milliyet duygusu var. Biz millet olduğumuzu erkek, kadın ve çocuklarımızla kanıtladık. Bugün burada toplanan şu halk kitlesinin bir tek isteği var, o da en tabii haklarının kendisinden alınmamasıdır. Biz Padişahımızdan bize babalık etmesini rica ediyoruz. Bugün Türkler ve Müslümanlar Padişahın çevresinde toplanmıştır. Hanımlar, efendiler, siz düştüğünüz zaman birçok şey düşecektir. Kadınlar silâhsız ve zayıf, fakat kalpleri metindir. Bütün İslâm âlemi hep kardeşimizdir. Bundan dönen kadın Türk kadını değildir. Yaşasın milletimiz.

Alkış, kıyamet... En çok haykıran da kadınlardı. Neriman, Perihan ve Ümran avazları çıktığı kadar bağırıyorlardı. İstanbul'da ilk kez bir kadın kürsüye çıkmış ve bütün kadınlara ve erkeklere seslenmişti.

Halide Hanım'ın arkasından Profesör Selahattin Bey kürsüye çıktı. O da,

— Milletler uyanıyor, devlet oluyorlar. Hakkını isteyen bir millet ortadan kaldırılamaz, diye konuştu.

Onu Hüseyin Ragıp (Baydur) Bey izledi. O da:

— Hiçbir milletin bize efendi olmasına tahammül edemeyiz, dedi.

Alkışların sonu gelmiyordu.

Hüseyin Ragıp Bey'in ardından genç bir kadın alkışlar arasında kürsüye çıktı. O da Meliha (Sözen) Hanım'dı. Konuşmasını şu sözlerle bitirdi:

— Evlâtlarımız çektikleri felâketlerden bıktılar. Biz vatanımızı kurtarmak için yaşayacağız. Cebirle (zorla) alınan bir hak geri verilecektir...

Konuşmalar bitmişti ama alkışlar dinmiyordu. Neriman'ın, Perihan'ın ve Ümran'ın gözlerinden yaşlar boşanıyordu. Belki onların da kürsüye çıkıp haykırmaları gerekiyordu. Neriman'la Perihan küçük kardeşlerine.

— Haydi Ümran, dediler, en iyi sen konuşursun. En küçüğümüz de sensin. Çık kürsüye, bir şeyler söyle.

Ümran da zaten böyle bir öneri bekliyormuş gibiydi. Bir an düşünmeden kalabalığı yararak kürsüye fırladı. Yine alkış, kıyamet. Gencecik, fidan gibi bir kızı kürsüde görenlerin heyecanı sonsuzdu. Ümran,

— Kardeşlerim, analarım, ablalarım, diye söze başladı. Ben de hepinize sesleniyorum. Bu vatanı düşmana bırakmayacağız. Kimimiz mermi taşıyacak, kimimiz silâha sarılacağız. Milletimiz bu vatanı hiç kimsenin buyruğu olmadan da kurtarmasını bilecektir.

Bir yandan alkış, yaşa, varol sesleri, bir yandan da, "Ne demek istiyor bu kız!" diye homurdananlar.

İngilizler miting alanının üstünden uçak uçuruyorlardı. Halk korkup dağılacak sandılar; hiç de öyle olmadı. Ok yayından çıkmıştı bir kez.

Kadınlar Ümran'ı kucaklayıp öpüyorlardı. Sarılmalar, kucaklaşmalar. Kızlar dalga dalga dağılan bu insan selinin arasından güçlükle yollarını bulabildiler.

Hazırlanan program gereğince ikinci miting 20 Mayıs'ta Üsküdar'da Doğancılar'da düzenlenmişti. Bu kez toplantının yeri Çamlıca'ya hiç de uzak değildi. Hulusi Bey'in kızları Fatih mitingi daha heyecanını yitirmeden ertesi gün kendilerini Doğancılar'da buldular. Alanda en az 30 bin kişi toplanmıştı. Kucaklarında bebeleriyle gelen kadınlar bile vardı. Bütün Üsküdar, Çamlıca, Kısıklı halkı oradaydı.

Önce Talât Bey adında bir işsiz kürsüye çıkarak duygusal sözler söyledi. Onun ardından da Asrî Kadınlar Cemiyeti adına Sabahat Hanım adında bir kadın kürsüye geldi. Kadınların söz alması büyük coşkuya yol açıyordu. Sabahat Hanım da uzun uzun alkışlandıktan sonra telâşlı bir sesle şöyle dedi:

— Bugün bahtsız ülkemizde en çok biz, kadınlar, anneler ve kardeşler, vatanımızın kurtulması için bunca şehit verdik. Ama ne oldu? İzmir'i Yunanlılar aldılar. Belki de yarın Konya'mızı, Bursa'mızı ve sevgili İstanbul'umuzu isteyecekler. Yine susacak mıyız? Hayır, biz kadınlar bu savaşın en önünde olacağız. Uygarlığa yalanlar söyleyen bütün varlıklara lânet olsun!

Sabahat Hanım'dan sonra Naciye Fuham Hanım kürsüye fırladı. O da Çamlıcalı kızların evlerine gelip giden aydınlık düşünceli kızlardan biriydi. Heyecanlı bir konuşma yaptı ve sözlerini şöyle bitirdi:

— Ey burada toplanan kardeşlerim! Arkamızda yanık bağırlarıyla, gözyaşlarıyla koşan kadınlar, analarımız, kardeşlerimiz ve evlâtlarımız var. Yaşasın millet ve bütün İslâm âlemi!

Naciye Hanım'ın konuşması da hep alkışlarla ve, "Yaşasın Türk kadınları! Var olsun Türk anaları!" sözleriyle kesildi.

Onun ardından hiç kimliği bilinmeyen Zeliha Hanım adında bir kadın konuştu. O da,

— Yaşamak için ölmeye yemin ettik, dedi. Yalnız İstanbul halkı değil, bütün millet ayakta. Köylüler çarıklarını ıslatıyor, kepekli undan yol hazırlığı yapıyorlar. Hazır olun!

Bu kez sıra Perihan'daydı. Sanki yıllardan beri kürsülerden konuşuyormuş gibi gerilimsiz ve doğaldı. Alkışlar arasında kürsüye çıkarak şöyle dedi:

— Ey sevgili annelerim, ablalarım, küçük kardeşlerim. Bundan önce konuşanları duydunuz. Sizi coşturdular. Ben sadece şunları söylemekle yetineceğim. Bu memleketin yüreği artık Anadolu'da atıyor. Özgürlük bayrağını onlar taşıyacaklar. Gelin, hep birlikte Anadolu'da savaşacak olanlara omuz verelim. Oraya gideceklere yardımcı olalım.

Perihan coşku gösterileri içinde kürsüden indi. Yer yerinden oynuyordu sanki. Üç kız kardeş gözyaşları içinde birbirlerini kucakladılar. Alkışların sonu gelmedi. Doğancılar'da zaten onları tanımayan yok gibiydi. Bütün oradaki insanlar Çamlıcalı bu kız kardeşlere hayranlıkla bakıyorlardı. Bir ara Neriman kardeşlerine, peşlerinde dolaşan çipil gözlü, ablak suratlı, yüzü yağlı, kıytırık bir adamı göstererek,

— Bakın, görüyor musunuz, şu adam dün hep peşimizden geldi, bugün de yanımızdan ayrılmıyor, hiç hoşlanmadım, dedi. Hafiye midir nedir?

Perihan'la Ümran,

— Evet, dediler, biz de farkındayız. Pis, meymenetsiz, uğursuz herifin biri. Bakalım bizi nereye kadar izleyecek?

Kızlar çok rahatsız olmuşlardı. Ama adam peşlerini bırakmıyordu. Bir arabaya bindiler, hafiye kılıklı adam da hemen bir arabaya atlayarak kızları köşke kadar izledi. Neriman,

— Boş verin, dedi, izlerse izlesin. Nerede oturduğumuzu öğrendi. Kimin kızları olduğumuzu da öğrenir, pısar gider.

— Ya gitmezse? Babamın başına iş açmaya kalkarsa?

— Babamın da umrundaydı sanki.

— Bakalım, görürüz. Ama bu herif benim huzurumu kaçırıyor. Hani, suratına bir tokat atasım geliyor.

— Benim de.

— Sakın ha çocuklar, çılgınlık etmeyin.

Üçüncü miting 22 Mayıs Perşembe günü Kadıköy'de yapılıyordu. Toplantıyı bu kez de Tıbbiye öğrencileri düzenlemişti. O gün gökten boşanırcasına bir yağmur yağıyordu. Yine de alanda en az 20 bin kişi toplandı. Şemsiyeler açılmış, insanlar saçakların ve ağaçların altına sığınmıştı. Kimler yoktu o gün konuşmacılar arasında?

Münevver Saime Hanım, Halide Edip Hanım, Hayriye Melek Hanım, Hüseyin Suat ve Fahrettin Hayri Beyler...

Yine coşkulu konuşmalar yapıldı. Yine alkıştan yer gök inledi. Türklerin 350 milyon Müslüman kardeşi olduğu ve böyle bir gücün asla yenilmeyeceği söylendi. Konuşmacılardan biri de sözlerini şöyle bitirdi:

— Ölmeyi bilmeyen, yaşamasını da bilmez. Bakın, bu millet bugün burada sağanak altında toplandı ve yaşama iradesini nasıl haykırıyor.

Bu kez de sıra Neriman'daydı. Saçlarından ve yanaklarından sular süzülürken kürsüye çıktı ve güvenli bir sesle şöyle dedi:

— Sevgili kardeşlerim, analarım, teyzelerim, halalarım, ablalarım, sesime kulak verin. Gelin bütün güçlerimizi birleştirelim. Düşmanın şantajları karşısında ulusal bir cephe oluşturalım. Bizi tutsak etmek isteyenlerin üzerlerine yürüyelim. Göreceksiniz, bütün erkekler bizi izleyeceklerdir. Köle olmayacağız...

Yine coşku gösterileri, yine tükenmek bilmeyen alkışlar. "Yaşasın Çamlıca kızları!" diye bağıranlar...

O çipil gözlü pis herif yine kızların peşindeydi. Yine hain hain onlara bakıyordu. Yine onları arabayla köşke kadar izledi. Ama bu kez kızlar yalnız değillerdi. Nedim Ağabeyleri de yanlarındaydı. O da gördü bu hafiye kılıklı herifi,

— Korkmayın, dedi, ben yarın onun icabına bakarım.

İstanbullular mitinglerin en kalabalık ve en coşkulu olanına da 23 Mayıs'ta yine Sultanahmet'te tanık oldular. O gün 200 bin kişi katıldı bu mitinge. Böyle bir olay İstanbul'da görülmemiş bir şeydi. Yer yerinden oynadı. Yine İngiliz uçakları tepelerinde dolaştı. Ama kimse bundan etkilenmedi. Hani gökten ateş yağsa kimsenin kılı kıpırdamayacaktı. 50'den fazla dernek ve parti temsilcisi de, "Kahrolsun düşmanlar!" nidalarıyla alanı doldurdular. Halkın bu başkaldırısına hiçbir güç, "Dur!" diyecek durumda değildi. Birisi çıkıp da karşı gelmeye kalksa parçalarlardı adamı.

Bütün evlerin balkonları ve pencereleri de insan doluydu. Kürsünün üzerine siyah bir bayrak gerilmişti. Ay yıldızın altında "Ya İstiklal ya Ölüm!" yazıları okunuyordu. Kürsünün yanına asılan bir afişte de Amerikan Cumhurbaşkanı Wilson'un bütün ulusların egemenliğe kavuşmasını isteyen bildirisinin 12 maddesi yer alıyordu. Bütün camilerin minareleri küçük siyah bayraklarla donatılmıştı. Minarelerden birbirlerine uzanan mahyalarda da "İzmir Bizimdir" yazıları her yerden okunacak büyüklükteydi.

Büyük Mecmua'yı çıkaran Sabiha Zekeriya (Sertel) de Halide Hanım'ın çağrısına uyarak oraya gelmişti. Çok önemli kalemler yazıyordu *Büyük Mecmua*'da. Mehmet Zekeriya (Sertel), Ömer Seyfettin, Falih Rıfkı (Atay), Yusuf Ziya (Ortaç), Orhan Seyfi (Orhun), Faruk Nafiz (Çamlıbel), Fuat (Köprülü), Mehmet Emin (Yurdakul), İsmail Hakkı (Baltacıoğlu) ve M.K. Tekinalp. Bütün bu ekip bir başkaldırıya hazırlanıyordu. Derginin ilk sayısı İzmir'in işgali üzerine siyah çerçeveli kapakla çıkmıştı.

Halide Hanım o aylarda bir direniş örgütünde çalışıyor ve

Anadolu'ya haber iletme, adam ve silâh kaçırma işleriyle uğraşıyordu. Sabiha Hanım da aynı örgütte görev almıştı.

Kızlar kürsüye yakın bir yerde bulunuyorlardı. İlk olarak şair Mehmet Emin (Yurdakul) kürsüye çıktı. Elli yaşlarındaydı. Herkes kendisini tanıyordu. Çok etkileyici bir sesle şunları söyledi:

— Kardeşler, keşke sokak sokak dilenseydim de milletimizin kulağını parçalayan bu felâket seslerini işitmeseydim, bu kara günleri görmeseydim... Benim evlâtlarım ölmeyi bildikleri kadar öldürmeyi de bilirler. Türkün kılıç ve sapandan başka bir şeyle nasırlanmayan elleri asla zincire vurulamaz. Shakespeare'lerin, Prudhon'ların, Dante'lerin milletleri, hani nerede sizin o insanlık ve adalet rüyalarınız? Siz bunlara karşı ne diyeceksiniz? Fırtınalardan sonra parlak güneşler, hazandan sonra da güzel çiçekler görülmüştür. Bunca dertlerden sonra da saadet günleri gelecektir. Yenilgilerden ders almayı bilirsek içtiğimiz zehir bir ilaç olacaktır. Kardeşler, Halife ve Hakanımızın çevresinde birleşelim.

Yine alkışlarla yer gök inledi.

Sonra yine Halide Edip Hanım çıktı kürsüye. Sık sık alkışlarla kesilen konuşmasında şöyle dedi:

— Kardeşlerim, evlâtlarım, ben Müslüman tarihinin mutsuz bir kızıyım. Kahraman ve talihsiz Türk milletinin anasıyım. Millet adına, ecdadımızın bizi seyreden ruhlarına yemin ediyorum: Osmanlı sancağına, tarihine hıyanet etmeyeceğim.

Böyle muazzam, böyle tarihi bir günü belki bir daha yaşamayacağız. Ama bir gün olur da bir daha toplanamazsak, içimizde ölenler olursa, Türk'ün istiklâl bayrağıyla mezarının üzerine gideceğiz.

Yine göklere yükselen alkışlar...

Sonra Selim Sırrı (Tarcan) Bey konuştu, sonra Doktor Sabit Bey. O da şöyle dedi:

— Wilson cenapları acaba ortaya attığı prensiplerin feda edildiğini, parçalandığını duyuyor mu?

Venizelos, senin bugün masken düşmüştür.

Padişahımız yüz bin kez yaşasın. Sevgili Padişahımızın kalbi bugün milletin kalbiyle birlikte titriyor...

Uğultular, homurdanmalar, alkışlar, bağıranlar, haykıranlar, ağlayanlar ve meydanın üzerinde alçaklardan uçan bir İngiliz uçağının motor sesleri...

Çipil gözlü hafiye yine Çamlıcalı kızların iki adım gerisindeydi. Bu kez de Ümran haykırdı:

— Arkadaşlar, aramızda hainler var, casuslar var, hafiyeler var. Bizi vurmak, vatanı satmak istiyorlar. Gelin, yumruklarımızı onların kafaları üzerine indirelim. Bize onlar düşmandan çok düşman. Yok edelim bu hainleri. Kahrolsun ulusumuzun düşmanları!...

Çipil gözlü hafiye kaçacak yer arıyordu. Meydandaki halk tek bir ağızdan haykırıyordu:

— Kahrolsun hainler!

Şakir Paşa'nın yerine geçen yeni Harbiye Nâzırı Şevket Turgut Paşa da mitingi izlemek için kalabalığın arasına karışmıştı. İnsanlar kendisini Padişah sandılar. Bir anda ortalık karıştı, halk dalgalandı. "Padişahım çok yaşa!" sesleri yükseldi dört bir yandan. Turgut Paşa,

— Efendiler, dedi, ben Padişah Hazretleri değilim. Yanılıyorsunuz.

İnsanlar inanmak istemiyorlardı. Kendisini tartaklamak isteyenler de oldu. Harbiye Nâzırı ter döküyordu.

— Efendiler, dedi, gelin, ben sizi Zâtı Şahane'nin huzuruna çıkartayım. Ama hepinizi birden götüremem, birkaç temsilci seçin.

Temsilciler seçildi. Turgut Paşa onları Yıldız Sarayı'na götürdü. Vahdettin de telâşa kapılmıştı. Harbiye Nâzırı'na,

— Bunlar bana bir şey yapmazlar, değil mi? diye sordu.

— Yok Hünkârım, asla. Hadlerine mi düşmüş? Yaverler yok ederler onları...

— Gelsinler öyleyse.

Temsilciler konuştular. Padişah kendisine yönelik bir durum olmadığını anlayınca rahatladı.

O sıralarda miting dağılıyor ve Sultanahmet'ten Sirkeci'ye bir insan seli akıyordu. Nedim Ağabey yine Çamlıcalı kızları yalnız bırakmamıştı. Birlikte yürüyorlardı. Perihan bir ara,

— Nedim Ağabey, dedi, görüyor musun, o pis herifi yine peşimizde?

Nedim Bey,

— Evet farkındayım, dedi. Ama sizin fark etmediğiniz bir şey var, o hafiyenin peşinde de bizim adamlarımız var. Cambaz Mehmet Bey'in takımından iki kişi de onu izliyor.

Kızlar rahat bir nefes aldılar. Demek güven altındaydılar.

Galata'ya kadar o insan selinin ortasında yürüdüler. Oradan Üsküdar vapuruna bindiler. Çipil gözlü hafiye de arkalarında.

Üsküdar iskelesine hep birlikte çıktılar. Hafiye yine sülük gibi peşlerinde. Nedim Bey gözlerini bir an hafiyeden ayırmıyordu. Tam arabaya bineceği sırada Cambaz Mehmet'in takımından iki kişi çipil gözlü hafiyenin kollarına giriverdiler. Adam neye uğradığını şaşırmıştı.

— Nereye böyle, pis hafiye?

Çipil gözlü ajan telâşlı bir sesle,

— Ben hafiye değilim, dedi, zabıta memuruyum.

— Demek inkâr ediyorsun. Biz seni konuşturmasını biliriz. Bülbül olursun.

Cambaz Mehmet Bey'in adamları çipil hafiyeyi kollarından sürüklemeye başladılar.

— Ulan sakın ha ağzını açayım deme, kurşunu yersin böğrüne.

Çipil hafiye sindi. Ne haykırabildi ne de kaçmaya çalıştı. Adamı kuzu kuzu götürdüler. Nereye? Hiç kimse bilmedi.

Hükümet ertesi gün bir bildiri yayınlayarak mitinglerin yasak edildiğini duyurdu. Ama halkın coşkusunu artık kimse durduracak güçte değildi. Bursa'da, Ankara'da, Sivas'ta, yurdun her yerinde mitingler düzenleniyor ve insanlar özgürlüğü, bağımsızlığı ve egemenliği haykırıyorlardı.

Yasağa karşın İstanbullular 30 Mayıs'ta yine toplandılar. Amaç güya dua etmekti. Yine iş çığrından çıktı. Ne baskı para etti, ne İngiliz uçakları, ne de "derin devletin hafiyeleri". Sultanahmet meydanı o gün de 100 bin kişinin sesleriyle inledi.

Yüzbaşı Nedim Bey'in Harbiye Nezareti'nde en sevdiği ve saygı duyduğu dostu Binbaşı Cemal Bey'di (Karabekir). Onunla aynı düşünceleri paylaştığı kanısındaydı. İkisi de olaylara aynı tepkileri gösteriyorlar ve bazen de hiç konuşmadan bakışları ve gülümsemeleriyle birbirlerini anlıyorlardı.

Bir akşamüstü Nezaret'ten birlikte çıktılar. Vezneciler'e doğru yürüdüler. İkisi de erken erken eve dönmek istemiyordu. Kafa kafaya verip biraz dertleşmek geliyordu içlerinden.

Cemal Bey,

— Neye varacak bunun sonu, diye söze başladı. Yunanlılar da İzmir'e girdi. Lânet olsun.

— Lânet olsun demekle olmuyor Binbaşım. Şimdi biz ne yapmalıyız? Elimiz kolumuz bağlı mı kalacağız? Sözümona İstanbul işgal altında değil, ama liman düşman zırhlılarıyla dolu. Nezaretlere el koydular. Bağımsızlığımızı yitirdik. Hükümet kukla. Padişah dersen, var mı yok mu belli değil. Bir şeyler yapmak gerekmiyor mu? Biz de susacak mıyız? Bütün bu olaylara seyirci mi kalacağız?

— Evet yüzbaşım, seyirci kalamayız, bir şeyler yapmamız şart. Senin benim gibi düşünenlerin sayısı bilemiyeceğin kadar çok. Herkesin içi kan ağlıyor. Dürüst ve vatansever insanların bir araya gelerek direnişe geçmelerinin zamanı geldi. Birbirine güvenen insanları ve her şeyden önce bizim gibi subayları bir araya getirmenin yollarını bulmalıyız. Senden hiçbir şey saklayacak değilim. Ben güvendiğim arkadaşlarla bu konuları çok rahat konuşurum. Bizimkiler seni de aramızda görmek istiyorlar.

— Sağolun Binbaşım, güveniniz beni çok mutlu ediyor.

— Demek ki hep birlikte çalışacağız. Biliyorsun, bu konulardan hiç kimseye söz etmemek gerekir. Yoksa hep birlikte sehpayı boylarız.

— Elbette Binbaşım. Hiç şüpheniz olmasın. Bana ne söylerseniz aramızda kalır. Kuran'a ya da tabancaya el basıp da yemin edecek değiliz ya. Hele askerler arasında ayrıca yemin etmeye ne gerek var.

— Anlaştık öyleyse. Zaten başka türlüsünü düşünemezdim.

— Peki, Binbaşım, bizim Milli Mücadele'ye nasıl bir katkımız olabilir?

— Evet, sözü ona getirmek istiyorum. Biliyorsun, bütün Anadolu direnişe geçmeye hazırlanıyor. Bunlar hep yerel örgütler. Bütün bunları toparlayıp ulusal çapta bir direniş örgütü kuracak bir kişi çıkacak elbette. Ben en çok Mustafa Kemal Paşa'ya güveniyorum. Onun geçen ay *Bandırma* vapuruyla İstanbul'dan ayrılıp Samsun'a çıktığını hepimiz biliyoruz. Ulusal çapta direnişi ancak o düzenleyebilir. Ama bu iş ne zaman olur, bir şey diyemeyiz. Hepimizin umudu onda. Yarın ulusal bir ordu kurulursa silâh ve cephane nereden bulunacak? Ulusal ordu mutlaka gerçekleşecek Nedim Yüzbaşı. Bizim şimdilik görevimiz Anadolu'da oluşan Kuvayı Milliye'ye ve direniş örgütlerine silâh ve cephane sağlamak. Her şeyden önce silâhlarımızı işgal kuvvetlerine teslim etmeden Anadolu'ya kaçırmanın yollarını aramalıyız. Ne yapıp yapıp seferber olalım ve depolarımızda ne var ne yok, bunları ulusal kuvvetlere kaçırmanın yollarını arayalım.

— Evet Binbaşım, Trakya'da ve Anadolu'da kurulan direniş örgütlerinin yanı sıra ordumuzun bazı birlikleri, tümenleri, alayları da direnişe geçmiyorlar mı? Subay arkadaşlarımızın silâhlarını bırakacaklarını hiç sanmıyorum. Bakın, Miralay (Albay) Şefik Bey Aydın cephesinde bir şeyler oluşturuyor. Miralay Kâzım Bey (Kâzım Özalp) de Balıkesir'de alayının başından ayrılmıyor. Bursa'da Bekir Sami Bey, Afyon'da Kaymakam Ömer Lütfi Bey, Ankara'da Kaymakam Mahmut Bey ve Yirminci Ordu Kumandanı Ali Fuat (Cebesoy) Paşa hiç de silâhları bırakmak niyetinde değiller.

— Evet Aydın, Ayvalık, Dikili, Bergama, Akhisar, Salihli, Turgutlu kaynıyor. Arkadaşlarımız halkı örgütlendiriyorlar. Direnecekler. Biz de onları destekleyeceğiz.

Nedim Yüzbaşı'nın artık içi içine sığmıyordu. Demek ki gelecekten hiç umudu kesmemek gerekiyordu. Örgütlenerek güçlü bir direniş eylemine girişmenin artık zamanı gelmişti. O gece Nedim Bey'in gözüne uyku girmedi. Harbiye Nezareti'nde onlar gibi düşünen ve vatanın kurtuluş heyecanını yaşayan acaba daha kaç kişi vardı? Belki de bütün subaylar aynı heyecanı taşıyor ama bunu açıklamaktan çekiniyorlardı. Evet, evet, muhakkak bütün subaylar ya bir örgüte katılmışlardı, ya da katılmak için öneri bekliyorlardı.

Nedim Yüzbaşı ertesi gün Nezaret'te bütün subayları yeni bir gözle değerlendirmeye başladı.

"Bu adam acaba belirli bir örgüte katılmış mıdır?"

"Katılmamışsa yarın kendisine bir öneri getirildiği zaman tepkisi ne olur?"

"Kendisine ne ölçüde güvenilebilir? Yarın bir işkence karşısında ne ölçüde dayanabilir? Arkadaşlarını satar mı?"

"Verilecek bir görevi sonuna kadar yapabilir mi?"

Nedim Yüzbaşı bazı subaylar için de,

"Hayır, hayır," diyordu, "bu adamın ciğeri beş para etmez. Her kalıba girer. Dalkavuktur, eski yöneticilere, nâzırlara, sadrazamlara midesinden bağlanmıştır. İşbirlikçidir. Alçak herifin biridir. Hiç güvenilemez. Herkesi ele verebilir. Yarın biz iktidara gelecek olsak bize de dalkavukluk eder. Bu tür insanlardan uzak durmalıyız..."

Binbaşı Cemal Bey'le Yüzbaşı Nedim Bey bu konularda tam bir görüş birliği içindeydiler. Cemal Bey'in Nezaret'te güvendiği insanlardan biri de Yüzbaşı Arif (Uysal) Bey'di. Bir sabah Arif Bey'i odasına çağırarak şöyle dedi:

— Yüzbaşım, düşmanlar belki yarın ambarlarımıza el koyarak bütün silâhlarımızı ellerimizden alabilirler. İleriyi düşünerek silâhlarımızı saklamak zorundayız. Bu silâhlar yarın kimlerin işine yarar, bilmiyorum. Ama Anadolu'da kıpırdanmalar var. Mutlaka bir şeyler olacak. Bir direniş eylemi için hazırlıklı olmalıyız.

Arif Bey, sen hemen Maçka Silâhhanesi'ne git. Ambar müdürüne sorunu anlat. Ambar tüfekçi ustası Faik Usta derhal tüfekleri söksün, namluları kundaklarından ayırsın, mekanizmaları ayrı sandıklara, dipçik ve namluları ayrı sandıklara koysun, bunları yedek parça gibi göstersin. 250 ağır makineli tüfeği de bodrum katına indirsinler, görülmeyecek bir yere yerleştirsinler ve önlerini çöple kapatsınlar. Ambar Başkâtibi bunları defterden çıkarsın. Anlaşıldı mı Yüzbaşım?

— Elbette Binbaşım. Bütün bu işler tamamlanacak. Bana güvenebilirsiniz.

Yüzbaşı Arif Bey ertesi sabah Maçka Silâhhanesi'ndeydi. Ambar müdürüne Cemal Bey'in direktiflerini iletti. O da derhal en güvendiği adamlarını bu işle görevlendirerek silâhları istenilen biçimde bodruma taşıdı.

Arif Bey Maçka'da bu işleri yaparken Binbaşı Cemal Bey de Tophane'deki tüfek fabrikasına gitti. Oranın müdürü Albay Hamit Bey'i gördü. Ona da,

— Aman Albayım, dedi, durum çok nazik. Biz Maçka'daki silâhları kaçıracağız. Kayıtlarını defterlerden düştük. Ama İngilizler buna inanmazlar da silâhları almak için dayatırlarsa, biz o zaman bu silâhların tamir maksadıyla size, yani, tüfek fabrikasına gönderildiğini söyleyeceğiz. Siz de kayıtlarınızı ona göre yapın. Gerekirse, "Bu silâhları hurdaya çıkardık," dersiniz.

Tophane Fabrikası'nın müdürü Albay Hamit Bey, yüreği özgürlük ve vatan aşkıyla çarpan bir subaydı. Cemal Bey'i kucakladı. Gözlerinden iki damla yaş süzüldü.

— Ne diyorsunuz siz Binbaşım, dedi, elbette bunları düşmana teslim edemeyiz. Size açık açık şunu söyleyeceğim: Biliyorsunuz ben bekârım, yarın başıma bir iş gelirse gözüm arkada kalmaz. Bir annem var, ona da bizim birader sahip çıkar. Ben ağaca çıksam yerde pabucumu bile bırakmam. Yarın baktım ki beni tutuklayacaklar, evde birkaç silâhım var, onları yanıma aldığım gibi atlar bir kayığa Üsküdar'a geçerim. Ben iyi silâh kullanırım, gözüm pektir, kimseden korkmam, kimseye izimi belli etmeden Anadolu'ya kaçarım. Bana bir şey olmaz. Asıl siz Silâhhane'de, ambarlarda ve depolarda çalışanları düşünün. Yazık olur bu insancıklara. Onlar için gerekli önlemleri alacağınızdan hiç şüphem yok.

— Hiç şüpheniz olmasın Albayım. Her şeyi düşüneceğim.

O arada Anadolu'nun çeşitli yerlerindeki birliklerden düşmana teslim edilmek üzere İstanbul'a silâh gönderilmesi gerekiyor ve bekleniyordu. Bunlar İstanbul'a gelirse İngilizlerin eline geçecekti. Onun için Harbiye Nezareti bu gönderme işinin ağırdan alınmasını istiyor ve Cemal Bey gibi kumandanlar gelen silahların kaçırılması için ellerinden geleni yapıyorlardı.

Binbaşı Cemal Bey'in bu alanda en güvendiği askerlerden biri Ahmet Ağa'ydı. Okuma yazması olmadan astsubaylığa yükselmiş olan bu kişi Tokatlı'ydı, terbiyeli, sevimli ve dindar bir adamcağızdı. Cemal Bey ona silâhların gizlenmesi için kendisinden neler beklediğini anlatınca Ahmet Ağa sevincinden göklere uçtu ve,

— Binbaşım, dedi, biz bugünler için dünyaya geldik, gece gündüz emrinizdeyiz. Hele şükür millete hayırlı bir hizmet yapabileceğim.

Ahmet Ağa her gün küçük bir arabaya silâhları yükleyip üzerlerine çalı süpürgelerini örterek Maçka Silâhhanesi'nden kaçırmaya başladı. Kendisine Silâhhanede "Erkân-ı Harp Ahmet" adını taktılar.

Günler, haftalar yeni yeni olaylarla geçiyor ve Nedim Bey kendisini giderek daha yoğun bir biçimde direniş eyleminin içinde buluyordu. Bu eylemin içinde birçok örgüt vardı. Başta Karakol Cemiyeti, sonra da yeni yeni kurulan ve gelişen örgütler. Kimse kimseden emir almadan millet ve vatan aşkıyla, düşmana karşı korunmak için direnişe geçti. Birkaç kişi bir araya gelince adsız bir örgüt oluşturuyordu. Sonra onlar arasında dirsek temasları oluyor, iletişim kuruluyor, birbirlerine güveniyorlar ve bir şeyler başarıyorlardı. Kuvayı Milliye, Müdafaa-i Milliye örgütleri işte bu temeller üzerine kuruldu. Karşı koyma eylemlerine katılanlar bir süre sonra Mim Mim Grubu denilen Müdafaa-i Milliye Grubu'nu oluşturdular. Onun yanı sıra askerlerin yönetiminde Müdafaa-i Milliye Teşkilâtı kuruldu. Buna Müsellah (Silâhlı) Müdafaa-i Milliye Teşkilâtı da deniyordu. Binbaşı Cemal Bey ve arkadaşları da bu örgütlerin içindeydiler. Nedim Bey de artık onların arasındaydı.

IV

İstanbul'un İşgali ve Malta Sürgünleri

Kuvayı Milliye'nin Anadolu'da güçlenmesi İstanbul'da huzursuzluk yaratıyordu. Erzurum ve Sivas Kongrelerinden sonra Ankara'ya gelen Mustafa Kemal Paşa ve arkadaşları büyük bir törenle karşılandılar. Artık bütün gözler Ankara'ya çevrilmişti. Maraş'ta Fransızlara karşı direniş başlatılmıştı. 1920 yılı Ocak sonlarında da Gelibolu'da Fransızların denetimi altında bulunan Aktaş Cephaneliği bir baskınla boşaltılmış, 8 bin tüfek, 40 bin makineli tüfek ve 2 bin sandık cephane ele geçirilmişti. Bütün bunlar Anadolu'ya kaçırılıyordu.

Osmanlı hükümetinin desteğiyle Anzavur'un başlattığı ayaklanma Kuvayı Milliyeciler karşısında yenilgiden yenilgiye uğruyordu. Antalya'yı işgal altında tutan İtalyanlar silâh depolarından askerlerini çekerek tüfek ve cephanenin Ege'deki Kuvayı Milliye gruplarına taşınmasına göz yumdular.

İngilizler gittikçe güç durumda kalıyorlar ve çaresizlik içinde çırpınıyorlardı. İstanbul da ellerinden gidebilirdi.

İngiliz Dışişleri Bakanı Curzon işgalden bir süre önce Yüksek Komiser Robeck'e bir not göndererek İstanbul'un en kısa zamanda işgalini istedi. Dışişleri Bakanı Yüksek Komiser'e yolladığı notta, "Türkiye'de yapılacak barış anlaşmasında Çatalca'ya kadar bütün Trakya'nın ve İzmir'in Yunanistan'a verileceğini, Boğazlar'ın uluslararası kontrole alınacağını, bağımsız bir Ermenistan'ın kurulacağını ve Kürdistan'ın da tanınacağını" bildirdikten sonra şöyle diyordu: "Bunları Türklere kuvvet yoluyla kabul ettirebilmek için İstanbul'u işgal edeceğiz. Mustafa Kemal'in de azledilmesini isteyeceğiz."

Amiral Robeck bu notu alır almaz Fransız Yüksek Komiseri Defrance ile İtalyan Yüksek Komiseri Maissa'yı bir toplantıya çağırmış ve Curzon'ın direktiflerini iletmişti.

İngiliz, Fransız ve İtalyan Yüksek Komiserleri 6 Mart Cumartesi günü İstanbul'da yaptıkları bir toplantıda İstanbul'un işgal edilmesini kendi hükümetlerine önerdiler.

O günlerde zaten İstanbul tam bir karmaşa içindeydi. Üçüncü Damat Ferit Paşa kabinesi yerine kurulan Ali Rıza Paşa Kabinesi beş ay sonra devrilmiş ve Padişah Vahdettin yeni Kabineyi kurma görevini Salih Paşa'ya vermişti. O da ancak bir ay kadar dayanabilecekti.

Yüksek Komiser Robeck İngiliz Dışişleri Bakanı Lord Curzon'a yolladığı bir yazıda, "Gelecek çok karanlık görünüyor. İstanbul'u derhal işgal ederek polise, jandarmaya ve posta yönetimine el koymaktan başka çare yoktur," diyordu.

Dört gün sonra, yani 10 Mart 1920'de Londra'da İngiliz, Fransız ve İtalyan temsilcilerinin katıldığı bir konferansta İstanbul'un işgaline karar verildi.

Bu kararı Fransızlar aynı gün uygun bir biçimde Ankara'da Mustafa Kemal Paşa'ya duyurdular. İtalyanlar da aynı gün Rauf (Orbay) Bey'e gizli bir biçimde bu kararı bildirdiler ve kaçmasını istediler. Ama Rauf Bey Anadolu'ya kaçmak niyetinde değildi. Kendisine aktarılan bilgiyi Mustafa Kemal Paşa'ya iletmekle yetindi.

Mustafa Kemal Paşa tehlikeyi çok iyi değerlendiriyordu. Ertesi gün Rauf Bey'e bir tel çekerek İstanbul Meclisi'nden tutuklanması beklenen kişilerin Ankara'da kurulacak bir hükümete katılmak üzere derhal İstanbul'dan kaçmalarını önerdi.

Rauf Bey son dakikaya kadar İngilizlere güvendi ve işgal olayına inanmak istemedi. Ankara'ya bir tel çekerek İstanbul'dan ayrılmayacağını ve Meclis basılırsa orada bulunup "vicdani borcunu" ödeyeceğini bildirdi. Mustafa Kemal Paşa, Rauf Bey'in ileriyi görememesine kızmıştı. Ama başka ne yapabilirdi? Rauf Bey'i ve arkadaşlarını zorla kaçıramazdı ya.

14 Mart Pazar günü İngilizler İstanbul Telgrafhanesi'ni denetimleri altına aldılar. İşgal artık gün sorunuydu. Ertesi gün Londra'da İngiliz Genelkurmay Başkanlığı'nda yapılan bir toplantıya Mareşal Wilson bir rapor sunmuştu. Raporda şöyle diyordu:

"Siyasal güç milliyetçilerin eline geçmiştir. Direniş eylemleri artıyor. Zaman Mustafa Kemal'e çalışıyor. Parlamento üyeleri yarın Ankara'ya kaçabilir ve orada yeni bir hükümet kurulabilir. Derhal önlem almamız gerekiyor."

16 Mart 1920 Salı günü İngiliz, Fransız ve İtalyan Yüksek Komiserleri sabahın erken saatlerinde Sadrazam Salih Paşa'ya bir nota vererek saat 10'da İstanbul'un işgal edileceğini bildirdiler. Az sonra da işgal başladı.

Her ne kadar Müttefik donanması 13 Kasım 1918'de, yani 17 ay önce İstanbul limanına girmiş ve karaya 10 bin İngiliz, 8 bin Fransız ve 2 bin İtalyan askeri çıkartılmışsa da bu olay "resmen işgal" sayılmıyor ve yabancı kuvvetler yönetime karışmıyordu. 16 Mart 1920 işgali ise bambaşka bir anlam taşıyordu. İstanbul hükümetinin artık eli ayağı tam anlamıyla bağlanıyordu. Hükümetin tüm yetkileri elinden alınmış olacaktı. Ne yetkisi vardı ki zaten?

İşgal günü Şehzâdebaşı Karakolunda altı Türk askeri öldürülmüş, devlet daireleri denetim altına alınmıştı. İşgalciler İstanbul'da dilediklerini tutukluyor ve hükümete her istediklerini yaptırıyorlardı. Kentte bir terör havası esiyordu. İngiliz ve Fransız askerleri sokaklara bildiriler astılar. Bu bildirilerde İttihatçıların Osmanlı devletini savaşa sürükleyerek büyük bir yenilgiye uğrattıkları vurgulandıktan sonra, "İstanbul geçici olarak işgal edildi. İstanbul'u Türklerden geri almayacağız. Saltanat yıkılmayacaktır. Ama kargaşa çıkarsa durum değişecektir. Asayişin sağlanmasına yardımcı olun," deniyordu.

Ya Vahdettin ne yapıyordu o gün? Mebuslar Meclisi'nin seçtiği üç kişilik bir heyeti sarayında kabul ediyordu. Hüseyin Rauf (Orbay), Hoca Vehbi Efendi ve Abdülaziz Efendi'den oluşan heyetin üyeleri Sultan'a, "Milletin mücadeleye kararlı olduğunu ve sonuna kadar savaşacaklarını," söylediler. Vahdettin ise şöyle dedi:

— İngilizler isterlerse yarın Ankara'ya gidebilirler. Bir millet var, koyun sürüsü. Ona bir çoban gerek, o da benim.

Vahdettin'in hiçbir şey umurunda değildi. Niyeti Damat Ferit Paşa'yı dördüncü kez sadrazamlığa getirmekti. Çünkü Damat Ferit "İngilizlerin adamı" olarak biliniyordu. Hüseyin Kâzım ve Vecdi Beylerden oluşan yeni bir heyet ertesi gün Vahdettin'i görmeye giderek Damat Ferit'i başbakan yapmaması için uyarmaya çalıştı. O da şöyle dedi:

— Efendiler, siz ne konuşuyorsunuz? Ben istersem Rum Patriği'ni de, Ermeni Patriği'ni de, Hahambaşı'nı da sadrazam yaparım. O benim bileceğim iştir.

İstanbul'da işte böylesine ağır ve umutsuz günler yaşanıyordu.

İngilizler derhal eyleme geçtiler. Tutuklamalar bütün gece devam etti. Birçok ünlü kişilerin tutuklanması olaylı oldu ve geniş yankılar uyandırdı. Bunlar hep kulaktan kulağa duyuluyordu. Göz doktoru Esat (Işık) Paşa da tutuklananlar arasındaydı. Paşa'nın yakın dostlarından Şeref (Çavuşoğlu) Bey birkaç gün sonra bu olayı Nedim Bey'e şöyle anlattı:

— İngilizler Esat Paşa'yı tutuklarken olağanüstü sert ve zalim davrandılar. Ben Paşa'nın tutuklanacağını haber alır almaz bir arabaya atlayarak Nuruosmaniye'deki evine gittim. Paşa hiç telâşa kapılmamış, rahat rahat çalışıyordu. "Paşa İngilizler sizi tutuklamaya karar vermişler," dedim. "Bizim araba aşağıda, karşı köşede bekliyor. Hemen kaçalım."

Paşa bir türlü inanmak istemedi. Kendisini yerinden kıpırdatamadım. O sırada kapı çalındı. "Tamam," dedim, "yakalandık!" Meğer gelen Prof. Besim Ömer Paşa'ymış. O da duymuş, kaçması için bir hayli dayattı, yalvardı, yakardı. Esat Paşa, "Hayır," dedi, "Beni tutuklayamazlar. Ben doktorum."

Baktım ki olacak gibi değil, ne desek, ne söylesek nafile, Paşa'yı bırakmak zorunda kaldım. Köşede bekleyen arabaya atlayarak gizlendiğim eve gittim.

Gece saat 2'de İngilizler evi basmışlar. Paşa pencereye çıkmış, bir de bakmış ki kapıda süngüler parıldıyor. Gecelik entarisi ve şıpıdık terlikleriyle odasından fırlamış. Kapıyı açınca İngiliz askerlerinin revolverleriyle karşılaşmış. Paşa, "Ne oluyor? Siz kimsiniz?" diye bağırmış. Kumandan, "Sizi almaya geldik," diye yanıt vermiş. Paşa, "Bırakın da giyineyim," diyecek olmuş, dinlememişler ve kollarından tutup sürüklemişler. Terliğinin teki yerde kalmış. Götürülürken bir elinden de kan sızıyormuş.

Paşa'nın bir süredir depresyon geçiren büyük oğlu Sadullah Bey bu gürültülerle yatağından fırlamış ve bir çığlık atarak yere yıkılmış.

İngilizler Paşa'nın üç yaşındaki oğlu Hasan Esat (Işık)'la beş yaşındaki kızı Tomris'in yattıkları odaya girmişler. Ama çocuklar ne bağırmışlar ne de ağlamışlar, şaşkınlık içinde askerlere bakakalmışlar.

Paşa'nın eşi Makbule Hanım gecelik entarisiyle götürülen Esat Paşa'ya bir robdöşambr yetiştirebilmek için alt kata koşmuş, ama merdivenler tıklım tıklım İngiliz askerleriyle dolu olduğu için aşağıya inememiş. Bunun üzerine trabzanlardan kayarak barajı aşmış. O sırada da bir süngüyle ayağından yaralanmış. Paşa eşinin kendisini böyle perişan bir halde İngilizlerin elinde tutsak görmesinden hiç hoşlanmamış olacak ki, "Makbul, gir içeri, beni böyle görme!" diye haykırmış.

Askerler odaların birinde yatan Paşa'nın loğusa kızı Muhide Hanımı ve eşini de kollarından tutup aşağıya indirmişler. Öteki kızı Belkıs Hanım'ı da tartaklamışlar. Evi didik didik etmişler ama bir şey bulamamışlar.

"Evim kalemdir. Benim dokunulmazlığım vardır," diyen Esat Paşa işte böyle tutuklanmış.

Esat Paşa o gece limanda demirli olan bir İngiliz gemisine bindirildi. Askerler yine kollarından tutarak ambara indirdiler. Orada kendisine pis bir kamara göstererek, "Burada yatacaksın," dediler. Yerde kapkara bir yastık ve leş gibi kokan bir battaniye vardı. Paşa, "Ben Generalim," diyerek karşı çıktı. "Tutsak da olsam bana dereceme göre davranmak zorundasınız!"

Dinlemediler. Paşa da geceyi rüzgârda, dimdik ayakta geçirdi. Böbreklerini üşüttü ve hastalandı. Sürgüne gittiği Malta'da beş ay sancılar içinde revirde yatmak zorunda kalacaktı.

General Franchet d'Esperey

İngilizlerin bu katı davranışlarına karşılık, Fransız kumandan General Franchet d'Esperey Türklerle yakın ilişkiler kurmaya çalışıyordu.

General Franchet d'Esperey Fransa'da "Balkanlar Kahramanı" olarak tanınıyordu. 1856'da Cezayir'in Montaganem kentinde varlıklı bir Fransız subayıyla soylu bir Fransız kadının evliliğinden dünyaya gelen Louis Felix Marie François Franchet d'Esperey baba mesleğini seçti. Ünlü generallerin yetiştiği askeri Saint-Cyr okulunu bitirdikten sonra Cezayir'e ve Tunus'a gönderildi. Sonra da Hindiçini'de bir sömürge subayı olarak görev aldı. Ondan sonra kendisini yeniden Tunus'a atadılar. Sonra Çin'e gitti. Bir süre sonra yeniden Kuzey Afrika'ya atandı. Bu kez de Fas'taki başkaldırıları bastırdı. Birinci Dünya Savaşı çıkınca Alman cephesine gitti. Marne Savaşında büyük başarılar kazandı ve general oldu. Adı artık Fransa'nın kahramanları arasında sayılıyordu.

General, kendisini daha önemli görevlerin beklediğini biliyordu. 1916 başlarında Müttefik Doğu Orduları kumandanlığına getirildi. Almanları büyük yenilgilere uğrattıktan sonra Sırp cephesindeki orduların başına geçti.

Oradan sonraki hedef Balkanlar'dı. Macaristan üzerinden Romanya ve Bulgaristan'a yürüdü. Adı "Balkanlar Kahramanı"na çıktı.

Osmanlı devleti Mondros Ateşkes Antlaşması'nı imzaladıktan bir süre sonra General Franchet d'Esperey de savaşı kazanmış bir kumandan olarak İstanbul'a geldi ve bir beyaz atın üzerinde, azınlıkların coşkun gösterileri arasında kenti dolaştı.

General Cezayir'i, Tunus'u ve Fas'ı çok iyi bildiği için Müslüman ülkelere sempatiyle bakıyordu, ama savaşı kazanmış bir ordunun başında bulunmanın yarattığı gurur ve üstünlükten de kendini kurtaramıyordu.

İstanbul'da çeşitli düzeylerde devlet adamlarıyla ve genellikle, eski politikacılarla ve Fransız kültürüyle yetişmiş yazarlarla görüştü. Sonunda şöyle dedi: "Türkiye'de enerji sahibi olan kişiler yalnız İttihat ve Terakki Cemiyeti üyeleridir. Geri kalanlar bir hadımlar topluluğundan başka şey değildir. Ben bunlara canlılık kazandırmak isterim."

Türkiye'yi kalkındırmak için bir şey yapması gerektiğine inanan General, Fransız Yüksek Komiseri Defrance ile sıcak bir ilişki kurdu. İlk iş olarak jandarma örgütünü yeniden düzenlemeye kalktı. Sonra Posta-Telgraf işlerini düzeltmeye çalıştı. Sıhhiye Vekâleti'ne ve Tapu Kadastro'ya Fransız uzmanlar getirtti. Ama Paris onun isteklerine umduğu heyecanı göstermiyordu. İstanbul'da İngilizlerin üstünlüğü vardı. Fransızlara hep alt görevler veriliyordu. Oysa Türkiye'de 7 bin İngiliz askerine karşılık 20 bin Fransız askeri bulunuyordu. Ünlü İngiliz kumandanı General Milne Fransızlara hiç göz açtırmıyordu.

General Franchet d'Esperey, Başbakan Clemenceau'ya bir not göndererek bu durumun böyle sürüp gidemeyeceğini bildirdi. Ama Clemenceau konunun üzerine gitmeyi beceremedi.

Franchet d'Esperey, "Bize burada jandarmalık görevi düşüyor. Bu nankör bir görevdir. İngilizler ve Amerikalılar ise burada işler çeviriyor ve para kazanıyorlar. Biz çalışıyoruz, parsayı onlar topluyor," diyordu.

Malta Sürgünleri

İngiliz Yüksek Komiseri Amiral Calthorpe daha 1919 yılının ilk günlerinde Hariciye Nezareti'ne yolladığı bir notta Osmanlı hükümetinin "Mondros Ateşkes Antlaşması'na durmadan aykırı davrandığını ve Ermenilere karşı da her zamankinden daha saldırgan olduğunu" yazmıştı. Amiral bu konudaki sorumluları derhal tutuklayabilmek için İngiliz otoritelerine yetki verilmesini istiyordu. Amiral'e göre Sadrazam Tevfik Paşa ve Sultan Vahdettin bu kişilerin tutuklanması için kendisine yardımcı olabilirdi.

Gelibolu'da yenik düşen Amiral Calthorpe şimdi Türklerden öç almak sevdasındaydı. İstanbul açıklarında demirlemiş olan Amirallik gemisi Superb'de günlerini geçiriyor ve intikam planları hazırlıyordu.

İki yardımcısı vardı. Biri İkinci Amiral Richard Webb, öteki de Andrew Ryan adında koyu katolik bir İrlandalı. Bu Ryan denen yüksek düzeydeki İngiliz temsilcisi Türk düşmanlığı ile tanınmış bir kişiydi. İstanbul'u çok iyi biliyordu. 1899'dan 1914'e kadar İngiliz Büyükelçiliği'nde çevirmen olarak çalışmış, iyi Türkçe öğrenmiş, Rumlar ve Ermenilerle çok yakın ilişkiler kurmuş, dostlar edinmiş ve İttihatçılarla da içli dışlı olmuştu. İstanbul'daki dostlarından, eski ve yeni bakanlardan sürekli haber sızdırıyor ve Amiral Calthorpe'a da yol gösteriyordu.

Ryan dört yıllık bir ayrılıktan sonra, İstanbul'a dönmekten çok mutlu olmuştu. Artık bütün dizginler elindeydi. İngiliz Yüksek Komiserliği'nde bir Ermeni, bir de Rum masası kurdu. Yakından tanıdığı kişilere de oralarda çeşitli görevler verdi. Kimler vardı o masalarda görev alanlar arasında? Bitlis ve Musul vilayetleri eski müfettişi Mihran Boyacıyan Efendi, Erzurum müfettişi Dr. Armenak Mediatan Efendi, Diyarbakırlı Agop Minas Berberyan Efendi ile eşi Honna Hanım, İstanbul'daki Ermeni Haberleri Bürosu'ndan Karagözyan Efendi, Urfa'da Armanek Abuhayetyan Efendi, Sivas'tan Bakoliyan Efendi, Kırşehir'den Aram Tosbikyan ve Agop Terziyan Efendi, Erzincan'dan Memduhi Tomasyan Efendi, Ankara'dan Yervant Eskiyan Hanım, Batum'dan Ardeşir Lepyan Efendi. Bunların dışında İttihatçı düşmanı olarak bilinen birçok kişi de Ermeni Masası'na sürekli haber iletiyor ve jurnalcilik yapıyordu. Bunların arasında Türkler de vardı.

Andrew Ryan bu kişilerden aldığı bilgilere göre Osmanlı hükümetine başvurarak bazı valilerin ve kaymakamların görevden alınmalarını istiyor ve bu dilekleri uygulanıyordu.

Andrew Ryan yürekleri intikam hırsıyla dolu ve her an İttihatçılardan öç almaya hazır olan bu jurnalcilerin verdiği bilgilere dayanarak Ermeni sürgününün sorumluları haklarında kara listeler hazırladı. 23 Ocak ve 7 Nisan 1919 tarihleri arasında bu listelerin dördü İngiliz Yüksek Komiserliği eliyle Osmanlı hükümetine sunuldu.

Amiral Calthorpe Hariciye Nâzırı ile de görüşerek Ermeni kıyımından sorumlu olanların ve savaş yıllarında İngiliz esirlerine işkence edenlerin derhal tutuklanmalarını istedi. Amiral 24 Ocak'ta, "Sadrazam Tevfik Paşa'nın sanık durumunda olan 160-200 kişinin tutuklanması için kendisine güvence verdiğini" de bildirdi. Calthorpe Ermeni kıyımından sorumlu olan 60 kişinin İstanbul'da bulunduğunu belirtiyor ve hepsinin bir gün içinde tutuklanmasını istiyordu.

Bu öneriye uyularak hükümet birkaç kişiyi tutuklamak zorunda kaldı. Bunlardan biri de eski Diyarbakır Valisi Doktor Reşit Bey'di. Ama Reşit Bey 25 Ocak 1920 günü Bekir Ağa Bölüğü denen tutuklular evinden kaçmayı başardı.

Haber duyulunca İngilizler deliye döndüler. Amiral Calthorpe derhal Ryan'ı Sadrazam'a göndererek bu kaçış olayını protesto etti. Ryan büyük bir küstahlıkla Sadrazam'a kafa tutarak şöyle dedi:

— Ermeni kıyımı İngiltere'de duyulduğu zaman bütün İngiliz devlet adamları dünya âleme Ermenilerin kanının yerde kalmayacağını ve İngilizlerin bunun öcünü alacağını bildirmişlerdi. Biz söz verdik; işin peşini bırakmayacağız. Siz suçluları yakalayamazsanız, biz yakalamasını biliriz.

Hükümet telâşa kapıldı, Sultan ne yapacağını şaşırdı. Hariciye Nâzırı Polis Müdürlüğü'ne kesin emirler verdi. Ne yapıp yapıp Reşit Bey'i yakalaması isteniyordu.

Bütün polisler seferber oldu. Sonunda Reşit Bey'i Beşiktaş'ta gizlendiği bir evde kıstırdılar. Reşit Bey evden kaçarken yakalanacağını anlayınca intihar etti. Cesedini karların içinde buldular. Cebinden önceden hazırladığı şu mektup çıktı:

"Sevgili ve muhterem karıcığım,
Suçsuz olduğumu hiç kimseye anlatamıyorum. Sultan'ın insafsız polisleri ve intikamcı Ermeni çakalları peşimi bırakmayacaklar. Onların elinde oyuncak olmaktansa onurumla yaşamıma son vermekten başka çare göremiyorum. Çocuklarımı yetiştirememiş olmanın üzüntüsünü yaşıyorum. Beni anla ve affet. Her zaman seni çok sevdim.
Mutsuz eşin Reşit"

Bu feci olayın ertesi günü Amiral Calthorpe Malta'daki İngiliz Valisi'ne bir telgraf çekerek Ermeni kıyımı sorumlularının çok yakında adaya gönderileceğini bildirdi ve yer hazırlanmasını istedi.

Osmanlı hükümeti de artık İstanbul'da suçlu avına başlamıştı. 31 Ocak gününe kadar 40 kişinin tutuklandığı açıklandı. Ama Amiral Calthorpe'un gözü bir türlü doymuyordu. Elçilikteki Rum ve Ermeni Masaları yeni listeler hazırlayıp yetkililere sundular.

Sanıkların suçları şunlardı: Ateşkes antlaşmasına uymamak; İngiliz subaylarının emirlerini dinlememek; savaş esirlerine kötü davranmış olmak; Ermenilere hakaret etmek; yağmacılık; yasalara karşı gelmek.

İngiliz hükümeti sanıkların Türk mahkemelerinde yargılanmalarına kesinlikle karşıydı. Tutuklular Malta'ya gönderilecekler ve cezalarını orada çekeceklerdi.

İngilizlerin tek başlarına verdikleri bu karar Fransızları deli etti. Fransız Kuvvetleri Başkomutanı General Franchet d'Esperey bu durumu öğrenir öğrenmez hemen Amiral Calthorpe'u gördü ve sesini yükselterek şunları söyledi:

— Sayın Amiral, siz galiba anlaşma hükümlerini unutuyorsunuz. İşgal bölgelerinin dışında adam tutuklamak, yargılamak, ceza uygulamak Türk hükümetinin yetki sınırlarının içinde kalır. İşgal edilen topraklar Mondros Antlaşması imzalandığı tarihte işgal ettiğimiz yerlerdir. Antlaşma imzalandığı zaman İstanbul işgal edilmemişti. İstanbul'da adam tutuklamaya ve yargılamaya ne sizin yetkiniz vardır, ne de bizim. Yargı ve cezalandırma yetkisi yalnız ve yalnız Türklerindir.

Amiral Calthorpe bunları duyunca buz gibi oldu. İstanbul'daki İngiliz ve Fransız Yüksek Komiserleri arasında köprüler böylece atılmış oluyordu.

General Franchet d'Esperey hemen bu durumu Paris'e bildirdi. Fransız hükümeti de kendisini çok haklı buldu. Dışişleri Bakanı Pichon Paris'teki İngiliz Büyükelçisi'ne bir nota göndererek olayı protesto etti. Bu notada şöyle deniyordu:

"Türk memur ve subaylarını suçlamakla Türklerle Bulgarlar, Avusturyalılar, Almanlar arasında ayrımcılık yapmış oluyorsunuz. Onlar şimdiye kadar hiç suçlanmadı. Müslüman Türklere karşı bu davranışınızla yeni bir düşman kategorisi yaratmış oluyorsunuz."

İngilizler buna aldırmadılar. Gözleri dönmüştü bir kez. Ne yapıp yapıp Türklerden intikam alacaklardı. Belli ki bu Çanakkale'deki yenilginin öcüydü, Ermeni sorunu düpedüz bahaneydi.

İstanbul'da Yüksek Komiser Yardımcısı Amiral Richard Webb de o günlerde Londra'ya yolladığı bir notta şunları yazıyordu:

"Ermeni kıyımından sorumlu olanların cezalandırılmaları, Türklerin kitle halinde mahkûm edilmelerini gerektirir. Ben bu yüzden şunu öneriyorum: Osmanlı İmparatorluğu parçalanmalı ve listelerde adı geçen yüksek düzeydeki memurlar da yargılanmalıdır. Bu başkalarına ders olacaktır."

Sadrazam Tevfik Paşa çaresizlik içindeydi. Şöyle bir formül düşündü. Savaşta tarafsız kalmış beş ülkeden, yani İspanya, Hollanda, Danimarka, İsveç ve İsviçre hükümetlerinden ikişer yargıç istenecek ve soruşturmayı onlar yapacaklardı. Sadrazam bu amaçla hemen bu beş devletin İstanbul'daki temsilcilerine bir yazı gönderdi.

İngiliz Yüksek Komiserliği bu olayı öğrenince hemen posta-nelerdeki sansür memurlarına emir vererek telgrafların durdu-rulmasını istedi. İngiliz hükümeti de öte yandan bu beş devlete başvurarak bu işe bulaşmamalarını önerdi. Çünkü İngilizlerin amacı sanıkları doğrudan cezalandırmaktı. Tarafsız devletler de İngiltere'den çekindiler ve bu yargılama işine karışmadılar.

İşte tam bu sırada Damat Ferit Paşa hükümeti kuruldu ve İn-gilizlere gün doğdu. Artık kendi has adamları işbaşına gelmişti ve bütün sanıkların tutuklanması bekleniyordu.

Damat Ferit Paşa hükümeti daha 1919 yılının başlarında (30 Ocak 1919'da) ünlü İttihatçıları tutuklayarak Bekirağa Bölüğü'ne kapatmıştı. Kimlerdi bunlar? Eski Başbakan Sait Halim Paşa, Na-fia Vekili Abbas Halim Paşa, Tevfik Rüştü, Hüseyin Cahit (Yal-çın), Ziya Gökalp, Mithat Şükrü (Bleda), Kara Kemal...

Mebuslar Meclisi açıldığı gün tutuklanan Kara Vasıf, Hüseyin Rauf (Orbay), Numan Usta ve Şeref Beyler de bu ilk tutuklanan-lara katıldılar. Aynı gün yeni tutuklamalar da yapıldı.

Ali İhsan (Sabri) Paşa, Şükrü Kaya, Ahmet (Erner) Bey, Sivas Valisi Muammer Bey, Salâh Cimcoz, gazeteci Ahmet Emin (Yal-man), Ahmet Şükrü (Esmer), gazeteci Celal Nuri (İleri), Ali Sait Paşa, Ali (Çetinkaya), Süleyman Nazif, gazeteci Velit Ebüzziya, Abdülhalik (Renda), Halil Menteşe, Galatalı Şevket Bey, Çürük-sulu Mahmut Paşa, Mersinli Cemal Paşa, Cevaz (Çobanlı) Paşa da tutuklular arasındaydı.

Tutuklular, Bekirağa Bölüğü'nde yatanlarla birlikte, 18 Mart 1920 Perşembe günü Malta'ya gönderildiler.

Sürgünlerin bindirildiği gemi 21 Mart 1920'de Malta'ya var-dı. İyi de İngilizler bu insanları hangi suçla yargılayacaklarını ve suçları nasıl kanıtlayacaklarını hâlâ bilmiyorlardı. Ellerindeki bü-tün belgeler İngiliz Büyükelçiliği'ndeki Ermeni Masası'na sunu-lan jurnallerden ve Ermeni Patrikhanesi'nin savlarından oluşu-yordu. Bunların ne ölçüde hukuksal değeri olduğu da tartışma konusuydu.

O yıllarda Paris'te Ermeni Delegasyonu Başkanı olan Bogos

Nubar Paşa da 11 Aralık 1918'de Fransız Dışişleri Bakanlığı'na yolladığı bir yazıda Ermeni sürgünleri için Fransa'dan yardım istemiş ve sürgünlerin durumunu şöyle özetlemişti.

"Bugün Kafkas ülkelerinde 210 bin, İran'da 40 bin, Suriye ve Filistin'de 80 bin, Musul ve Bağdat'ta da 20 bin sürgün bulunmaktadır. Toplam sayı 350 bindir.

Anadolu'dan sürülenlerin sayısı 600-700 bin kişidir. Geriye kalan yaklaşık 200-300 bin kişinin ne olduğunu bilmiyoruz. Belki de çöllerde kalmışlardır."

O tarihlerde Ermenistan Cumhuriyeti Başbakanı olan Ohannes Kaçaznuni de şunları söylüyordu:

"1914 sonbaharında Osmanlı devleti daha savaşa girmemişti, ama hazırlanıyordu. Kafkasların ötesinde büyük bir coşku ve gürültüyle Ermeni devrimci grupları oluştu. Ermeni gönüllüleri Türklere savaşa başladılar. Artık kimse onlara engel olamıyordu. Ermeni halkı yıllarca bağımsızlık özlemiyle yaşamıştı. Bu özlemin gerçekleşme vakti gelmişti. Biz kafalarımızda bir düş yaratmıştık. Kendi isteklerimizi başkalarına da aşıladık. Gerçeklerden uzaklaştık. Düşlerimiz bize yön verdi. Ermeni halkının yeteneklerini, siyasal ve askeri gücünü, Rusların bize yapacakları yardımları çok abartmıştık. Bu durumlara düştük."

İngilizler Malta sürgünlerini mahkûm edebilecek kanıt bulabilmek için çırpınıp durdular. Yüksek Komiser Yardımcısı Webb, "Sürgün sırasında kıyım yapıldığı konusunda kanıt bulmak çok güç," diyordu. Amiral Robeck, "Tutuklanan bu insanların suçlu olduğu savını desteklemek kolay değil. Sanıklar hiçbir kanıta dayanılmaksızın tutuklanmış," dedi. İngiliz Krallığı hukuk danışmanları hükümete sundukları bir raporda sanıkları suçlayacak hiçbir kanıt olmadığını açıkladılar.

Bütün Osmanlı arşivlerine işgal kuvvetleri el koymuşlardı, kıyım konusunda sanıklara karşı hiçbir kanıt bulamadılar.

İngiliz Dışişleri Bakanlığı bu konuda Amerikan Dışişleri Bakanlığı'ndan da bilgi istedi. Çünkü Amerika'nın 1917 Şubatı'nda Dünya Savaşı'na katılmadan önce Anadolu'da temsilcilikleri ve misyonerleri vardı. Ermeni sürgününün yapıldığı tarihlerde oralardaydılar ve durumu yakından izliyorlardı.

Amerikan Büyükelçiliği uzun süre İngilizlere yanıt veremedi. Sonunda 13 Temmuz 1921'de Amerikalılar Londra'ya gönderdikleri bir yazıda Malta'daki sürgünleri kıyım olayıyla suçlayacak hiçbir kanıt bulamadıklarını belirterek bu işten sıyrıldılar.

O zamanlar Savaş Bakanı olan Winston Churchill de bu konuda kesin bir şey bulunamayacağını anlamış ve 19 Temmuz 1921'de İngiliz hükümetine sunduğu bir raporda şunları yazmıştı:

"Elimde Malta'ya sürülmüş olan eski bakanların, generallerin, milletvekillerinin ve daha birçok kişinin listesi var. Bence Başsavcı bu listeyi yeniden gözden geçirmelidir. Bu insanlara karşı dava açacak durumda değiliz. Bunlar bize yük olmuşlardır. İlk fırsatta bunları bırakmak zorundayız. Bu insanları daha ne kadar süre tutuklu olarak Malta'da bırakacağımızı bilemiyorum."

İstanbul'a İngiliz Yüksek Komiseri Amiral Calthorpe'un yerine atanan Sir Rumbold 29 Eylül 1921'de Hilaliahmer Cemiyeti Başkan Yardımcısı Hamit Bey'le görüşerek Malta sürgünlerinin geri gönderileceğini bildirmek zorunda kaldı.

Sürgünlerin Malta'dan ayrılmaları için Malta Valisi ve Kumandanı Mareşal Plumer'e bilgi verildi. Sürgünler *Chrysanthemum* ve *Montenal* gemilerine bildirildiler. 31 Ekim 1921'de de İnebolu'ya ulaştılar. Malta sürgünleri olayı İngilizler için tam bir fiyasko oldu. Ermeni kıyımı suçuyla tek kişiyi mahkûm edememiş olmanın üzüntüsünü yaşadılar.

V

Köşkte Mevsimin İlk Büyük Partisi

1920 yılının güzel bir bahar günü Hulusi Bey köşkte görkemli bir parti düzenledi. Bu resepsiyon mevsimin ilk büyük toplantısı olacak ve İstanbul'da en üst düzeydeki işgal kuvvetleri temsilcileriyle Kabine'nin ünlü bakanlarını ve Hürriyet İtilaf Partisi'nin ileri gelenlerini bir araya getirecekti. Hulusi Bey'in amacı siyasal gücünü kanıtlayarak, yarın bir hükümet değişikliğinde önemli bir göreve, yani Hariciye nâzırlığına getirilmekti. O günlerde Damat Ferit Paşa dördüncü kez Sadrazamlık koltuğunda oturuyor, Dışişlerini de kendi yönetiyordu. Nezareti güveneceği bir kimseye bırakması için imkân yaratılabilirdi.

Çamlıca'dan Boğaz'ın nefis görünümünü ve güneşin batışını izleyebilmeleri için konuklar saat 5'te çağrılmışlardı. Yabancılar böylece içkilerini yudumlarken çevrenin olağanüstü doğal güzelliklerini izlemiş olacaklardı. Terasta ve salonda birkaç masa hazırlanmış ve üzerleri her çeşit içki ve mezelerle donatılmıştı.

İstanbul sosyetesi daha yeni yeni viskiye alışıyordu. İngiltere'ye ve İngiliz Büyükelçiliği'ndeki davetlere gidip gelenler bir özenti olarak viskici oluyorlardı. Hanedan'dan da Beşinci Murat'ın torunu Fuat Efendi viski meraklısı olarak tanınmıştı.

Viskinin nasıl içileceği de daha pek bilinmiyordu. Suyla mı, sodayla, buzla mı, sek mi? Bazıları viskiyi sulandırmadan rakı gibi sek alıyorlar, ikinci bir bardaktan da su içiyorlardı. Viskiyi bütün yemek boyu içenler de oluyordu. Ama Hulusi Bey'le Handan Hanım bu ayrımları bilecek durumdaydılar.

Sofralara cin ve rakı da konmuştu. Hem de her çeşit rakı bulunuyordu. Dimitrokopulo, İstafilina, Fertek, Üzümkızı...

Mezelerin her çeşidi masalara yerleştirilmişti. Fındık, iç fıstık, beyaz peynir, dil, kaşar peyniri, havyar, çeşit çeşit zeytin, midye dolması, börekler, fasulyeler, çerkez tavuğu, patlıcan salatası, kızartmalar, kiraz, çilek... yok yoktu.

Servisi yapmak için Pera Palas'tan Rum ve Ermeni garsonlar getirtilmişti.

Handan Hanım kızlarını da seferber etmişti. Onlar böyle partilerden hiç hoşlanmıyorlar, ama analarını ve babalarını kırmamak için konuklarıyla ilgilenmek zorunda kalıyorlardı.

Kızların üçü de o yıllardaki yaygın modaya uyarak saçlarını koyu renk fularla bağlamışlar, alınlarının üstünde birer perçem saç bırakmışlar, kulaklarını da birer lüle saçla örtmüşlerdi. Bu yarı örtülü saç biçimi üçüne de çok yakışıyordu. Gerdanları da bir hayli açıktı. Yani, evde kaç-göç yoktu. Üçü de koyu renk birer etek giymişlerdi. Etekler dizlerin bir karış altına kadar uzanıyordu. Ayaklarında da yüksek topuklu zarif ayakkabılar vardı.

Hulusi Bey işgal kuvvetlerinin ileri gelenleriyle iyi ilişkiler kurmaya ve dostluğunu geliştirmeye özen gösteriyordu. Osmanlı devletinin Almanya ile birlikte uğradığı büyük yenilgi onu pek o kadar üzmemişti. Çünkü savaşı İngilizler ve Fransızlar kazanmışlar, Alman hayranı İttihatçılar da politika sahnesinden silinmişlerdi. Şimdi artık Düyunu Umumiye de yeni bir önem kazanacak ve ülkenin maliyesine yeniden yön verecek bir duruma gelecekti. Osmanlı devletinin zaten parasal bakımdan bağımsızlığı hiç söz konusu değildi. devletin yüz yıldan beri aldığı borçların da yok sayılması düşünülemezdi. Osmanlılar bu borçları ve her yıl artan faizlerini ödemek zorundaydılar. Ekonomik bağımsızlık çoktan beri anlamını yitirmiş bir kavramdı. devlete borç verenler kendi yatırımlarını ve alacaklarını güvence altına almak için ülkenin maliyesine ve bütün ekonomi politikalarına el koyacaklardı. Bunu anlamak istemeyen İttihatçılar yok olmuşlardı. Buna karşı koymak isteyen Kuvayı Milliyeciler de ülkeyi yeni maceralara sürüklediklerinin bilincinde değillerdi!

Hulusi Bey kurtuluşu yalnız işgalcilerle anlaşmakta buluyor ve onlarla iyi geçinmenin yollarını arıyordu. İleride, onların desteğiyle çok önemli görevlere gelebilirdi. Handan Hanım da hiç buna karşı değildi. İstanbul'daki yabancı çevrelerle çok yakın dostluk ilişkileri kurdu. İngiliz ve Fransız temsilcilerinin eşlerini her fırsatta köşke çağırmayı ihmal etmedi. Onlar da sık sık kendisini çaylara çağırdılar.

Kızlar ise ne çaylardan hoşlanıyorlardı, ne de viskili partilerden. Neriman ve Perihan Arnavutköy'deki Amerikan Kız Koleji'ni çok iyi derecelerle bitirmişlerdi. İkisi de Kolej'in müdürü Mrs. Patrick'in en sevdiği kızlardı. Rum ve Ermeni öğrenciler arasında bu başarı büyük kıskançlıklara neden oluyordu. Lisansa yazılmaları için Mrs. Patrick çok dayattı. Kızlar da istekliydiler, ama Hulusi Bey'le Handan Hanım kızlarını bir an önce evlendirebilmek için üst düzeydeki bu eğitim aşamasına karşı çıktılar.

Neriman'la Perihan'ın idealleri Kolej'i ilk bitiren Türk kızı Halide Edip gibi özgür bir yazar olmaktı. Halide Hanım'ın o yıllardaki başarısı kolejli kızlar için yaşamlarında ulaşmak istedikleri noktaydı.

En küçük kardeşleri Ümran ise Dame de Sion'da yatılı okumuş ve disiplinli bir sör eğitimi görmüştü. Onun da Darülfünun'a yani, üniversiteye gitmesi hiç düşünülmemişti.

Uzun yıllardan sonra Hulusi Bey'in evde parti düzenlemesi aile için yepyeni bir olaydı. Böyle partilerden hoşlanmasalar da kızlar köşke çağrılmış olanları merak etmiyor değillerdi. Gelecek olanlar kızların Nedim Ağabeylerinden dinledikleri ve nefret ettikleri üst düzeydeki işgal subaylarıydı.

Bu parti İngiliz Yüksek Komiseri Amiral Robeck'in onuruna düzenlenmişti. Amerikan Yüksek Komiseri Amiral Bristol, İtalyan Yüksek Komiseri Maissa ve Fransız Yüksek Komiseri Defrance de partiyi çağrılmışlardı. Fransız Başkumandanı General Franchet d'Esperey ise toplantıya gelmeyeceğini bildirmişti.

Amiral Robeck, çevresinde yer alan üst düzeydeki kumandan ve yöneticilerle köşke geldi. Bunların en önemlisi Amiral'in siyasal danışmanı ve "böl ve yönet" politikasının başmimarı olan Andrew Ryan'dı. İngiliz Dostları Cemiyeti Başkanı Rahip Fru da çağrılanlar arasındaydı. Öteki Yüksek Komiserler de köşke en yakın yardımcılarıyla birlikte gelmişlerdi.

Hulusi Bey bu resepsiyona birkaç hafta önce kurulan Dördüncü Damat Ferit Paşa hükümetinin bazı üyelerini de çağırmıştı. Gelenler arasında Nafia Vekili Reşit (Rey) Bey, Adliye Müsteşarı Sait Molla, devrilen hükümetin üyelerinden Ebubekir Hazım (Tepeyran) ve Abdurrahman Şeref Beyler de vardı.

Konukların bazıları toplantıya eşleriyle geldiler. Onlarla Handan Hanım ve kızları ilgilendi. Salonda, terasta ve bahçede çeşitli gruplar oluştu. Amiral Robeck eski Dahiliye Nâzırı Ebubekir Hazım Bey'e özel bir ilgi gösteriyordu. Belki de onun Kuvayı Milliye'ye sıcak bakmasından kaynaklanıyordu bu ilgi. Ebubekir Hazım Bey, İngiltere Başbakanı Lloyd George'un bir süre önce bir demeç vererek, "Türkler ancak zorla yola gelebilirler," demesini hiç unutamamıştı.

Eski Dahiliye Nâzırı böyle bir ortam içinde Amiral Robeck'le ne konuşabilirdi? Söze nereden başlayabilirdi?

Bir süre hiç konuşmadan birbirlerini süzdüler. Amiral'in bakışlarında savaşı kazanmış bir diktatörün ezici havası vardı. Hâzım Bey ise bundan hiç etkilenmeden karşısındakini izliyordu. Bir süre sonra,

— Amiral Hazretleri, dedi, vatanımızın en seçkin evlâtlarından birçoğunu Malta'ya sürdünüz. Bu davranışlarınızla halkı kışkırtmış olmuyor musunuz? İstanbul'da artık hiçbir şey yapılamayacağını anlayan insanlar bütün umutlarını Mustafa Kemal Paşa'ya bağlıyorlar.

Gazetelerde okuduk, Hindistan'da 70 milyon Müslümanı temsil eden bir heyet Londra'da Lloyd George'la görüşmüş. Başbakanınız da onlara Hicaz'ın Osmanlı yönetiminden alınacağını söylemiş. Ne olmuş bunun üzerine? 19 Mart Hindistan'da genel yas günü ilân edilmiş, Genel Vali'ye bir milyonu aşkın protesto telgrafı çekilmiş. Gandi de 30 bin kişinin önünde yaptığı bir konuşmada Hintlilerin İngiliz yönetiminden ayrılabileceğini açıklamış. Bakın, siz rüzgâr ekip fırtına biçiyorsunuz sayın Amiral.

— Sayın Bakan, bu söyledikleriniz doğru. Ama Kuvayı Milliyeciler de bir provakasyon havası yaratmıyorlar mı? Milliyetçiler Osmanlı hükümetini avuçlarının içine aldılar. Sadrazam Damat Ferit Paşa bundan bir süre önce bana şöyle demişti: "Mustafa Kemal hem bize, hem de size karşı. Ya bize izin verin milliyetçilerin üzerine bir ordu gönderip icabına bakalım, ya da siz asker göndererek bütün stratejik noktaları işgal edin." Ben de kendisine "Sadrazam Hazretleri," demiştim, "ne duruyorsunuz? Gidip Mustafa Kemal'le siz konuşun." Kendisi buna yanaşmadı. Biz onun Mustafa Kemal'le görüşmesine hiç karşı değiliz; o istemiyor.

— Tahmin ediyordum öyle olduğunu.

— Ya Padişah Hazretleri ne yapıyor? Üç buçuk ay önce benimle görüşmek istedi. Neden, biliyor musunuz? Kendi yerini ve tahtını güven altına almak için. Fransız ve İtalyan Yüksek Komiserlerini çağırarak, "Ne dersiniz? Gidip konuşayım mı?" diye sordum. "Yok," dediler, "böyle bir görüşmenin hiçbir yararı olamaz." Ben de reddettim. Görüyorsunuz, Sultan kendisini bize teslim etti. Tek güvendiği güç Majesteleri hükümetidir. Yalnız bize güveniyor ve tahtını korumaya çalışıyor. Yoksa dünya umurunda değil.

— Evet, sayın Amiral, ben de o kanıdayım.

— Bakın sayın Bakan, bir olay daha var. Bizim Erzurum'daki Kontrol Karargâhı kumandanı Albay Rawlinson'u Kâzım Karabekir Paşa iki hafta önce tutuklatmış. Bu provokasyon değil de nedir?

— Ben olayı başka türlü yorumluyorum. Sizin kışkırtmalarınız karşısında galeyana gelen halk Albay Rawlinson'a karşı saldırıya geçti. Kâzım Paşa da ne yapsın, Rawlinson'un linç edilmesini önlemek için kendisini koruma altına aldı. Albay tutuklanmasaydı daha mı iyi olurdu? Sizin bu işte hiçbir sorumluluğunuz yok mu acaba?

Neriman ve Perihan bu konuşmaları babalarıyla birlikte ayakta izliyor ve söze karışmak için can atıyorlardı. Neriman daha fazla kendini tutamayarak çok güzel bir İngilizceyle,

— Amiralim, diye söze başladı. Siz asla haklı olamazsınız. Çünkü topraklarımızı işgal ettiniz, yönetime el koydunuz, her çeşit baskıyı yapıyorsunuz. Bu millet elbette size karşı direnişe geçecektir. Bundan daha doğal bir şey olamaz. Dünyanın her yerinde ezilen halklar haklıdır, ezenler değil.

Hulusi Bey kızının bu sözlerini duyunca kükreyerek,

— Neriman, dedi, kendine gel. Konuklarımıza hakaret edemezsin. Buna asla izin veremem. Özür dile Amiral Hazretlerinden.

Amiral Robeck ise,

— Hayır Hulusi Bey, dedi. Ben ondan hiç özür dilemesini istemiyorum. İçinden geldiği gibi konuşsun.

Neriman konuşmasını şöyle sürdürdü:

— Sayın Amiral, suçlu yalnız siz değilsiniz. İstanbul'daki uşaklarınız da size destek olmak ve ulusal şahlanmayı kösteklemek için birbirleriyle alçaklık yarışına giriştiler. Bakın, Ali Kemal *Peyam-ı Sabah*'ta ne herzeler (saçmalıklar) yumurtluyordu: "Kuvayı Milliye para, dolap, dalavere sayesinde hükümeti ele geçirmeye çalışıyor. Medeniyet dünyasını aleyhimize çevirmek için Anadolu'da havsalaya sığmaz delilikler, cinayetler işlediler. Uyanma zamanı geldi. Anadolu'daki o şarlatanları artık dinlemeyin." Refi Cevat da *Alemdar* gazetesinde şöyle diyordu: "Ukalâ dümbelekleri, onların kafasına vurmak lâzımdır. Bu memleket inşallah onların kafalarına adalet balyozunun inmesini yakında görecektir." Mustafa Sabri adında başka bir işbirlikçi de şöyle haykırıyordu: "Muazzam bir devleti ve milleti beş on dinsiz ve vatansız çapulcunun yoluna feda ettiniz!"

O sırada Perihan da söze karışarak çok temiz bir İngilizceyle şöyle dedi:

— Ablam haklı, biz çanak tuttuk. Bütün bu rezil adamlara, "Siz işgalcilerin ve Saray'ın alçak uşaklarısınız," demesini beceremedik.

Hulusi Bey yine kükredi.

— Perihan, tut çeneni, çok ileri gidiyorsun. Saygıdeğer ko-
nuklarımıza karşı çok ayıp ediyorsunuz. Kızlar bu konularda söz
söyleyemezler.

— Ne demek söz söyleyemezler baba. Siz bizi susmasını öğre-
nelim diye mi kolejlerde okuttunuz? Biz hakkımızı aramayı öğ-
rendik. İngiliz Yüksek Komiseri İstanbul'daki mitingleri izleme-
di mi? Bütün İstanbul kadınları özgürlüklerini savunmak için
şaha kalkmadı mı? Onların bildiklerini ne diye gizlemeye çalı-
şalım? Yalnız İstanbul mu, bütün Anadolu kadınları özgürlük
bayrağı çekiyorlar. Sivas Anadolu Kadınları Müdafaa-i Vatan Ce-
miyeti'nin kurulduğunu gazetelerde okumadık mı? Yozgat'ta ay-
nı amaçla bir dernek kurulmamış mı? Burdur'da da bir kadınlar
cemiyeti kuruldu. Sabiha Zekeriya ve Halide Edip gibi kadınları-
mız her gün özgürlüğü haykırıyorlar. Konya'da, Kayseri'de, Niğ-
de'de, Erzincan'da, Balıkesir'de, Amasya'da, Bolu'da, Denizli'de
kadınlar örgütlendiler. Eskişehir'de kadınlar Yunan zulümlerini
protesto ettiler. Kastamonu kadınları İngiltere ve İtalya kraliçe-
rine, Amerika ve Fransa Cumhurbaşkanlarının eşlerine protesto
telgrafları gönderdiler. Edirneli kadınlar İzmir için adalet istedi-
ler. Maraş'ta bir kadın sekiz düşman öldürdüğünü ve erkeklerle
birlikte savaşa katıldığını duyurdu. Anadolu Kadınları Müdafaa-i
Vatan Cemiyeti size bir telgraf çekerek kadın ve erkeklerin bir kit-
le halinde işgale karşı, kanlarının son damlasına kadar çarpışa-
caklarını bildirmediler mi?

— Yeter artık Perihan, çok ileri gittin.

O sırada Hulusi Bey'in küçük kızı Ümran da Fransız Yüksek
Komiseri Defrance'ın masasında ilginç bir konuşmayı izliyordu.
Gündemde Türkiye'ye gelip giden Fransız ressamları vardı. Son-
ra Türkiye'yi tanıyan Fransız yazarlarından söz açıldı. Lamarti-
ne'den, Pierre Loti'den anılar anlatıldı. Claude Farrère'den söz
edilince Ümran,

— Bir hafta önce Claude Farrère'in Fransa'da bir gazetede çı-
kan yazısını okudunuz mu? diye sordu.

Yüksek Komiser'in bu yazıyı görmemiş olmasına imkân yoktu, ama yine de,

— Hayır, dedi, gözüme ilişmedi.

— Ya öyle mi, ekselans. Ben anlatayım öyleyse, bakın Claude Farrère ne diyor: "Ha İzmir'i Yunanlılara vermişsiniz, ha Marsilya'yı. İzmir'de 300 bin Rum'a karşılık 1 milyon 300 bin Türk yaşıyor. Böyle şey mi olur?"

Bay Defrance kıpkırmızı olmuştu. Ne söyleyeceğini bilmiyordu. Ümran devam etti:

— Sayın ekselans, biz okulda Fransız kültürüyle yetiştik. Bize Montaigne'i, Victor Hugo'yu, Anatole France'ı okuttular. Jean Jaurès'i okutmadılar ama biz öğrendik. Robespierre'leri, Marat'ları, Danton'dan ezberledik. Jeanne d'Arc'ı biz kendimizden sayarız. Paris Komünü'nde Marie Louise'in coşkusunu yaşadık. Biz o kişilerin Fransa'sına hayranız, yoksa Kara Afrika ülkelerinde sömürge savaşları veren, Cezayirlileri, Tunusluları, Maraşlıları ve geçen ay Antep'te Teğmen Şahin Bey'i öldüren Fransızlara değil. Bu uluslar bir gün sizden hesap soracaklardır ekselans.

Bir iki dakikalık bir suskunluktan sonra Ümran Fransız Yüksek Komiseri'ne şöyle dedi:

— Ekselans, İstanbul'dan halkımızın hiç unutamayacağı bir olay daha var, anlatayım. 1919 Şubat ayının ilk günleriydi. Okul müdürü Şör Marie Madeleine çocukları avluda toplayarak, "Bugün unutulmayacak bir gündür," dedi. "Doğu ordusu kumandanı General Franchet d'Esperey bugün Selânik'ten İstanbul'a gelecek. General'in Galata rıhtımına çıkacağını biliyoruz. Oradan Fransız Büyükelçiliği'ne gidecek. At üstünde Beyoğlu'ndan geçecek. Bütün Pera Caddesi donatıldı. Bu olaya tanık olmak isteyen bütün öğrencilerin Beyoğlu'na gitmesine izin vereceğiz. Başınızda da yönetimden sorumlu Şör Catherine bulunacak." Bütün azınlık çocukları sevinç çığlıkları atarak, "Hepimiz General'i alkışlamaya gideceğiz!" diye haykırdılar.

Türk öğrenciler gösteriye katılmak zorunda değillerdi. Ama yine de hepimiz okul grubuna katıldık. Taksim ve Pera ana baba günüydü. Bütün cadde ve mağazalar Fransız ve Yunan bayraklarıyla donatılmıştı. Hele Taksim'deki Fransız Konsolosluğu'nun önü mahşer yerine dönmüştü. Polisler bize güçlükle yer açabildiler. Biz de konsolosluğun önüne sıralandık. Bütün azınlıklar hep bir ağızdan La Marsaillaise'i ve devrim şarkılarını söylüyorlar, arada Rumca şarkılar da duyuluyordu.

Bir saat kadar bekledik. Sonunda General Franchet d'Esperey beyaz bir atın üstünde Taksim'de göründü. Alkıştan yer yerinden oynuyordu sanki. General'in bindiği atı bir Rum'un hediye ettiğini söylediler. General'in atı alkışlar arasında ağır ağır ilerliyordu. Bizim kızlar da kendisini çılgınca alkışladılar. Bütün kiliselerin çanları çalınıyordu.

General'in neden beyaz bir atla İstanbul'da gösteri yaptığını Sör Catherine'e soracak olduk. Şöyle dedi: "Fatih 1453 yılında İstanbul'a beyaz bir atla girmişti. Şimdi o günlerde ezilen Bizanslıların öcünü alıyoruz!" Biz Türk öğrenciler buz gibi olmuştuk.

General zafer çığlıkları arasında Pera'dan geçti. Fener Patrikhanesi'ne gittiğini öğrendik. İşte o zaman da çan sesleriyle yer yerinden oynadı.

Ekselans işte bu tür olaylar hiç unutulmuyor. Bir gün belki de Mustafa Kemal'i beyaz bir at üstünde İstanbul'a girerken alkışlayacağız.

Ümran bunları söylerken gözlerinden yaşlar boşanıyordu. Hulusi Bey bu son sözleri duymuştu. Yerinden fırlayarak Fransızca haykırdı:

— Ümran böyle konuşursan seni evlâtlıktan reddederim.

Fransız Yüksek Komiseri ise,

— Hayır Hulusi Bey, buna hakkınız yok, dedi. Vatansever bir kızınız olduğu için övünebilirsiniz. Bir Fransız kızı da bu koşullar altında ancak böyle konuşabilirdi. Sizi kutlarım.

Bu içkili toplantı Hulusi Bey için tam bir fiyasko olmuştu. O bu davetle İngilizlerin gözüne gireceğini umut ediyor ve böylece sadrazamlığa uzanan bir merdivenin ilk basamaklarını tırmanacağını sanıyordu. Oysa aile çevresi dolayısıyla İngilizlerden çok kötü bir not almıştı. Bunun tamiri de kolay olmayacaktı.

Köşkteki davetin kızlar için en olumlu yanı da yeni dostlar edinmeleri oldu. O akşamki konuşmaları uzaktan izleyen genç bir İngiliz subayı Neriman'a karşı içinde bir hayranlık duymuştu. Bir ara genç kıza yaklaşarak,

— Sizi candan kutlarım, dedi. Konuşmanızı büyük bir sempatiyle dinledim. Sizi çok iyi anlıyorum. Çok haklısınız. Sizi daha yakından tanımak isterim. Adım John White. Karargâhta kalıyorum. Sizi arayabilir miyim?

Neriman bir an düşündükten sonra,

— Neden olmasın, dedi. İleride koşullar elverirse görüşebiliriz.

— O koşulları yaratmak bizim elimizde değil mi?

— Kolay olmasa gerek, ayrı dünyaların insanlarıyız.

— Bakalım, deneyeceğiz. Ben mutlaka sizi arayacağım. Perihan Hanım'ı da yakından tanımak isterim.

John White sarışın, uzun boylu, yakışıklı bir subaydı. Yüzbaşı olduğu anlaşılıyordu. Böyle bir dostluk Neriman'ın hoşuna gidecekti. Düşman ordusundan bir subayın düşüncelerini öğrenmek ona çok ilginç görünüyordu.

Ümran ise yaptığı konuşmanın gerilimi içindeydi. Oh, ne iyi etmiş de kendine hiçbir sansür uygulamadan düşüncelerini açık açık söylemişti. Ama bu çıkış hiç de kolay olmamıştı. Bu konuşmadan sonra bahçeye fırlamış tek başına dolaşıyor ve söylediklerini teker teker kafasından geçiriyordu. Gözlerinin önünde sanki bütün Anadolu kadınları vardı. Başkaldıranlar, haykıranlar, erkeklere destek olanlar, kentlerde, kasabalarda çeşit çeşit örgüt kuranlar. Artık yeniden salona girip işgal temsilcilerinin çevresinde dört dönen işbirlikçi yaratıkları görmek istemiyordu.

İşte bunları düşünürken bir Fransız subayının kendisine yaklaştığını gördü.

— Matmazel, umarım sizi rahatsız etmiyorum. Adım Jean Pierre. Yüksek Komiser'in emir subayıyım. Konuşmanız beni çok heyecanlandırdı. İstanbul'da sizin gibi bir Türk kızıyla karşılaşacağımı hiç düşünemezdim. Ben Türk kadınlarını hep yalılarda, konaklarda kafes arkasında yaşayan feraceli, yaşmaklı ya da çarşaflı kadınlar sanırdım. Hani Ingrès'in hamamlardaki çıplaklarına, ya da François Boucher'nin odalıklarına, Liotard'ın cariyelerine benzeyen kadınlar bende iz bırakmıştı. Siz kafamdaki Türk kadını imajını yıktınız. Hiç aklıma gelir miydi Marie Louise'i ve Jean Jaurès'i bilen bir Türk kızıyla karşılaşacağım? Merak ediyorum, ailenizde Fransız var mı?

— Hayır, hiç yok. Ben Dame de Sion'da okudum. Fransızca'yı orada öğrendim.

— Size bu özgürlük bilincini sörlerin verdiğini söyleyemezsiniz.

— Doğru, ama okulda öğrendiğim Fransızca beni başka kaynaklara ulaştırdı. Bol bol kitap okudum. Bir akrabam da bana özgürlük düşüncelerini aşıladı. Onun sayesinde büyük Fransız Devrimi'nin ve Paris Komünü'nün anlamını öğrendim.

— Bu yakınınız Mustafa Kemal'den yana mı?

— Evet, vatanını seven bütün dürüst ve namuslu insanlar gibi.

— Onu tanımayı çok isterdim. Buraya geldiğimden beri hep işbirlikçi, çıkarcı ve dalkavuk insanlarla karşılaştım. Kendi kendime, "Hayır, bu olamaz," diyordum. Bütün Türk halkı bu tür insanlardan oluşamaz. Anadolu'da insanlar savaşıyor, direniyorlar. Kuvayı Milliye İstanbul'da hiç olmaz olur mu? Var elbette. Ben şimdiye kadar hiçbiriyle karşılaşamadım. Çok yazık.

— Peki, siz nasıl bir askersiniz? Hiç anlayamıyorum.

— Ben savaş karşıtıyım. Meslekten asker değilim. Fransa'da "Ecole Normale Supérieure" denen yüksekokulu bitirdim. Bu okul sosyoloji, felsefe ve edebiyat dallarında üst düzey düşünce adamı, yazar ve politikacı yetiştirir. Yıllardan beri devletin üst kadroları bu okuldan çıkar. Savaş dolayısıyla beni askere aldılar. Sicilimi beğenmiş olacaklar ki beni Yüksek Komiser Defrance'ın bürosuna verdiler.

— Mutlu musunuz İstanbul'da olmaktan?

— Hayır, hiç değilim. İstanbul çok güzel bir kent. Ama bir işgal askeri olarak burada bulunmak bana çok ağır geliyor. Halkın bizden nefret ettiği bakışlarından belli. Ama Beyoğlu'nda bu düşmanca bakışları pek görmüyorum. Rum ve Ermeni kızları neredeyse boynuma sarılacaklar. Hepsinin gözünde istek duyguları okunuyor. Ama başka yerlerdeki insanların size küfreder gibi baktıklarını görüyorsunuz.

— Sizi anlıyorum. Çok güç bir durumdasınız.

— Evet, çünkü ben insanların horlanmasına, ezilmesine ve her türlü saygısızlığa karşıyım. Acı çeken insanlar benim içimi sızlatıyor, dayanamıyorum.

Ayrıca bu işgal politikasının yanlış olduğunu düşünüyorum. Niye biz buradayız? Biz savaşı Almanya'nın ekonomik gücünü ve saldırganlık emellerini yok etmek için yaptık. Çanakkale'yi geçip İstanbul'a gelmek istememiz bile Çarlık Rusyası'na ulaşabilmek içindi. Evet, Osmanlı devleti Almanların safında savaşa girdi. Ama sizin yöneticileriniz Almanya'nın, Osmanlı devletinden neler beklediğinin farkında değillerdi. Almanların amacı Türkiye'yi Almanya'ya bağlı bir protektora haline dönüştürmekti. Almanya savaşı kazanacak olsa Türkiye Almanya'nın sömürgesi olacaktı; başaramadılar.

— Peki, savaş bitti, Müttefikler niye çekilip gitmediler?

— Matmazel, iş o kadar basit değil. Savaş daha bitmeden Rusya'da ihtilâl çıktı. Çarlık yıkıldı. Eğer Müttefikler Çanakkale'den geçip Karadeniz'e ulaşabilselerdi Çarlık yıkılmayacaktı. İngilizler bu yüzden ne Osmanlıları affediyorlar, ne de kendilerini durduran Mustafa Kemal'i. Rusya'da komünistler iktidara gelince, kapitalist ülkeleri bir korku aldı. Ya devrim başka ülkelere de yayılırsa? Ya Bolşevikler İstanbul ve Anadolu'yu da ele geçirirlerse? Bunun onlar için ne kadar önemli olduğunu biliyor musunuz? İstanbul Hindistan yolunun üzerindedir. İngilizler bu toprakların Bolşeviklerin eline geçmesini isterler mi? Amaçları komünizme karşı İstanbul'da bir duvar örmek.

— Peki, Yunanlıları neden başımıza belâ ettiler?

— İngiltere Başbakanı Lloyd George ve Dışişleri Bakanı Lord Curzon Yunan dostuydu. Büyük silâh tüccarı Yunan kökenli Sir Basil Zaharoff da Lloyd George'un yakın arkadaşıydı. İkisi de Türk düşmanıydı. Bakın Lloyd George geçen yıl ne demişti: "İstanbul Türklerin elinde kaldıkça orada yalnız kötülükler değil, her türlü yolsuzluk ve entrikalar yetişir. İstanbul Türk değildir, halkın çoğunluğu da Türk olamaz."

— Siz ne diyorsunuz?

— Lloyd George böyle diyor.

— Bakın Jean Pierre, bugün İstanbul'da yaşayan bir milyona yakın insanın büyük çoğunluğu Türk. Lloyd George nasıl "İstanbul'da çoğunluk Türklerde değil" der?

— Bu görüşü savunan sadece o değil. Lord Curzon da daha 1914'te şöyle demişti: "Türklerin beş yüz yıl Avrupa'da olmaları, Avrupa politikalarında hep karışıklık, entrika ve yolsuzluk nedeni olmuştur. İnsanlar ezilmiş ve horlanmıştır. İstanbul'da halkın yalnız yüzde kırkı Türk'tür. İstanbul Türklerin elinden alınıp uluslararası bir yönetime bırakılmalıdır. Bizans'ın büyük tapınağı Ayasofya yeniden kilise olmalıdır." Bunu yapamadılar, çünkü İtalyanlar kentin Romalılar tarafından kurulduğunu, oralarda Cenevizlilerin oturduğunu ve katoliklere verilmesini istiyorlardı. Yunanlılar ise Ayasofya'nın Ortodoks kilisesine dönüştürülmesinden yanaydılar. Fener Patrikhanesi de 466 yıllık Osmanlı yönetimi döneminde yedi patriğin öldürüldüğünü ve bunun öcünün alınmasını istiyorlardı.

— Biz mi öldürmüşüz?

— En azından onlar öyle söylüyor. Bunu duymuşsunuzdur herhalde. Rumlar şöyle diyorlardı: İstanbul'u bir Konstantin kurdu, bir Konstantin yitirdi (Fatih'e yenik düşerek), bir Konstantin de (şimdiki kral) geri alacak!

— Alsınlar bakalım. Size şunu da sormak istiyorum. Neden savaş bittikten on altı ay sonra İstanbul'u işgal ettiniz?

— Evet, iyi bir soru. İngilizlerin İstanbul'u işgal edeceklerini öğrenince biz de bu olaya katıldık. Çünkü Osmanlı topraklarını ne İngilizlere kaptırmak istiyoruz, ne de Yunanlılara. Gerçekte bizim Mustafa Kemal'le sorunumuz yok. Kuvayı Milliyecilerle anlaşabiliriz. Ama biz olmasak İngilizler tek başlarına bu topraklara egemen olacaklar. Bunu önlemek için de burada onların karşısına dikilmemiz gerekiyor.

— Siz neler söylüyorsunuz? Biz "Müttefikler" diyoruz, yani İngilizler, Fransızlar ve İtalyanlar. Bunlara isterseniz Amerika'yı da katın. Ben Müttefiklerin hep birlikte aynı Doğu politikasını izlediklerine inanıyordum.

— Hayır Matmazel, durum hiç de sizin bildiğiniz gibi değil.

— Bana Matmazel demeyin lütfen, adımı söyleyin. Adım Ümran.

— Hiç duymamıştım. Bizde bu adın benzeri yok. Ümran bende "Humain" çağrışımı yaptı. Yani, insani, insancıl, insana yakışır duygu ve düşüncelerle dolu. Size çok yakışan bir adınız var.

— Evet, devam edin, ne diyordunuz? Müttefiklerin Doğu politikasından söz ediyordunuz.

— Evet, Müttefiklerin birbiriyle nasıl çeliştiklerini siz bilemezsiniz. Bakın size bir örnek vereyim. İstanbul'un işgalinden bir gün önce Paris'te General Franchet d'Esperey'den Yüksek Komiser Defrance'a şifreli bir telgraf geldi. Şifreyi ben çözüp yüksek komisere verdim. Bu telgrafta General Franchet d'Esperey, Türkiye'deki Müttefik Kuvvetleri Kumandanı General Wilson'un İstanbul'da sıkıyönetim ilânı ve bakanlıkların işgali kararından söz ediyordu. İngilizler buna tek başlarına karar vermişler. Franchet d'Esperey bu kararı görünce çıldırdı. Çünkü 3 Aralık 1918'de Londra'da toplanan Müttefiklerarası konferansa göre bu tür kararların birlikte alınması gerekiyordu. İngilizler tek başlarına Osmanlı Bakanlıklarını işgal edemezler, Harbiye ve Deniz Bakanlıklarında da Fransa'nın ve İtalya'nın katılımı olmadan bir denetim kuramazlardı. Franchet d'Esperey, Fransız Yüksek Komiseri'ne, "İngilizler Türkiye'nin denetimini tekelleri altına almaya çalışıyorlar, engel olun," diye yazıyordu. Bu mu uyumlu ortak yönetim?

Dinleyin Ümran Hanım, Franchet d'Esperey'den ertesi gün bir telgraf daha geldi. Onda da aynen şöyle deniyordu: "Müttefik Orduları Başkumandanlığı siz hiç farkına varmadan İngiliz Kumandanlığına dönüşüyor. Türkiye'nin denetimi Müttefiklerin elinden çıkmış ve İngiliz makamlarının eline geçmiştir. Bu durum değişmezse İngilizlerin bir zamanlar Mısır'a el koymaları gibi bir olayla karşılaşacağız. Ne var ki İngilizler Mısır'a tek başlarına girmişlerdi, burada ise biz varız. Biz olmasaydık İngiliz askerleri kendi başlarına İstanbul'a giremiyorlardı. İstanbul'daki bu dolapları İngiliz Yüksek Komiserliğinin ve kumandanlığının tek başına çevirmediği ve onların arkasında İngiliz hükümetinin olduğu kanısındayım. Gerekli önlemleri derhal almalısınız."

Aslında İngilizlerle aramızdaki çekişmenin geçmişi var. 1918'de ateşkes görüşmeleri olurken İngiltere ile Fransa arasında büyük anlaşmazlıklar çıktı. Akdeniz'de donanma kumandanlığı Fransızlardaydı. İngilizler bu olaya hiç sıcak bakmıyorlardı. Lloyd George ile Fransız başbakan Clemenceau o zaman çok fena kapıştılar. Clemenceau 25 Ekim 1918'de Lloyd George'a yazdığı mektuplarda Selânik cephesinde zaferi Fransızların elde ettiğini ve bu başarıların Fransa'ya geniş haklar kazandırdığını vurgulayarak Osmanlı devletinde Fransızların büyük yatırımları olduğunu, parasal ve kültürel çıkarları dolayısıyla bu haklardan asla vazgeçemeyeceklerini belirtiyordu.

İngiliz hükümeti Fransa'nın bu direnişini ciddiye almadı. Mondros Antlaşması'nı imzalayan bakanınız Hüseyin Rauf Bey Amiral Calthorpe'a istediği tüm hakları tanıdı. Bu tam bir teslim olma olayıydı. Fransızlar dışlanmış oldular. Calthorpe anlaşma gereğince İstanbul limanının ve Boğaz'daki askeri tesislerin işgal edilebileceğini, ama kentin işgale uğramayacağını söylüyordu. Rauf Bey bu konuda bir garanti isteyince Calthorpe, "Aziz dostum," dedi, "Londra'ya sormam gerekir, ama vaktim yok. Siz bana güvenin!" diye cevap vermiş.

Rauf Bey de bal gibi oyuna geldi ve İstanbul'a dönünce, düzenlediği basın toplantısında, "Tek bir düşman askeri kente girmeyecektir," dedi. Buyrun bakalım. Görüyor musunuz sizin Rauf Bey'i nasıl uyutmuşlar. O da ne kadar saf bir adammış. Böyle politikacı mı olur?

— Şaşırdım doğrusu. Biz de Rauf Bey'i çok başarılı bir kumandan ve devlet adamı sanırdık. Görüyor musunuz?

Akşam saat 10'a geliyordu. Konuklar teker teker gitmeye başladılar. Yine arabalar köşkün önüne sıralandı. Hulusi Bey bütün konuklarını övücü sözlerle uğurladı. Önce Amiral Robeck yolcu edildi. John White de onunla birlikte köşkten ayrılırken Neriman bir burukluk duyuyordu. Duygularını anlamaya çalıştı. Çok mu beğenmişti bu İngiliz yüzbaşısını? Neden olmasın? Adam ne kadar da yakışıklı ve sevimliydi. Bir gün kendisini arayacak olursa hayır diyemeyeceğini biliyordu.

Amiral'den sonra Fransız Yüksek Komiseri'nin arabası kapıya geldi. Jean Pierre de patronuyla birlikte gidiyordu. Ümran'la el sıkışarak ayrıldılar.

— Çok yakında görüşmek üzere Ümran Hanım.

— Evet, ben de öyle umuyorum Jean Pierre.

— Daha size anlatacağım çok şeyler var.

— Elbette, ilgiyle dinleyeceğim. Beni aydınlattınız.

— Sizinle çok iyi dost olacağız gibi geliyor bana.

Ümran arabanın arkasından Jean Pierre'e tatlı tatlı el salladı. Ne harika bir gençti şu Jean Pierre. Nedim Ağabeyle de anlaşacaklarına inanıyordu. Ümran olmadık düşler kuruyordu. Gizli örgütler... Silâh kaçırmalar... Fransa'nın Milli Mücadele'ye hoşgörüyle bakması... Daha neler neler...

Çamlıca sırtlarında çoktan akşam olmuş ve bütün pembelikler kararmıştı. Uzaklarda Mısırlı Mustafa Fazıl Paşa'nın, Tunuslu Mahmut Paşa'nın, Kazasker Necip Molla'nın, sürgündeki Doktor Esat Paşa'nın ve Hassa Müşiri Rauf Paşa'nın köşklerindeki gaz lambalarının camlara vuran ışıkları görünüyordu. Yarın gün nasıl doğacak ve ufuklar nasıl aydınlanacaktı acaba?

VI

Çamlıca'da Başlayan Aşklar

Nedim Bey verilen partiye çağrılmamıştı. Hulusi Bey onun konuklarla ileri geri konuşup havayı bulandırmasından çekinmişti.

İki gün sonra Nedim Bey köşke geldi. Kızların üçü de onu sabırsızlıkla bekliyorlardı. Anlatacakları o kadar çok şey vardı ki. Önce Neriman'la Perihan Amiral Robeck'le yaptıkları konuşmaları anlattılar. Nedim Bey ikisini de coşkuyla dinledikten sonra,

— Peki, siz Amiral Robeck'ın kim olduğunu biliyor musunuz? diye sordu.

— Elbette biliyoruz. İngiliz Yüksek Komiseri.

— Evet de, Amiral'in geçmişini bildiğinizi sanmıyorum. Sir John Michael de Robeck Çanakkale'de yenik düşen bir amiraldir. Şimdi bu yenilginin acısını çıkartmaya uğraşıyor.

— Ya... Hiç bilmiyorduk.

— Bakın kızlar, partide herkesin önünde çok sert çıkışlar yapmışsınız. Kendinizi birden ortaya atmayın, gerçek düşüncelerinizi ve eğilimlerinizi biraz gizlemeye çalışın. Yarın her üçünüze de büyük görevler düşebilir. Eğilimlerinizi açığa vurursanız sizden çekinirler. Oysa siz kaleyi içten ele geçirmek için birtakım görevler yüklenebilirsiniz.

— Nasıl yani? Biz ne yapabiliriz ki?

— Pek çok şey. İngilizlerin neler tasarladıklarını, neler yaptıklarını öğrenebilirsiniz.

— Bu bir çeşit casusluk olmaz mı? Tanımadığımız insanlardan biz nasıl haber sızdırabiliriz?

— Sevgili kızlar, biz bir savaşın içindeyiz. Düşman bütün tesislerimizi işgal etmiş, nezaretlere, Erkânı Harbiye'ye el koymuş durumda. Onlar bizim her şeyimizi biliyor ve günü gününe izliyorlar. Örneğin Kroker Oteli'nde İngiliz Gizli Haberalma Merkezi var. Bu örgütün başında John G. Bennett adında biri bulunuyor. Bütün gece gizli ajanlar ve İngilizlerin İstanbul'daki casusları oraya girip çıkıyorlar. Korkunç bir şebeke kurmuşlar. Kim nerede, ne yapıyor, hepsini izliyorlar. Ama biz de onları izliyoruz. Bütün İngiliz casuslarının hakkından geleceğiz. Bennett de elimizden kurtulamayacak. Biliyorsunuz, 16 Mart'ta Mebuslar Meclisi'nde Hüseyin Rauf Bey'le Kara Vasıf Bey'i tutuklayan da bu John G. Bennett'ti. Meclis bu olay üzerine dağıldı.

Biz Anadolu'ya adam kaçırıyoruz, onlar buna engel olmak için her yerden haber almaya çalışıyorlar. Yarın silâh kaçıracağız, adamlarımızı yakalamaya kalkacaklar. Biz de onların kimlerle çalıştıklarını bilmek zorundayız. Nerelerde yığınak yapıyorlar, nereleri basacaklar, nerelerde kaç adamları var? Bir baskın yaparsak karşımıza kaç kişi çıkacak? Hangi silâhları kullanacaklar? Depoları nerede? Nöbetleri nasıl düzenliyorlar? Bunlar bizim direniş örgütleri için çok hayati bilgiler.

Bu amaçla gözetim altında tuttuğumuz birçok yer var. Örneğin Müttefik işgal kumandanlığı Pera Caddesi 181 numarada İngiliz Kız Okulu'na yerleştirildi. Karadeniz Müttefik Orduları kumandanlığının merkezi Harbiye Okulu oldu. Kent üç bölgeye ayrıldı. Fransızlar Haliç'in güneyini aldılar, İngilizler Galata'yı ve Beyoğlu'nu, İtalyanlar Üsküdar'ı. Ayrı ayrı polis birlikleri kuruldu. Onlar da birer merkeze yerleştirildiler. İngiliz subaylar Pera Palas'a ve Büyük Londra Oteli'ne indiler. Beğendikleri köşkleri ve konakları da boşaltarak oraya yerleştiler.

İngilizlerin önemli merkezlerinden biri de Galata Kulesi'nden Voyvoda (Bankalar) Caddesi'ne giden yolun solunda, Avusturya Lisesi'ne gelmeden önceki yerde bulunan İngiliz Karakolu. Burasını İngilizler 15 yıl önce İngiliz vatandaşları için cezaevi olarak yaptırmışlar. İşgalden sonra bu bina İngiliz Askeri Cezaevi oldu. İngilizler tutukladıkları kimselere şimdi orada işkence ediyorlar. Bütün buralarda olup bitenleri izlemeye çalışıyoruz.

Ümran daha fazla bekleyemeden sordu:

— Ya Fransızlar için ne düşünüyorsunuz?

— Onlar genelde bize karşı yumuşak davranıyorlar. Pek olay çıkmıyor. Sadece Senegalli askerler bazen kadınlara saldırıyorlar, tatsız vuruşmalar oluyor.

Neriman araya girdi.

— Demek yakında silâh kaçırmayı düşünüyorsunuz.

— Elbette. En büyük depo Maçka'daki Silâhhane. Orası İngilizlerin denetimi altında. Buna karşılık Zeytinburnu ve Sütlüce depoları Fransızların denetimine verilmiş. Oralardan silâh kaçırmak daha kolay olacak.

— Peki bize ne gibi görevler verebilirsin?

— Biraz sabırlı olun, sırası gelince söylerim. Herkese düşen görevler olacak. Bu duruma katlanmak kolay değil. Büyük bir aşağılanma duygusu içindeyiz. Halk bir gün çok kötü bir biçimde patlayacak. Hem işgalcilere saldıracak, hem de çıkarlarını onlara bağlayan işbirlikçilere. İnsanların bu tepkisini kimse durduramayacak. Ben bütün işbirlikçilerin yarınlarını çok kötü görüyorum. Ne yazık ki babanız da tehlikeli bir yolda. Ama bunları anlayacak durumda değil. O Büyük Britanya İmparatorluğu'nu hiç yenilmez sanıyor. Tarihte hangi imparatorluk ayakta kaldı ki? Büyük Roma İmparatorluğu'nu düşünün. Charlemagne'den, Hun İmparatorluğu'ndan, Cengiz'den, Timur'dan, Ondördüncü Louis'den ne kaldı? Yarın Büyük Britanya İmparatorluğu da çökecek. Sömürü ve baskı düzeni sonsuza dek nerede sürmüştür? Ya ezilen insanlar başkaldırır, zincirlerini kırarak o düzeni yıkarlar, ya da o düzen kendi iç çelişkileriyle yok olur gider.

Kızlar hiç ağızlarını açmadan Nedim Ağabeylerini dehşetle dinliyorlardı. Hele babalarının karşı karşıya olduğu tehlike bütün keyiflerini kaçırmıştı. Nedim Bey konuşmasını şöyle sürdürdü:

— Dün akşamüstü Nezaret'ten çıkışta korkunç bir olaya tanık oldum. Bir subay arkadaşımla birlikte eve dönüyordum. O sırada İngiliz askeri polisleri Beyazıt'ta yoldan geçenleri durdurup üzerlerinde silâh arıyorlardı. Her türlü silâh taşımayı yasak ettiklerini duymuşsunuzdur herhalde. Ekmek bıçağı ve çakı taşımak bile yasaklandı. İngilizler ancak bir parmağın boyunu geçmeyecek çakıya izin veriyorlarmış. Üzeri aranan bir gencin cebinden uzun bir çakı çıktı. İngiliz polisi,

— İşte şimdi yakayı ele verdin, diye haykırdı.

Bir Rum çevirmen bu sözü Türkçeye çevirdi. İngiliz yine haykırdı:

— Uzat bakayım elini.

Cebinden çakı çıkan genç neye uğradığını şaşırmıştı. Korka korka elini uzattı. Polis bu kez de yanındaki inzibat çavuşlarına,

— Tutun şunun elini, diye haykırdı.

İnzibat çavuşlarından biri vahşi bir hayvan gibi fırlayıp gencin elini kavradı ve İngiliz polisine uzattı. Herkes büyük bir merakla ne olacağını bekliyordu. Polis çakıyı açtı ve gencin iki parmağı arasına, kabzası parmak uçlarına gelen kadar soktu. Çakı uzun olduğu için gencin eline saplandı ama çocuk hiç bağırmadı. Gözleri yerinden fırlamıştı. Yüzünde nefret okunuyordu. Polis,

— Biz size çakının boyu parmağın boyunu geçmeyecek dememiş miydik. Bu hepinize ders olsun.

Hiç kimse ağzını açıp tek kelime söylemedi. Ama herkes o gençten yanaydı. Suskun ama köklü bir dayanışma içindeydiler. Göreceksiniz bir gün patlayacak bu insanlar.

Dün de iki Senegalli asker yolda bir kadına saldırmışlar. Çarşafını yırtmış, öpmeye, sıkıştırmaya kalkmışlar. İkisi de bulut gibi sarhoşmuş. Bereket mahallenin kabadayıları kadını kurtarmışlar. Askerlerin de ağızlarını burunlarını kırmışlar.

Sömürgeden gelen asker de kendini sömürgeci sayıyor.

Nedim Ağabeylerinin sözleri kızların büsbütün içini karartmıştı. O gittikten sonra odalarına çekildiler. Kara kara düşünüyorlardı. O sıralarda Haremağası Nuri Ağa elinde bir mektupla kızların odasına girdi. Bir inzibat çavuşu Neriman'a bir mektup getirmişti. Mektup Pera Palas Oteli'nden gönderilmişti. Neriman kalbi güm güm çarparak mektubu açtı.

"Dear Neriman,

Sizi tanımak beni çok mutlu etti. Harikûlade bir kızsınız. Yüzünüzün güzelliği, gözleriniz ve saçlarınız hiç aklımdan çıkmıyor. Sesinizin tatlılığı hâlâ kulaklarımda. Sizden ayrıldığım akşam yatağımda bütün gece sizi düşündüm. İnançlarınızı ne büyük bir başarıyla savundunuz. Sizi bir daha görebilmek için neler vermezdim. Bir an bile aklımdan çıkmıyorsunuz. İstanbul'da sizin gibi dürüst ve açık konuşan, hiçbir şeyden çekinmeyen bir kızı tanımak son yıllarda yaşamımın en büyük olayı oldu. Sizinle birkaç saat arkadaşça başbaşa kalmak isterim. Size her zaman çok saygılı olacağımdan emin olabilirsiniz. Ne olur beni dostluğunuzdan mahrum etmeyin.

Sizden yanıt beklemiyorum. Çünkü mutlaka geleceğinize inanıyorum. Sizin de kalbinizin coşkuyla çarptığını tahmin etmek güç olmasa gerek.

Perşembe günü saat 11'de otelin lobisinde sizi bekleyeceğim.

Gözlerim umutla sizi arayacak.

John"

Neriman'ın içi içine sığmıyordu. Ne yapabilirdi ki? Gitsin mi, gitmesin mi? Gitmeyi çok istiyordu. Kafası John'a takılıp kalmıştı. İçinde ona çılgınca sarılma isteği vardı. Kollarını boynuna dolamak, göğsünü göğsüne bastırarak onu sımsıkı sıkmak, dudaklarını dudaklarına değdirmek, parmaklarını saçlarında dolaştırmak.

Hayır hayır, bunlar olacak şeyler değildi. Her şeyden önce John bir düşman subayıydı. Yani, ülkeyi ele geçirmek isteyen işgal ordusunda görevli bir subay. Kendini nasıl böyle bir adama teslim edebilirdi? Düşman bir ülkeden gelen bir insan onun nasıl sevgilisi olabilirdi?

Hem Nedim Ağabey'in söyledikleri doğruysa belki de Neriman'ın yarın birtakım gizli görevleri olacaktı. Sevdiği bir adamdan gizli bilgiler almak ve bunları bir direniş örgütüne iletmek ahlâksızlık olmaz mıydı? John bir gün bu aşk oyununun altında başka oyunların olduğunu anlarsa çılgına dönmez miydi? Ne kadar tehlikeli bir oyundu bu.

Neriman bunları düşünürken soğuk terler döküyordu. Bütün kalbi ve vücudu John'dan yanaydı ama neye varırdı bu işin sonu?

Peki ya John'dan hiçbir bilgi sızdırmak istemezse? O zaman da direniş örgütünün taleplerine karşı nasıl bir neden ileri sürebilirdi. Onların nazarında düşman subaylarıyla düşüp kalkan bir hain durumuna düşmez miydi?

Of, Tanrım... Kafası çatlayacaktı Neriman'ın. Bunları kiminle tartışabilirdi? Perihan'la mı, Ümran'la mı? Ya onlar da, "Çılgınlık etme, atılma bu maceraya," derlerse, o zaman doğmamış bir aşkın özlemini çekmeyecek miydi?

Randevuya daha iki gün vardı. Serinkanlılıkla düşünebilirdi. Ama o kadar yardıma ihtiyacı vardı ki. Birileri onun yerine karar verseler, "Evet Neriman, gitmen gerekiyor," ya da "Asla kızım, çılgınlık edip gitme," deseler ne kadar rahatlayacaktı.

Hani, bir deprem filân olsa, Pera Palas yıkılsa çok üzülecek ama bu sıkıntıdan kurtulacaktı. Yok, hayır, depremde insanlar ölür, yazık olurdu.

Başka bir olasılık da Amiral Robeck'in bütün takımıyla birlikte geri alınmasıydı. Eh, o zaman Neriman'ın yapacağı bir şey kalmaz ve kafası bu hiç olmayacak aşk düşünden kurtulurdu. En iyisi de buydu ama neden öyle alelacele Robeck'i geri alsınlardı ki?

En iyisi bunu Nedim Ağabey'e sormaktı. Nerdesin Nedim Ağabey? Kalkıp gelsene hemen. Sana ne kadar çok ihtiyacım var.

Eğer Nedim Ağabey Neriman'ı bir başka türlü seviyorsa onun Pera Palas'a gitmesine asla izin veremezdi. İnsan hiç sevgilisini başkasının kollarına bırakır mı? Nedim Ağabey'in de kimi sevip kimi sevmediği hiç belli değildi ki. Ama galiba onun aklı Perihan'daydı. Son aylarda ona daha çok ilgi gösteriyordu. Ümran ise Nedim Ağabey'in hiç umurunda değildi.

Peki Nedim Ağabey ya gerçekten onu seviyorsa, o zaman Pera Palas olayı suya düşecekti. Öyle olunca da yeni bir sorun çıkıyordu: Neriman'ı heyecanlandıran Nedim Ağabey miydi? Yoksa John mu?

Tanrım, ne kadar güç bir durum. En iyi çözüm olasılığı Nedim Ağabey'in Perihan'ı seçmiş olmasıydı. "İnşallah onu seçmiştir," dedi içinden. "Ben de kurtulurum, Perihan da. Hem de Perihan ne kadar mutlu olur. Galiba içimizde Nedim Ağabeyi en çok seven o. Hayır, hayır, ben hiç kıskanmayacağım. Ümran da kıskanmaz. Biz Perihan'ımızın çok mutlu olmasını istiyoruz."

Neriman o gün ne yedi, ne içti, bütün geceyi bu düşüncelerle geçirdi. Ertesi sabah bir de ne görsün, Nedim Ağabey çıkagelmez mi?

— O... Neriman, bakıyorum erken kalkmışsın. Ama biraz yorgun görünüyorsun. Hayrola neyin var?

— Sorma Nedim Ağabey, başım dertte. Dört gözle seni bekliyordum. Sana soracaklarım var. Ne dersen onu yapacağım.

Neriman içini döktü. Sesi titriyor, gözleri yaşarıyordu. Sorunu bütün ayrıntıları ve başına geleceğinden kuşkulandığı şeylerle ortaya koyduktan sonra,

— Söyleyin şimdi, ne yapmam doğru olur? diye sordu.

Nedim Ağabey'in yanıtını beklerken kalbi duracak gibiydi. Onun, "Otele git," demesine hem çok sevinecek, hem de, "Demek ki Perihan'ı seviyormuş," diyerek elinde olmayan bir kıskançlık duygusuyla içi burkulacaktı. Sonunda Nedim Ağabey,

— Git, dedi. Ama bir şartla, İngiliz subayına kapılmak yok.

— Benden çok şey istiyorsun, Nedim Ağabey. Bir ilişkinin nasıl gelişeceği önceden bilinemez ki.

— Onu bunu bilmem. Elini bile tutamazsın demiyorum, ama o kadar. Çok rica ederim, başımıza bir aşk hikâyesi çıkmasın. Senin için birtakım görevler düşünüyorum ileride. Sonra adama kapılırsın ve senden beklediklerimizi yapamazsın. Seni yitirmek istemem. İlişkilerine bir sınır koymasını bil.

— Bunun çok zor bir şey olacağını hissediyorum. Ama beni

güç durumlarda bırakacak bir gelişmeye engel olmaya çalışacağım. Her zaman bana vereceğiniz görevlere öncelik tanıyacağım. Bana güvenebilirsin. Gerektiği zaman bütün isteklerime gem vurmasını bileceğim.

— Öyleyse anlaştık. Yarın kalkıp Pera Palas'a gidebilirsin. Ama adamın odasına asla çıkmayacaksın. Yalnız barda ve lokantada görüşeceksiniz. Başka türlü olursa ben duyarım. Biliyorsun, bizim her yerde gözümüz ve kulağımız var. Tamam mı?

— Tamam Nedim Ağabey. Davranışlarım hiçbir biçimde senin eleştirilerine konu olmayacak.

Neriman Nedim Ağabeyinden izin aldığının ertesi günü John White'ın belirlediği saatte Pera Palas Oteli'ne gitmek için köşkten çıktı. Kalbi güm güm atıyordu. İlk kez bir erkekle buluşacaktı. Şimdiye kadar aile içinde, flörte benzeyen irili ufaklı ilişkileri olmamış değildi ama o güne kadar ne bir erkeğin elini tutmuş, ne de dudaklarından öpmüştü. Zaten o gençlerin hiçbirinden hoşlanmamıştı ki. Onlar Neriman'ı ya kapı arkasında ya da bahçede öpmeye, sıkıştırmaya çalışmışlar, o da hiçbirine yüz vermemişti.

Oysa John çok farklıydı. Neriman ondan çok hoşlanmıştı ama kafasındaki bir takıntı onu çok rahatsız ediyordu. Onunla ilişkisini bir görev çerçevesi içinde yürütmek zorunda olması huzurunu kaçırıyordu.

İçini rahatlatan şey de John'un kendisinden bir şey bekleme ihtimalinin olmamasıydı. Varlıklı bir aileden geldiği için John onunla ilişki kurmaya yönelmiş olamazdı. Onunla evlenmeyi de asla kafasından geçiremezdi. Belki de İngiltere'de karısı, çocukları ya da bir sevgilisi vardı. John herhalde bir çıkar ilişkisi peşinde değildi.

Peki, John'la ilişkileri nereye varacaktı? Neriman uzun uzun düşündü. 13 yaşından beri kendini sevdiği bir erkeğin kollarına bırakmayı az mı hayal etmişti. Sevgilisi onu saatlerce okşasa, öpse, Neriman da ona karşılık verse. Deli oluyordu bunları düşünürken. Nabzı belki yüzün üstünde atıyor, yanakları kızarıyordu.

John onu nasıl öperdi acaba? Herhalde ilk önce dudaklarına uzanırdı. Bırakmalı mıydı dudaklarını? Elbette başını çevirmeyecekti. Çünkü içinden tatlı tatlı öpüşmek geliyordu.

Ya kafasını çevirmeye kalkarsa? Fiziksel yakınlığı reddetmesi ilişiklerinin daha başlamadan bitmesine neden olur muydu?

Neriman kafasında bu düşüncelerle Pera Palas Oteli'ne geldi. Heyecandan dizleri titriyordu. Otelin lobisinde John'un kendisini beklediğini görünce kıpkırmızı oldu. Ona yaklaşırken John ayağa kalktı. Kolunu uzattı. El sıkıştılar.

— Neriman, ne kadar mutluyum, geldiniz. Demek ki siz de benimle buluşmayı istediniz. Dünyalar benim oldu.

— Evet, John, sizi görmeyi çok istemiştim.

— Lokantaya geçelim. Birlikte yemek yiyeceğiz. Önce de birer viski alırız. Kabul mu?

— Elbette kabul. Başka ne diyebilirim?

İki kişilik bir masaya oturdular. Öteki masalarda İngiliz subayları, Rum ve Ermeni kızları vardı. Bir süre bakıştılar. John içten içe huzursuzdu. Yüzbaşı Bennett ona gizli bir görev vermişti, Neriman'dan yeraltı örgütleriyle ilgili bir şeyler öğrenmesi gerekiyordu. Ne pis bir görevdi bu. O doğru dürüst bir asker olarak yetişmişti, yoksa bir ajan olarak değil. Böyle bir görevi üstlenmeyi hiç istemiyordu. Gerçekten Neriman'dan çok hoşlanmıştı. Neriman'a ihanet etmek niyetinde değildi. Bennett'i pekâlâ uyutabilirdi.

Yemekte uzun uzun birbirlerine kendilerinden söz ettiler. John, Neriman'a yersiz düşecek hiçbir soru sormamaya özen gösterdi. Nedim Bey'i de hiç gündeme getirmedi. Bazı konulara asla girmek niyetinde değildi. Belki de hiçbir zaman.

Bir ara, öteki masadakiler kalkınca Neriman'ın elini okşadı, sonra da avucunun içine aldı, sıktı. Neriman hiç elini çekmedi. O da John'un elini sıktı. Bu olumlu bir yanıt demekti.

Neriman kararını verdi, John'a yaklaşmaktan çekinmeyecek-

ti. Oh be, karar vermek ne güzel şeydi. Kendini rahatlamış hisset-
ti. Neydi o kafasındaki karabasanlar? Elveda bütün kısıtlamalara,
sansüre, zorlamaya, baskılara... Yaşasın özgürlük ve aşk.

Pera Palas'tan dönerken kafasından böyle şeyler geçiriyordu.
John'u tanıdıkça seveceğine, sevdikçe de daha iyi tanıyacağına
inanıyordu. Ona dokunmak, ona sımsıkı sarılmak geliyordu için-
den. Galiba artık ona teslim olmuş gibiydi. "Ben onun tutsağıyım
artık," dedi içinden. "Eğer böyleyse tutsaklık ne güzel bir şey.
Hep yanlış anlaşılmaktan korkmuştum. Bu korku benim bütün
girişimlerimi engelledi. Ama şimdi umurumda değil, diyorum.
Artık mutlu olmak için gereksiz sıkıntılara, sonuçsuz çabalara ve
zorlamalara paydos. Yaşasın özgürlük! Bir başka deyimle tutsak-
lık."

Dışarıda ılık bir rüzgâr esiyordu. Yaşamın ne kadar güzel ol-
duğunu düşündü. En azından bir kişi onu dinlemiş ve elini tut-
muştu. Böyle mutlu bir akşamda bütün olumsuz düşüncelerin-
den sıyrılmıştı. Bu yaşadığı duygular rüya değildi.

Bunları Nedim Ağabey'e anlatmayı hiç düşünmüyordu. Ken-
dini duygularına ve içinden gelen isteklere bırakarak mutlu saat-
ler yaşayacaktı.

Yeni bir dönem başlıyordu yaşamında.

John White Yeniden Köşkte

Pera Palas'taki buluşmadan bir süre sonra John White Neri-
man'a bir mesaj göndererek kendisini yeniden görmek istediğini,
eğer koşullar uygun olursa Çamlıca'ya gelebileceğini bildirdi.

Neriman bu yaklaşımı heyecanla karşıladı. Zaten günlerden
beri ondan haber bekliyordu. Konuyu akşam babasına çekinerek
açtı. Hulusi Bey John White'ın bu girişimini hiç yadırgamadı.
Hatta çok sevindi. Neriman'a,

— Kızım, dedi, neden olmasın? Hem Yüzbaşı White çok akıl-
lı ve efendi bir gence benziyor. Belli ki çok iyi bir eğitim görmüş.
Yoksa hiç buraya Yüksek Komiser'in yanına gönderirler miydi?
Seninle ilgilenmesi çok iyi bir şey. Bu dostluk Yüksek Komiser'le

benim aramda iyi ilişkiler kurulmasına da yardım eder. Hemen yarın Yüzbaşı'yı buraya çağırabilirsin. Yalnız mı gelecek?

— Bilmiyorum, belki de bir arkadaşıyla birlikte gelir.

Ertesi gün Yüzbaşı White gerçekten de bir arkadaşıyla birlikte köşke geldi. Hulusi Bey'le Handan Hanım onları köşkün bahçe kapısında karşıladılar. Neriman bir adım gerilerinde duruyordu. Yoldan geçenler de genç İngiliz subaylarının köşke gelişlerini seyrediyorlardı.

— Rezalet yahu. Şu İngilizler her gün köşkün kapısını aşındırmaya başladı. Bunlar gelen kaçıncı yabancı subay? İngiliz karargâhı mı burası? Ne oluyor anlayamıyorum.

— Bana sorarsan bunlar Hulusi Bey'in kızları için geliyorlar.

— Vay anasını be? Demek ki kızlar piyasaya çıktı artık.

— Eee... Artık Hulusi Bey'in koncaları Çamlıca'nın gülleri oldu.

Yüzbaşı White Hulusi Bey'le eşini ve Neriman'ı bir İngiliz zarifliğiyle selâmladıktan sonra,

— İzin verirseniz size arkadaşımı tanıtayım, dedi. Binbaşı Withol, yeni geldi İstanbul'a.

— Çok memnun olduk. Böyle gelir gelmez ziyaret ettiğiniz yerlerden birinin bizim köşk olması bizi çok gururlandırdı. Buyrun salona geçelim.

Salonda geleneksel biçimde Çamlıca'nın güzelliğinden, İstanbul'un havasından, yemeklerin lezzetinden, insanların konukseverliğinden söz edildikten sonra Hulusi Bey işgal askerlerine karşı yapılan saldırılara değinerek,

— Bu çeşit olaylara ne kadar çok üzüldüğümü bilemezsiniz, dedi. Bu saldırılar ülkemiz için çok utandırıcı şeyler.

Efendim, halkımız kendilerine yapılan iyilikleri hiç anlamıyor. Düşününüz bir kere. Koca İngiliz ordusu en seçkin elemanlarını buraya göndermiş, İttihatçıların Almanlarla birlik olup felakete sürüklediği Osmanlı devletini, içine düştüğü felaketten kurtarmak için elinden geleni yapıyor. Sen kalk o fedakâr insanlara silâh çek. Bunlar ülkede anarşi yaratmak istiyorlar. Hepsi terörist, hepsi bölücülük yanlısı. Yakalayıp bunları Beyazıt Meydanı'nda ya da Köprü başında sallandıracaksın ki, akılları başlarına gelsin. Bakın bir daha böyle şeyler yapan olur mu?

Handan Hanım da kocasını destekleyerek,

— Çok haklısın Hulusi Bey, dedi. Memlekette disiplin, otorite kalmadı. Önce İttihatçılar ülkeyi mahvettiler. Şimdi de başımıza bir Mustafa Kemal çıktı. O da âsilerin başı. devleti içinden yıkmaya çalışıyor. Bolşevik ajanı mıdır, nedir, anlayamadık.

— Evet efendim, bunlar çıldırmış. Ruslardan silâh ve cephane alıyorlar. Maksatları, Padişah efendimizi devirmek. İş onunla kalmayacak ki, yarın saltanatı devirmeye kalkacaklar. Can düşmanları da İngiliz İmparatorluğu.

Binbaşı Withol araya girerek,

— Duydunuz mu Hulusi Bey, dedi. Geçen gün yine bir askerimizi vurmuşlar. İngiliz kuvvetleri iç haber bülteninde okudum, askerimizin cesedini Okmeydanı'nda bulmuşlar.

— Vah vah Binbaşım, çok üzüldüm, ne istemişler zavallı askerden.

Neriman söze karışarak şöyle dedi:

— Evet babacığım, ben de olayı bu sabahki *İleri* gazetesinde okudum. Bakın, anlatayım. Geçenlerde Karaköy'de Bahrisefit (Karadeniz) Bankası önünde trafiği yöneten bir İngiliz polisiyle bir İngiliz eri bir askeri gıda arabasını durdurmuşlar. Arabacı trafik kurallarına uymadan arabasını sürüyormuş. İngiliz askeri elindeki kırbacı, bütün gücüyle araba sürücüsü askerin üzerine şaklatmış. Kan boşanmış askerin yüzünden. Orada tramvay bekleyen insanların gözleri yuvalarından fırlamış. Ama ne yapabilirler? Kolay mı İngiliz askerlerine karşı çıkmak? Sonra tramvay gelmiş, bekleyenler binip gitmişler. Tanıkların söylediğine göre yalnız iki kişi kalmış orada. Beklemişler sonuna kadar. Yani, elleri kamçılı İngiliz trafik polislerinin nöbeti bitene kadar. İki gün sonra da o eli kamçılı İngiliz askerinin cesedini Okmeydanı'nda bulmuşlar. Erin alnında bir mavzer kurşunu yarası varmış. Kurşun kafatasında kalmış.

John White,

— Ne korkunç bir olay, demekle yetindi.

Binbaşı Withol,

— O kadar basit değil, dedi. Burada yeraltı örgütleri var, askerlerimizi yakından izliyor, olay çıkartıyorlar. Bu gidişle Sèvres Antlaşması uygulanamayacak. Biz de burasını Afrika'daki sömürgelerimiz gibi yöneteceğiz. Yani, ne bir Osmanlı devleti kalacak, ne de yerel yönetimi. Biz bu eşkıyaların hakkından gelmesini biliriz.

— Çok doğru söylüyorsunuz Binbaşım. Bize bu gerek. Cezalarını bulacaklar. Görecekler de, yakındır.

— İşte sayın Hulusi Bey, bunun için hep birlikte çalışmalıyız. Bu âsilerin kökünü birlikte kurutmalıyız.

— Hepimiz bunu istiyoruz Binbaşım. Biz emrinizdeyiz. Ne gerekiyorsa söyleyin, birlikte yapalım.

— Söyleyeceğim Hulusi Bey, söyleyeceğim. Şimdi sizden istediğim şey şu: Bu âsileri nerede görürseniz bize haber verin. Elinizde kesin kanıtlar olmasa da önemli değil. Şüphe ettiklerinizi de bize bildirin. Biz onların peşine adam takar nereye gittiklerini, kimlerle görüştüklerini belirleriz. Evlerini gözaltına alır, girip çıkanları fişleriz, yazışmalarına el koyarız. İşlerinden attırırız. Kök söktürürüz onlara. Sizin burada çok geniş bir çevreniz var. Herkes size çok saygı duyuyor. Güçlerimizi birleştirelim, siz de bize yardımcı olun.

— Elbette Binbaşım, elbette. Bu dünyada İngiliz İmparatorluğu toprakları üzerinde güneşin hiç batmaması için yapmayacağım şey yoktur benim. Yeter ki siz emredin.

Neriman babasının bu kadar alçalabileceğini hiç düşünmemişti. Nefret ediyordu öz babasından. Nasıl olmuş da onu hiç tanımamıştı. Annesinin de ondan aşağı kalır yanı yoktu. Neriman ise kararını vermişti. Nedim Ağabey'le çalışmaktan sonsuz gurur duyacaktı.

Üç gün sonra John White ile Neriman yeniden buluştular, ama bu kez ne Pera Palas'ta, ne de Çamlıca'da... Ayaspaşa'da John'un bir arkadaşının evinde. Ve o arkadaşının görevde olduğu bir günde. Neriman heyecan içindeydi. Apartmana girerken dizleri titriyordu. Kapıyı John açtı. Onun da heyecanlı olduğu her halinden belliydi.

— Neriman, sevgilim, bugünü ne kadar çok beklemiştim. Sana hiç ulaşamayacağım sanıyordum. Seninle olmayı ne kadar çok istiyordum. Artık dünyalar benim oldu. Benim tatlı sevgilim.

— Oooh John, ne tatlı şey seninle yalnız kalabilmek.

— Benim tatlı sevgilim, içeri girelim istersen?

— Şaşkınlıktan ben ne yaptığımı biliyor muyum?

— Yalnız kusura bakmayın, bugün şatoda hiç kimseler yok. Kâhyaya, bütün uşaklara, hizmetçilere, bahçıvanlara, seyislere, nedimelere izin verdim. Her işi ben göreceğim.

— Çok daha iyi, demek ki arkadaşınız da yüksek bir görevde, biz başbaşa kalacağız.

— Korkmazsınız sanırım.

— Sizden hiç korkar mıyım?

— Sayın Lady bugün viski arzu ederler mi acaba? Şatomda sizin için İskoçya'dan getirttiğim bir viski var, tadına bakmak ister miydiniz?

— Denemek isterim.

Neriman'la John birer koltuğa kuruldular. John her şeyi önceden hazırlamıştı.

— Su ister miydiniz viskinize?

— Olabilir, ama asla maden suyu olmasın.

Viskiler içildi, tatlı tatlı konuşuldu.

— Kanepeye geçmek ister miydiniz Lady?

— Elbette, orası daha rahat gibi görünüyor.

— Burası size çok sıcak gelmiyor mu, Lady?

— Evet, doğru, viski galiba beni biraz terletti. Pencereyi mi açsak acaba?

Bu ne kadar güç bir durumdu. Neriman can atıyordu kendini John'un kollarına bırakmak için, ama bir yandan da garip duygulara kapılıyordu. İlk kez bir erkekle birlikte olmak onu korkutuyordu. Ama ne vardı bunda korkulacak? Yüz milyonlarca kız bu olayı yaşamamış mıydı? Hiçbiri de bunun kötü bir şey olduğunu söylememişti.

Bu olay onun da başına gelecekti elbette. Bu işi ilk kez, mutlaka babasının ve anasının beğeneceği bir paşazâde ile yapması şart değildi ki. O böyle kurallara boş veriyordu.

Asıl onu korkutan şey bu ilişkinin oturduğu temeldi. Bu hiç alışılmamış biçimde garip bir ilişkiydi. John'la birlikte olması kendisine verilen bir görevin gereği değildi ki. O görevi başka türlü de başarabilirdi. Demek ki kendi özgür iradesiyle, bilinçli bir biçimde, bütün duyguları, cinsel istekleri ve meraklarıyla kendini ona bırakacaktı.

Ya sonra ona çılgın gibi âşık olursa? Olabilirdi de. Zaten olmuş sayılırdı.

Peki sevdiği insandan gizlice birtakım bilgiler sızdırmak onurlu bir şey miydi? Gerçek sorun buradaydı. Ama Neriman şöyle düşünüyordu: John'u Milli Mücadele'nin haklılığına inandırırsa, ondan hiçbir şeyi gizlemek zorunda kalmayacaktı. Evet en tatlı olasılık buydu, ama kolay mıydı John'un taraf değiştirmesini sağlamak? Canım, şimdiden bunları düşünmeye gerek var mıydı? Bugün davranışlarına yön verecek iki faktör üzerinde duruyordu. Biri çok istediği bir şeyi denemek; ikincisi de Milli Mücadele'ye bir katkıda bulunabilmek.

Üç saat sonra Neriman Ayaspaşa'da Sarayarkası Sokağı'ndaki apartmandan çıkarken çok mutluydu. Yaşamının en büyük zevkini tatmıştı. Göklere yükselmiş, yıldızlara erişmişti sanki. İlk birleşmenin bu kadar tatlı olacağını hiç düşünmemişti. Hiçbir arkadaşı da ona bu zevki anlatmamıştı. Bilgisizliğin, deneyimsizliğin yarattığı korku yok olmuş ve onun yerini yeni bir buluşmanın özlemi almıştı. Kadın olmanın güzelliğini ve heyecanını tatmış ve bunun sarhoşluğuna erişmişti. Acemiliğinin yarattığı gerginliğe karşın o adamla yine bir yatakta olmayı istemekten kurtulamamıştı. Her şeyi ondan öğrenmiş olmanın da tadını çıkartıyor ve imkânsızı arıyordu.

Ya yapacağı görev? Nedim Ağabey ondan birtakım bilgiler edinmesini istemişti. Maçka Silâhhanesi'ndeki nöbet sistemleri, buradaki İngiliz takımının başında kimlerin kaldığı ve pazar günleri nöbetlerin nasıl düzenlendiği. Karaağaç deposundaki nöbetçilerin ve subayların durumu. İngiliz devriye gemilerine ulaşabilme olanakları...

Neriman bu bilgileri John'dan alabileceğini düşünüyordu. Ama Nedim Ağabey ulaşılması çok daha zor bilgilerden de söz etmişti: İngilizlerle Fransızlar arasındaki anlaşmazlıkların nedenleri. Bunların büyüme olasılığı gösterip göstermediği. İngilizlerin daha ne ölçüde Yunanlıları kışkırtacakları. Ya da ne ölçüde onları destekleyecekleri.

İngilizlerin kendi adamları sayılan Damat Ferit Paşa'yı sonuna kadar tutmaya kararlı olup olmadıkları.

Anadolu'ya, yani Mustafa Kemal Paşa'nın üzerine asker göndermeyi düşünüp düşünmedikleri.

İstanbul'da kimlerle çalıştıkları? Ajanlar? İşbirlikçiler? İkili oynayanlar?

Evet, evet, gerçek hedef bunlardı. Ama Neriman'ın bu bilgilere ulaşabilmesine pek olanak yoktu. Nedim Bey de bunu çok iyi biliyordu aslında.

Ümran, Jean Pierre, Prévert ve Duhamel

Çamlıca'daki toplantıdan bir hafta sonra Jean Pierre'den Ümran'a bir mesaj geldi. Kendisini Tepebaşı'nda, Union Française'de bir kadeh içkiye çağırıyordu.

Neden olmasın? Ümran'ın buna aklı yattı. Bu buluşmanın hiçbir bağlayıcı yanı olamazdı. Konuşmak, öğrenmek, tartışmak, başka dünyalara uzanmak geliyordu içinden.

Jean Pierre'in yazdığı saatte Ümran, Perihan'la birlikte Union Française'e gitti. Bu her ikisi için de çok ilginç bir çevre olacaktı. Jean Pierre'i orada arkadaşlarının arasında buldular. Jean Pierre arkadaşlarına dönerek,

— Tanıtayım, dedi, hayran olduğum kız Ümran işte bu. Fransızcayı bizim gibi konuşuyor. Bu da ablası Perihan. Onun Fransızcası yetmez ama, nasıl olsa anlaşırız.

Sonra da iki arkadaşını kızlara göstererek,

— Bunlar benim en yakın arkadaşlarım, dedi. İkisi de meslekten subay filan değil, benim gibi silâh altına alınmışlar. Birinin adı Jacques Prévert[*], ötekinin de Marcel Duhamel[**].

— Ya... Çok mutlu olduk.

— Birbirimizi burada tanıdık. İyi ki de tanımışız, çok dost olduk. Üçümüzün de duyguları, düşünceleri, görüşleri aynı. Üçümüz de savaşa ve insanların birbirlerini öldürmelerine karşıyız. Bizi çürüğe çıkartsınlar, askere almasınlar diye elimizden geleni yaptık, olmadı; biz sağlammışız. Ama kafalarımız onların istediği biçimde sağlam değil.

Jacques orta boylu, kısa saçlı, 20 yaşlarında bir gençti. Durmadan sigara içiyordu. Marcel de aynı yaşlardaydı. Ama uzun boylu, dalgalı saçlı ve çok yakışıklıydı.

Jacques hemen söze karışarak şöyle dedi:

— Benim çok sevdiğim bir dostum daha vardır. Adı Yves Tanguy[***]. Bizi birlikte askere aldılar. Yves de benim gibi askerlikten nefret ediyordu. Çürüğe çıkabilmek için neler yaptı, anlatsam aklınız durur.

— Anlat.

— Anlatayım, deli numarası yaptı, kimse yemedi. Bunu kanıtlamak için bir gün kışladaki örümcekleri topladı, öldürdü, bir tasın içine koydu ve kahkahalar atarak yedi.

— Olmaz öyle şey.

— İnanın doğru söylüyorum. Ama Yves'i revire değil, hücreye tıktılar. Ne yaptıysa olmadı. Hâlâ bir yerlerde askerliğini yapıyor. Beni de Moselle kıyılarından buraya gönderdiler, belki adam olurum diye sürgüne yolladılar.

(*) Jacques Prévert (1900-1977), ünlü Fransız şairi, senaryo ve oyun yazarı.

(**) Marcel Duhamel (1900-1970'lerde), Fransa'da çağdaş polisiye roman akımını yaratan yazar ve senaryocu.

(***) Yves Tanguy (1900-1955): Ressam.

— Kızlar, bir şeyler içsenize.

— İçeriz, çay meselâ ya da şekerli kahve.

— Bayanlar, bir şarap içmeye ne dersiniz? Burada harika Alsace şarapları keşfettik.

— Biz pek alışık değiliz de.

— Lâf mı bu yani, doğuşlarında insanlar hiçbir şeye alışık değillerdir. Sonra anne sütüne alışırlar. Kolay kolay da ondan vazgeçemezler.

— Evet doğru ama, ben bunu başka türlü yorumluyorum. Süt içmeye değil de meme emmeye alışırlar. Yaşları ne olursa olsun bu alışkanlıklarını bırakamazlar.

— O da doğru. Ana sütü içmek zevkli bir şey olamaz. Çocuk büyür büyümez, daha doğrusu aklı başına gelir gelmez süt yerine şarap içer.

— Elbette Marcel, şaraptan da hiç vazgeçmez.

— Hayır canım, öyle deme, şaraptan sonra pastis (bir çeşit rakı) içer, konyak içer, Armagnac içer. Yani, bayanlar, diyeceğim şu ki, siz bugün çaydan kahveden vazgeçip, doğru dürüst içkiye başlayacaksınız.

— Mademki öyle diyorsunuz biz de başlarız, değil mi Perihan?

Jean Pierre, Marcel ve Jacques birer Riesling istediler.

Şaraplar geldi.

— Haydi bayanlar, aşklarınıza.

— Daha yok ki.

— Peki öyleyse, en yakın zamanda yaşayacağınız aşklara.

Gençlerin her üçü de çok keyifli içki içiyorlardı. Jean Pierre, Ümran'a,

— Nasıl dedi, sevdiniz mi bizim şarapları?

— Şaraptan anlamam ama çok lezzetli.

— Peki Dame de Sion'da size şarap içmeyi öğretmediler mi?

— Hayır, öğretmediler.

Marcel söze karıştı:

— Ya aşk yapmayı?

Neriman'ın yüzü bir anda kıpkırmızı kesildi.

— Neler söylüyorsunuz Allahaşkına? Biz okulda tabii ki böyle

şeyler öğrenmedik.

— İyi ya, bundan sonra öğrenirsiniz. Size öğretecek bir şeyler kalmış demek ki.

— Bir gün zamanı gelince öğreniriz.

— Bence, şimdiden başlasanız daha iyi olur.

Jean Pierre,

— Siz Jacques'ın kusuruna bakmayın kızlar, dedi. Onun bütün derdi muhalefet etmektir. Sözleriyle insanları şaşırtmaya bayılır.

— Yanılıyorsun dostum. Ben yalnızca köhnemiş düzenin değerlerine karşıyım.

— Örneğin?

— Örneğin, burjuva kültürü ve burjuva edebiyatına.

— Niye yani, onların hiç iyi yanı yok mu?

— Var elbette, ama bizden öncekiler söylemişler söyleyeceklerini. Bizim yeni şeyler söylememiz gerekiyor. Yeni düşünceleri ve yeni duyguları yeni biçimlerde dile getirmeliyiz.

— Peki, daha başka nelere karşısın?

— Tüm üstünlüklere, kişisel yönetimlere, diktatörlere ve otoritelere karşıyız. Kilise düzenine karşıyız. Savaşa karşıyız. Sağcı edebiyat anlayışına karşıyız.

— Çoğul konuşuyorsun Jacques. Senin gibi düşünen başkaları da mı var?

— Saymakla bitmez. Kimler var? Sen de biliyorsun; André Breton, Aragon, Eluard, Soupault, Desnos, Leiris, Tzara, Queneau. Ya resimde, heykelde? Max Ernst, Picasso, Giacometti, Magritte, Tanguy, Arp, Miro...

— Yeter yeter. Anlaşılan yeni bir akım oluşturacaksınız.

— Oluşturacağız elbette. Bu yeni bir gerçekçilik akımı olacak. Daha doğrusu gerçek üstü bir akım. Başı Breton çekecek.

— Peki Jacques, sen ne yapacaksın?

— Bilmem ki, belki şiir yazarım, belki tiyatro, belki film senaryosu. Biliyorum, mutlaka bir şeyler yapacağım.

Marcel söze karışarak,

— Jacques'ın harika şiir denemeleri var, size okusun.

— Onlar daha deneme. Okursam gülersiniz.

— Oku, yine de.

— Pekâlâ okuyayım. Bu savaş karşıtı bir şiir denemesi:

Ana yün örüyor
Çocuk savaşta
Ana bunu çok doğal buluyor
Ya baba? Ne yapıyor baba?
Baba iş yapıyor
Karısı yün örüyor
Çocuğu savaşta
Kendisi iş yapıyor.
Baba bunu çok doğal buluyor.
Ya çocuk, ya çocuk?
Çocuk buna ne diyor?
Hiçbir şey demiyor, kesinlikle hiçbir şey
Savaşı bitirdiği zaman
O da babasıyla birlikte iş yapacak.
Savaş devam ediyor
Ana yün örüyor, baba iş yapıyor
Çocuk ölüyor, devam edemiyor.
Baba ve ana mezarlığa gidiyorlar.
Ve bunu çok doğal buluyorlar
Yaşam devam ediyor, yün örerek,
savaşarak, iş yaparak.
İşler, savaş, yün işleri, savaş
İşler, işler, işler
Mezarlıkla yaşam.

Ümran,

— Bu harika bir şiir, dedi. Bize Dame de Sion'da hiç böyle şiirler okutmadılar. Siz gelecek yılların en büyük şairi olacaksınız.

Jacques Prévert çok hoşlandı bu sözlerden,

— Adın neydi senin? Omran değil mi?

— Hayır, Ümran.

— Önemi yok. Ben sana bundan sonra "sen" diyeceğim. Sevdiğim insanlara, adlarını bilmesem bile "sen" derim. Bütün sevgililere de "sen" derim, ilk kez görmüş olsam bile. Yadırgamıyorsun değil mi? Sen de bana istersen "sen" de.

— Biraz güç gelecek ama zamanla alışırım.

Marcel Duhamel,

— Hop, hop Jacques, diye haykırdı. Asılma bakalım kıza. Güzel bir kız gördün mü hiç dayanamazsın. O kız Jean Pierre'in sevgilisi.

— Daha değil, ama olacak umarım. Tabii siz kızı rahat bırakırsanız.

Jean Pierre Ümran'a,

— Bak, görüyor musun, dedi, ne sulu arkadaşlarım var. Bunlar hep böyledir işte. Birimizin bir sevgilisi oldu mu çatlarlar, kıskanırlar, kızı almak için ellerinden geleni yaparlar.

Jacques Prévert,

— Sen bize boş ver, dedi, bizimkisi gerçekten sululuk. Omran alışık değildir bizim gibi Paris serserilerini görmeye. Ama nasıl olsa bir gün Paris'e gelir, bizlere alışır. Hele bir şu işgal belâsından kurtulalım. Savaş güya bitti ama bizi hâlâ buralarda süründürüyorlar. Çünkü bu herifler savaşsız duramazlar.

Savaş olmazsa silâh endüstrisi neyle beslenecek? Bütün politika ona göre kurulmuş. İnsanlar ölmüş, umurlarında mı?

Duhamel,

— Ama Fransızlar savaş istemiyorlar ki, diyecek oldu.

Ümran hayretle sordu:

— Ne demek savaş istemiyorlar? Fransa'da çoğunluğun Osmanlı İmparatorluğu'nun mirası peşinde olduğu ayan beyan meydanda.

— Aldanıyorsunuz, durum hiç de öyle değil. Ben size bunu kanıtlayabilirim.

— Neyi kanıtlayabilirsiniz? Askerleriniz Maraş'ta, Antep'te,

Urfa'da ve Adana'da yüzlerce kişiyi öldürdü. Halka işkence ettiniz. Kadınları, çocukları kestiniz. Bunları hiç unutmadık. Fransızlarla birlikte Cezayirli ve Senegalli askerler ve silâhlandırdığınız Ermeniler de bu kıyıma katıldılar. Annesine saldıran Fransızlara karşı koyan on iki yaşında bir çocuğu süngülediniz. Kolay mı bunları ve General Querette'in yaptığı zulümleri unutmak? Ama ne oldu? Halktan öyle bir tepki gördünüz ki, dayanamadınız. Daha doğru dürüst bir ordu kuramamıştık, bereket milliyetçi çeteler direnişe geçti ve sizleri bozguna uğrattılar. Hem tam bir yenilgiye uğradınız hem de bütün insanlar sizi lânetledi.

Jean Pierre,

— Bunları duyduk, dedi. Bütün Fransa halkı da bu olayları duydu ve yöneticilere baş kaldırmasını bildi. Hükümet bu saldırıyı niçin düzenledi biliyor musunuz? İş çevrelerinin çıkarları için. Kilikya'yı yani Adana ve çevresini Suriye'nin bir parçası sayıyorlar ve bu bölgeyi sömürge yapmak istiyorlardı. Kilikya Fransa'nın pamuk ihtiyacını büyük ölçüde karşılayacaktı. Onlara göre Kilikya bir zamanlar Roma İmparatorluğu'nun zahire ambarıydı. 1913'te Kilikya'da 100 bin ton zahire üretilmişti. O topraklardan savaştan önce 120 bin ton pamuk ihraç edilmişti. Almanlar da oralarda 1 milyon balya pamuk yetiştirmek için sulama planları hazırlamışlardı. Bu pamuk Fransa'nın pamuk tüketiminin yarısını karşılayacak çaptaydı.

Kilikya pirinç, tütün, ipek ve kereste üretimi bakımından da bizim iş adamlarına çok çekici geliyordu. Akılları kalmıştı o topraklarda.

İngiliz İşgal Komutanlığı bizim General Hamelin'e, "Türkleri kovalayıp Kilikya'yı işgal edin," emrini verince Suriye ve Ermenistan Yüksek Komiseri Georges Picot, General Hamelin ve Albay Brémond derhal kolları sıvayıp işgal işine giriştiler. Kilikya Kuvvetleri Başkomutanı General Gouraud oralarda bir Ermeni politikası izlemeye başladı.

Ümran Jean Pierre'in sözünü keserek şöyle dedi:

— Bu konuda size bir sorum daha olacak. Fransızlar Güney

Anadolu'da Légion d'Orient (Lejyon Doryan) adında, Ermeni gönüllülerinden oluşan bir birlik kurmadılar mı?

— Evet doğru. Bizimkiler Güneydoğu Anadolu'daki Ermeni gönüllülerinden bir birlik oluşturdular. Fransa'da yabancılardan kurulan bu tür birliklerin çok eski bir tarihi vardır. Bu iş on dördüncü Louis zamanında, yani on yedinci yüzyılda başlatıldı. O yıllarda İsviçrelilerden, Almanlardan, Cenevizlilerden oluşan gönüllü askerler örgütü kuruldu. Bunlara Yabancılar Lejyonu dendi. Bu lejyonlara girenlere kimlikleri sorulmuyordu. Katiller, cezaevi ve sürgün kaçakları, her türlü hırsız, soyguncu ve kopuk, başı sıkışınca lejyona yazılıyordu. Fransa bu askerleri sömürgelerde kullandı. Büyük Dünya Savaşı sırasında bu birliklerde görev alanların sayısı 45 bini aştı. Bizimkiler iki yıl önce Anadolu'da da böyle bir Ermeni birliği oluşturdular. Buna Doğu Lejyonu (Legion d'Orient) adı verildi. Ama bu girişim Fransa'da büyük tepkiler yarattı. Doğu Lejyonu askerleri Fransız üniforması giydikleri için halk bunları Fransız sanıyordu. Bunların içinde Türklerden öç almak isteyen sayısız insan vardı. Bu lejyon askerleri halka karşı çok acımasız davranıyor, her türlü yolsuzluğu ve işkenceyi yapıyorlardı. Kürtlerle de sorunlar yaratıldı. Böylece Fransa'nın itibarı çok sarsılmış oldu. Biz, Fransız solcuları olarak bunu hiç onaylamadık.

Sonra ne oldu? Halk öyle bir direniş gösterdi ki, Fransız askerleri Napolyon'un Rusya'dan çekilişi gibi perişan oldular.

Fransız Sosyalist Partisi sözcüsü Marcel Cachin Meclis'te yaptığı bir konuşmada şöyle demişti: "Hükümet Meclis'ten izin almadan tam bir sefere girişti. Orada 40 binden çok askerimiz var. General Gouraud bunu yetersiz buluyor. Bunlar her gün canlarını tehlikeye atıyorlar. Çok adam kaybediyoruz. Bize olan güveni yitirdik. Karşımızda ne görüyoruz? Önemli bir Türk ordusu. Bu ordunun karargâhı Sivas'tadır. 200 bin kişilik bir ordu var karşımızda. Durum endişe verici. Halkın ezici çoğunluğu bu maceraya karşıdır."

Görüyor musunuz neler söylendiğini? Ya Claude Farrère ne

dedi, biliyor musunuz? "Fransa Adanalıların kendisini çağırdığını hiç sanmasın. Kilikya ırk olarak ve kalp bağlarıyla Türk'tür ve Türk kalmak ister. Biz 1871'in Prusyalılarını taklit etmeyelim."

Humanité gazetesinde Paul Louis, "Ne bir adam gönderelim, ne de bir kuruş para verelim," diye yazdı.

Aşırı sağcı *Action Française* gazetesi bile şöyle dedi: "Küçük Asya'nın göbeğinde bir Fransız garnizonunun işi neydi? Halk askerlerimize yüklenen angaryalardan habersizdir. Fransa başkalarının çıkarına jandarma rolü oynamamalı. Mustafa Kemal'in ordusuyla kapışmamıza hiç neden yok."

Le Temps gazetesi geçenlerde General Pellé'nin İstanbul'a temsilci olarak gönderilmesine değinerek bu çapta bir adamın oraya atanmasının Türklerle barış yapmaya ve Fransa'nın itibarını ve haklarını eski durumuna getirmeye yönelik olacağını yazmıştı.

Le Temps gazetesi şöyle diyordu: Doğuda niçin adam kaybediyoruz? Türkleri komşu edinecek ve Arapları korumamız altına alacak yerde onları kendimize düşman ediyoruz. Kilikya'yı neden işgal ediyoruz? Kilikya'da kendilerini ölüme atan Fransız askerleri Türklerle barış olur olmaz terk edecekleri toprakları savunmak için ölüyorlar. Türklerle neden hâlâ barış yapılmıyor? Çünkü Türklerle barış yapmak demek Yunanlıları İzmir'de ve Doğu Trakya'da tutmaktan vazgeçmek demektir. Biz bunu yapmıyoruz. Dolayısıyla Türkleri Rus Bolşeviklerinin etkisi altına sokuyoruz.

Fransa'nın kanı ve parası daha ne kadar zaman Konstantin için akacak?

Marcel Duhamel,

— *Le Temps* çok haklı, dedi. Geçenlerde de Jacques Kayser'in bir yazısını okudum. O da Fransız askerlerinin neden hâlâ savaştıklarını bilmediklerini yazıyor, bir de Türklerin dağıttığı bir bildiriden söz ediyordu. Şunlar yazılıymış o bildiride:

"Fransa askerleri,

Cumhuriyetin savaşçıları,

Adaleti savunan insanlar,

Versailles Antlaşması'yla bile size verilmeyen Türk Kilikya'nın ele geçirilmesi için neden hâlâ kan döküyorsunuz? Bunu komutanlarınıza sorsanıza.

Sizinle dost ve özgür yaşamaktan başka bir şey istemeyen Türk halkını parçalamak isteyerek savaş alanlarında ölen arkadaşlarınızın anısına leke sürmüş olacaksınız."

Jean Pierre,

— Jacques Kayser başka bir yazısında İstanbul'dan büyük bir sempatiyle söz ederken şöyle diyordu: "Pera bitmeyen bir kargaşa. Gündüz ve gece çığlıklar, yoğun bir gürültü, randevuevleri. Pera ve Galata İngiliz birliklerince işgal edilmiş durumda. Sarhoş İngiliz denizcileri ve askerler sıkıyönetim sayesinde buraya egemen olmuş. İstanbul ise Fransızların işgalinde. Fransızlar burada canayakınlık görüyorlar ve Türklerle kardeşçe geçiniyorlar." Ne güzel söylemiş değil mi?

— Öyle, çok doğru. Biz İstanbul'u da çok seviyoruz, Türkleri de.

Jean Pierre konuşmasını şöyle sürdürdü:

— Biz, Fransız Sosyalistleri ve Komünistleri, Mustafa Kemal Paşa'yı tutuyoruz. Çünkü Kemal Paşa, emperyalizme karşı çetin bir savaş veriyor. Emperyalizmin yenilgisini her yerde alkışlayacağız. Gönlümüz Milli Mücadele'den yana!

O gün Union Française toplantısı böyle sıcak bir hava içinde geçti. Akşam saat 5'e gelince Perihan,

— Artık kalkmamız gerekiyor, dedi. Bizim yolumuz uzun. Çamlıca'ya tırmanacağız. Hem de köşktekiler bizi merak ederler.

Jean Pierre,

— Sizi biz götüreceğiz, dedi. Bir vapur gezintisi yapmış oluruz. Üsküdar'dan da bir arabayla sizi köşke bırakırız.

Kızlar buna karşı gelmediler. Hep birlikte Üsküdar'a gidildi. Ama iki genç kızı Fransız askerleriyle görenler merakla onları izlediler. Nereye gittiklerini keşfedebilmek için iki delikanlı bir araba tutarak onların peşinden gitti. Ve bir söylentidir yayıldı: "Hulusi Bey'in kızları yabancı askerlerle düşüp kalkıyorlar. Gözlerimizle gördük."

Perihan'la Nedim Ağabey

Nedim Bey ertesi gün işlerini erken bitirip Çamlıca'ya uzandı. Hulusi Bey o saatte eve dönmüş olamazdı, Nedim Bey böylece bir süre kızlarla konuşabilirdi. Anlatacağı o kadar çok şey vardı ki. Perihan köşkte yalnızdı. Buna Nedim Bey'in sevinmediğini söylemek doğru olamazdı.

Nedim Bey, İstanbul'daki direniş hareketi ile ilgili yeni gelişmeleri bütün ayrıntılarıyla Perihan'a anlattı. Bunları dinlerken genç kızın heyecandan gözleri doluyordu. Nedim Bey'in konuşması bitince Perihan,

— Peki Nedim Ağabey, dedi. Ben ne zaman bu işlerin içinde olacağım? Bana ne tür bir görev vereceksiniz?

— Biraz daha sabret Perihancığım, sırası gelince söyleyeceğim.

— Peki, benim de yabancı subaylarla yakınlık kurmamı isteyecek misiniz?

— Hayır Perihan, bu söz konusu bile olamaz.

— Niye Nedim Ağabey? Kardeşlerimden ne farkım var? Yoksa bana güvenmiyor musunuz?

— Sorun o değil Perihan. Senden çok hoşlanan bir Türk subayı var. Seni başka erkeklerin yanında görürse kıskançlıktan çıldıracak biri.

— Kim bu subay, niye kimliğini gizli tutuyor?

— Senden aynı ilgiyi duyamayacağından korkuyor.

— Ama böyle bir yere varamaz ki, kendini bana tanıtmazsa, duygularını açığa vurmazsa, benden hoşlandığını söylemezse...

— Senden çok hoşlanıyorum Perihan!

Perihan heyecanla Nedim Bey'i kucakladı.

— Niye bana şimdiye kadar bunları hiç söylemediniz? Size delice âşık olduğumu hiç fark etmediniz mi? Kaç yıldır sizden bu sözleri ve şu anı bekliyordum Nedim Ağabey.

— Ama Perihancığım, aramızdaki bu yaş farkı seni korkutmuyor mu? Ben senin baban yaşında bir adamım.

— Ne çıkar? Seninle anlaşıyor olmamız önemli değil mi? Bazen aynı yaştaki insanlar bile birbirlerini anlamıyorlar. Mesele düşünce ve duyguların uyuşması. Bizi yaşlarımız hiç uzaklaştırmadı, ama duygularımız birbirimize yaklaştırdı. Ben seni hep sevdim, kollarında olmak istedim. Ama hep senin Neriman'ı ya da Ümran'ı daha çok beğenmenden korktum.

— Sevgili yavrum, yıllar boyu ikimiz de hep aynı duyguları yaşadık.

— Ne mutlu bana. Hayatımın en tatlı gününü yaşıyorum.

Perihan Nedim'in boynuna sarıldı. Gözlerini yumdu. Dudak dudağa geldiler. Heyecandan tir tir titriyordu. Yüzü kıpkırmızı olmuştu. Gözlerinden yaş dökülüyordu. Nedim de onu sımsıkı kucakladı. Perihan'ın ayakları yerden kesildi sanki. Sonra boynunu okşadı, sonra yanaklarını. Eli Perihan'ın beline uzandı, sonra bluzunun altından sırtına değdi. Sonra kalçalarına. Kızın tüylerinin ürperdiğini hissediyordu.

— Nedimciğim, yaşamımın sensiz geçen günlerine yanıyorum. Bazen de seni düşünmekten, seni düşlemekten yorgun düşüyorum. Sende olan özellikleri düşündükçe deli oluyorum. Asker olmana karşın ne kadar duygusal, kibar, ince bir adamsın. Kadın ruhundan ne iyi anlıyorsun. Beni kendine köle ettin. Nasıl sana hayran olmam? Seni nasıl sevmem? Seninle çok şeyler yaşamak ve her şeyi seninle paylaşmak istiyorum. Ben içimde hep umut ışığı taşıyorum ve bu umut hiç sönmesin istiyorum. Bazı geceler seni düşünürken gözlerim yaşarıyor. Ben hiçbir zaman bir macera arayışı içinde olmadım. Sen karşıma çıkınca ve gözlerimin içine dolu dolu bakınca her şey değişti. Pırıl pırıl bir ışık tuttun kafama ve kalbimin derinliklerine.

İster inan, ister inanma, ben yaşamım boyunca artık senden başka bir kimseyi sevmeyeceğim. Yalnız sen olacaksın bu Çamlıcalı kızın dünyasında. Ne istersen onu yapacağım. Bir gölge gibi peşinden gideceğim. Sevgin ve bana yaşatacağın güzellikler beni yüceltecek. En olumsuz koşullarda bile ne güzel bir aşk yaşıyoruz seninle. Bundan daha coşkulu bir ilişki olamaz. Bu ilişkiye sonsuza kadar sahip çıkacağım. Sen eşi bulunmaz bir adamsın Nedim.

Birbirlerine sımsıkı sarıldılar.

— Perihancığım benim, benim tatlı çiçeğim.

— Nedimciğim, sevgilim. N'olur birbirimizi hiç bırakmaya-lım. Hiç, ama hiç. Bizi ölüm bile birbirimizden ayırmasın. Bü-tün acıları, bütün mutlulukları, bütün zevkleri birlikte yaşayalım. Bana dünyayı öğret, sevmeyi, sevişmeyi, kadın olmayı... Her şeyi senden öğreneceğim. Beni sen yetiştir. Tek kadının olayım. Tek aşkın. Tek dostun. Her şeye beraber başlayalım, her şeyi birlikte bitirelim. Ne kadar mutluyum Nedim, sana kavuştum, yıllardan beri sevdiğim adama. Bil ki bundan sonra yalnız senin için yaşa-yacağım. Sensiz geçen günlerime yanıyorum.

— Bütün sorunların dışında kalarak yalnız seninle yaşamak isterim. Ama mümkün mü? Ne güç şey ikimiz için bir dünya ya-ratmak. Anlamadığım bir şey var, ben yaşım gereği çok duygusal bir insanım. Ama ya sen, nasıl benimle aynı duyguları paylaşa-biliyorsun? Senin çevren lüks bir düzeye, Avrupa gezilerine, şık giysilere, eğlenceye, oyuna ağırlık veren yüzeysel ve züppe kızlar-dan oluşmuyor mu? Annenin kuşağındaki kızlar köşklü, konaklı paşazâdelere, saraylara, yalılara meraklıydı. Birçoğunuz bir İngi-lizle, bir Fransızla ya da bir İtalyanla ilişki kurmaya can atıyorsu-nuz? Sen nasıl beni sevdin?

— Biz seninle doruğa eriştik Nedim. Hep orada kalacağız.

— Hep aynı yerde kalamayız sevgilim, yeni doruklara uzana-cağız. Annen hayatında senin duyduğun heyecanın onda birini yaşadı mı acaba?

— Hiç sanmıyorum. Onlar yaşam zevkini pek tatmadılar. Duy-guları ve galiba cinsellikleri de hep çok alt düzeylerde kaldı. Saç-ma sapan şeylerle yetindiler. Annemin bütün arkadaşları hep aynı zevksizlik içindeler... Ama bırakalım şimdi bunları, öp beni sev-gilim...

— Sana hiç doyamayacağım Perihan.

129

ÇÜG 9

VII

Amerikan Mandası

Mütareke yıllarının başlarında en çok tartışılan konulardan biri Amerikan mandasıydı. Bu, çok özenilen bir sömürge düzeniydi. Neydi bu manda *(mandat)* denen kavram? Bu sözcük Fransızca'da bir kişinin ya da bir topluluğun bir kişiye ya da bir kurula yetki vermesi anlamına geliyordu. Devletler hukukunda manda bir devletin başka bir devlete kendini yönetmesi için yetki vermesi demekti. Bu da sömürgeciliğin yeni bir çeşidiydi. O yıllarda IMF olmadığı için yönetim yetkisi yabancı bir devlete veriliyordu.

Manda sözü devletlerarası düzeyde Birinci Dünya Savaşı'ndan sonra kullanılmaya başlandı. Amaç Almanya'nın ve Osmanlı devletinin yitirdiği ülkelerin Milletler Cemiyeti'nin denetimine verilmesiydi. Milletler Cemiyeti de bu işi doğrudan yapamayacağı için başka bir devlete yönetim yetkisi verecekti. Bu yönteme uyularak Suriye'nin ve Lübnan'ın yönetimi Fransızlara bırakıldı, Togo'nun, Kamerun'un, Güney Batı Afrika (Namibia)'nın ve Irak'ın yönetimi de İngilizlere. Bu ülkelerde yerel yönetimler oluşturuldu ama gerçekte bütün yetkiler İngilizlerin ve Fransızların elindeydi.

Bizdeki İngiltere ve Amerika hayranları mal bulmuş Magribi gibi bu tasarıya dört elle sarıldılar. Amerika daha bu manda rejimine adaylığını koymadan bizimkiler, "Aman," dediler, "bu fırsatı kaçırmayalım, Amerika'yı davet edelim, gelsin bizi yönetsin. Biz kendimizi yönetemeyiz." İstanbul'daki kukla hükümetin hiçbir yetkisi olmayacak, bütün maliye, parasal işler, gümrükler, dış ticaret, ekonomi ve savunma alanlarındaki tüm yetkiler Amerika'ya bırakılacaktı.

Denenmiş model yokluğunda kendilerine göre bir de model buldular: Filipinler. "İşte," dediler, "Amerika Filipinler'de böyle bir rejim uyguladı, ülkeyi kalkındırdı ve bağımsızlığa kavuşturdu. Amerika bizi de kurtarsın, kalkındırsın ve özgürlüğe kavuştursun!..."

Nedim Bey'in kafasını son günlerde bu manda sorunu kurcalıyordu. Bir hafta sonra Çamlıca'daki köşke gittiğinde bütün ev halkını bir arada buldu. Hulusi Bey karısının bu yakın akrabasından hiç hoşlanmadığı halde yine de kendisini yapay bir konukseverlikle karşıladı. Kızlar, Handan Hanım, Hulusi Bey ve köşkte kalan uzak akrabası Şehbender Hayri Bey hep birlikte oturmuşlar, sohbet ediyorlardı. Bir süre sonra söz İstanbul'un durumundan açıldı. Gazete yazıları gündeme geldi. Derken Şehbender Bey ortaya manda sorununu attı. Şehbender Hayri Bey manda konusunu yakından izlemiş olduğu için kendisine çok güvenen bir hava içinde söze şöyle başladı:

— Efendim, manda sorunu çok nazik bir konudur. Son aylarda bilen bilmeyen bu konuda bir şeyler söylemeye kalkıyor. Bendeniz deli oluyorum. Bu işi bilmeyenler memlekete ne büyük zararlar verdiklerinin hiç farkında değiller. Çok dikkatli olmamız gerekir. Vatanın selâmeti bakımından her türlü bölücülüğü önlemek zorundayız. Değil mi efendim?

Hulusi Bey,

— Evet beyefendi, dedi, bendeniz de o kanıdayım.

— Müsaade ederseniz, görüşlerimi arzedeyim.

— Estağfurullah, çok yararlanırız.

— Efendim, malûmu âliniz (bildiğiniz gibi) yedi yüz yıllık Devleti Aliyye (Osmanlı devleti) İttihatçıların beceriksizliği yüzünden inkiraz etti (çöktü). Şimdi acaba biz neyi kurtarabiliriz?

Bence elimizde kalan ya da kalması gereken toprakları kurtarmak için en iyi yol Amerika ile anlaşmaktır. Bakın geçen Aralık ayında Başkan Wilson ne demişti: "Türkiye'den ayrılan yerler Milletler Cemiyeti'nin malı olmalıdır." Peki, Milletler Cemiyeti bu toprakları nasıl yönetecektir? Benim aklıma daha o zamanlar

Amerika'nın yönetimi gelmişti. Ama ağzımı açıp kimseye bir şey söylemedim.

Amerika Cumhurbaşkanının o demecinden bir ay sonra da Lloyd George Milletler Cemiyeti'ne manda sistemini getirdi ve Türkiye'de bir manda rejiminin kurulmasını önerdi. Başkan Wilson ise bu öneriye pek sıcak bakmadı.

Ama bir süre sonra İngiltere, Fransa, Amerika ve İtalya temsilcilerinden oluşan Yüksek Konsey Ermenistan, Suriye, Mezopotamya (Irak), Filistin ve Arabistan'ın Türkiye'den ayrılmasını ve buralarda manda yönetimlerinin kurulmasını tartışmaya başladı.

— Milletler Cemiyeti zaten büyük devletlerin yönetiminde değil mi? Orada İngiltere'nin, Amerika'nın ve Fransa'nın egemenliği var.

— Efendim, duydunuz mu, bilmiyorum. Haziran başlarında buraya yedi kişilik bir Amerikan delegasyonu gelmişti. Türkiye için tek çıkar yol olarak Amerikan mandasını öneren dernek ve partilerin temsilcileriyle görüştüler. Hepsi Amerikalılara "Aman gelin, bizi kurtarın" diye yalvarmışlar. Belediye Başkanı Operatör Cemil (Topuzlu) Paşa da, "İngiltere'nin ya da Amerika'nın mandasına muhtacız. Bağımsız kalırsak mahvoluruz," demiş.

Neriman söze karışarak,

— Bizim Amerikan Koleji'nin müdürü Miss Mary Miles de King-Grane Komisyonu denen Amerika delegasyonundaki temsilcilerle görüşmüş ve onlara, "Türkiye'nin Amerikan mandasını kabul etmesi için on dört nedeni vardır," demiş. Elbette öyle diyecek. Biz çok bozulduk.

Amerika'nın Ortadoğu Yardım Komitesi Başkanı Mr. Arnold da şöyle demiş: "Türkiye parçalanmadan önce 100 bin Amerikan askerinin denetimine alınmalıdır!" Bunlar şimdiden bizim postumuzu paylaşmaya kalkıyorlar.

Şehbender Hayri Bey,

— Gerçekçi olmamız gerekmez mi? dedi. Aklı başında herkes mandadan yana. İsmail Hami (Danişment) Beyefendinin geçenlerde *Memleket* gazetesinde çıkan yazısı bilmem gözünüze ilişti mi? O da, "Bütün Türklerin tek bir manda altında toplanması gerekir. Amerikan mandası ötekilere göre daha iyidir," diye yazdı.

Ama bunların yanı sıra gazetelerde saçma sapan ne yazılar çıkıyor, görüyorsunuz değil mi? *Karagöz* gazetesi 6 Ağustos (1919) tarihli sayısında, "Manda meselesi çocuklara bol süt içirmek için Sağlık Genel Müdürlüğü tarafından çıkartılmış olmalı!" diye yazdı. Aynı gazetede Hacivat da şöyle diyordu: "Biz yerli mandalarımızdan ne zarar gördük ki yabancı manda arıyoruz? Mandamızı açık artırmaya koyalım, kim fazla verirse onun üzerinde kalsın!" Görüyor musunuz ulusal davamızı bunlar nasıl sulandırıyorlar? Bu adamlara artık hadlerini bildirmek gerekir. Bence bunların hepsi bolşevik ajanı!

Hulusi Bey,

— Efendim ben Refi Cevat (Ulunay) Bey'e bayılırım, dedi. Aklı başında bir arkadaşımızdır. Bakın geçen gün ne yazdı: "Bir millet güvendiği bütün kişileri iktidara getirdiği halde yararlanamazsa, bir memlekette kuvvet ve para olmazsa ne yapar? Başka bir çare varsa, ayıp değil ya, öğrenmek istiyoruz. Bunlar lâf-ı güzaftır (boş sözlerdir). Bu devlet yaşamak için İngiltere'nin vesayetini (vasiliğini) kabul etmelidir." Görüyor musunuz efendim, memleketini seven insanlar nasıl düşünüyorlar. Parçalanmaktansa tek bir büyük devletin mandasına girmemiz lazım. Bunun aksini söyleyenlerden hayır gelmez. Batarız efendim, batarız!

— Hatırlar mısınız, Hulusi Beyefendi, Şubat ortalarında Kral Faysal da Paris'e gitmiş ve Amerikan mandasını istemişti. Bütün dünya Amerikan mandasını istiyor:

Geçen Nisan ayının son günlerindeydi, Amerika'nın İstanbul temsilcisi Paris Konferansı'na bir rapor sundu. Bu raporda Türkiye topraklarının Milletler Cemiyeti denetimi altında 25 yıl Amerika tarafından yönetilmesi öngörülüyordu.

Raporda şu ayrıntılar da vardı: Kapitülasyonların kaldırılması, din özgürlüğünün sağlanması, askeri tabya yapımının yasaklanması ve ancak kamu düzenini sağlayacak kadar asker toplanabilmesi.

Nedim Bey o arada söze karışarak şöyle dedi:

— Kapitülasyonların kaldırılmasına hiç İngiltere ve Fransa razı olur mu sanıyorsunuz? Din özgürlüğüne gelince, sanki hiç yok mu ülkemizde? Her çeşit kilise, havra var. Din okulları da açıyorlar. Daha ne yapacaklar? Askeri tesislerin kurulmasını elbette ki istemezler. O sizin söylediğiniz kamu düzeni için toplanacak askerlere jandarma denir, ordu değil. Kusura bakmayın sözünüzü kesmek istemezdim. Ama izin verirseniz şunu da belirteyim. Duyduğuma göre Amerikan yardım grupları Anadolu'da ticareti ele geçirmek için şimdiden çalışmalara başlamışlardı. İngiliz gruplar da aynı alanda çalışmalarını sürdürüyorlardı. Bu, onların gerçek niyetlerini ortaya çıkarmıyor mu?

— Ben size katılmıyorum Nedim Bey. Bence bu dönemde bir maceraya girmektense güçlü bir devletin kanatları altına sığınmakta fayda vardır. Evet efendim, ne diyordum? Mayıs ortalarında Paris Barış Konferansı'nda bizim durumumuz yine gündeme geldi.

— Zannedersem Mustafa Kemal Paşa'nın Samsun'a çıktığı günlerde.

— Doğru efendim, o günlerde olsa gerek. İtalyan temsilcisi bütün Anadolu'nun İtalyan mandasına verilmesini istedi. İzmir'in ve Ayvalık'ın da Yunanistan'a bırakılması öneriliyordu. Türkiye'nin nasıl paylaşılacağı konusunda bir türlü anlaşamadılar.

Hulusi Bey de şöyle dedi:

— Evet, Hayri Beyefendi, bir türlü anlaşamıyorlardı. Lloyd George İstanbul, Ermenistan ve Adana bölgesi için Amerikan mandası önermişti. Amerikan Cumhurbaşkanı Wilson ise buna yanaşmadı, "İstanbul'u Anadolu'dan ayıramayız," dedi. Fransızlar ise Adana ve çevresiyle yetinmiyorlar ve daha çok şeyler istiyorlardı. İstanbul'dan da olumlu sesler yükselmeye başladı. Hatırlar mısınız Süleyman Nazif Bey'in *Hâdisat* gazetesindeki yazısını? Ne diyordu büyük üstat? "İstanbul, Ermenistan ve Anadolu'nun yönetimini Amerika'ya bırakıyormuşuz? Bu iş gerçekleşirse sevineceğiz. Kendi kaderimizi seçemediğimiz anlaşıldı."

İyi de bir yandan bu görüşe karşı olanlar çıktı. Mesela Yusuf Razi Bey *Vakit* gazetesinde, "Himaye değil, istiklâl istiyoruz," diye haykırmaya başladı. Neymiş? Bir memleketin bağımsızlığı bir kızın iffeti (namusu) gibiymiş. Bir ucuna saldırı başladı mı öbür ucundan hayır gelmezmiş!

İstiklâl gazetesinde yazan Reşat Hikmet Bey'e göre de bir devletin yardımıyla kendimizi toparlamaktansa mahvolmak daha iyiymiş. Bizi kendi halimize bırakırlarsa her şeyi kendimiz yapabilirmişiz. Ne buyrulur?

İleri gazetesi de, "Biz himaye istemiyoruz," diye kıyameti kopartıyor bir yandan.

— Ne kadar yazık! Ne anlayışsız insanlar. Bunlar devleti uçurumlara sürüklemek istiyorlar.

Hulusi Bey yeniden Hayri Bey'in sözünü keserek şöyle dedi:

— Efendim, biliyorsunuz, İzmir'in işgali üzerine, 26 Mayıs 1919'da Saltanat Şurası toplanmıştı. Bütün bakanlar, devlet ileri gelenleri, din adamları, profesörler... 150 kişi katıldı bu toplantıya. Bendeniz de vardım. Padişah Efendimiz kısa bir konuşmayla toplantıyı açtıktan sonra başkanlığı Damat Ferit Paşa Hazretlerine bıraktı. Toplantıdan ayrılırken Padişah Efendimiz İzmir'in işgali dolayısıyla Ferit Paşa'ya ne dedi biliyor musunuz? Kendi kulaklarımla duydum, şöyle dedi: "Karılar gibi ağlıyorum!..." Konuşanların kimi İngiliz mandasını savundu, kimi de Amerikan mandasını. Oysa İngiliz mandası bence daha hayırlı olurdu. Amerikan mandasını savunanlar da pek azınlıkta değildir.

— Evet efendim, Rauf Ahmet Bey'in geçen Haziran'daki önerisini hatırlıyor musunuz? Hani *İstiklâl* gazetesinde şöyle yazmıştı. "Milletler Cemiyeti'nin kefilliği altında geçici bir Amerikan mandası kurulmalıdır." Ahmet Rauf Bey'in Amerikan mandasını seçmesinin nedeni de iki yıl Amerika'yı yakından görmüş olmasıymış. Ancak Amerikan mandası olmazsa İngiltere ya da başka bir devletin mandasını istemeliymişiz. Görüyor musunuz, bunlar hep Amerikancı. Oysa öncelik İngiltere'ye verilmeliydi. Değil mi efendim?

Şu da var, Celal Nuri (İleri) Bey geçen gün bir yazısında şöyle diyordu: "Bizi başıboş bıraksalar bile biz yine Fransız, İtalyan, Amerikan ve İngilizlerin siyasal yardımını istemeliyiz. Yalnız birinin mandası altında olamayız. Hiçbirinden vazgeçemeyiz. Neden inhisar (tekel) altında olalım?"

Ahmet Emin (Yalman) Bey de *Vakit*'te bağımsızlık isteyenlerin macera peşinde koştuklarını yazmadı mı? Amerikan mandacılığını savunmadı mı?

Görüyor musunuz, bütün aklı başında insanlar manda rejiminden yana. Başka çıkar yol var mı?

— Şunu da arz etmek isterim. İngiliz, Fransız Yüksek Komiserlerinin temsilcileri geçen gün Veliaht Abdülmecit Efendiyi ziyaret etmişler ve, "Aman Efendi Hazretleri," demişler, "neden Damat Ferit Paşa'ya karşı çıkıyorsunuz?" O da, "Damat Ferit Paşa'nın başarısızlığını görmüyor musunuz," demiş. "Ben ona da karşıyım, Kuvayı Milliye'ye de. Anadolu'da hareket haince, delice ve gaddarcadır. Türkiye Amerikan mandasına bırakılmalıdır. Ama ben politikadan uzağım. Çamlıca'daki köşküme çekildim. Sanat ve edebiyatla uğraşıyorum."

— Doğru efendim, komşumuzdur, ama köşkünden hiç dışarı çıkmıyor. Hiç rastlamıyorum kendisine. Beyefendi, ya Darülfünun (üniversite) gençlerinin çılgınlıklarına ne buyrulur? Onlar da geçen Haziran'ın başlarında bir bildiri yayınlayarak manda ve vesayet gibi yönetim biçimlerinin tümüne karşı çıkmadılar mı? Bakın de ne dediler: "Türk gençliği vatanın toprak bütünlüğüne ve bağımsızlığa aykırı bir barış antlaşmasına itaat etmemeye kesinlikle karar vermiştir!"

— Doğru efendim. Bereket Lütfi Simavi Bey gibi aklı başında insanlar var da onlar ileriyi görüyorlar. Otuz yıl dışişlerinde birlikte çalıştığımız Lütfi Simavi Bey dış dünyayı çok iyi tanır, çok üstün bir politikacıdır. Uzun yıllar da Saray'da Başmabeynci olarak bulundu. Böyle seçkin kişilerin sözlerine ben çok güvenirim.

Lütfi Bey *İstiklâl* gazetesinde şöyle dedi: "Biz kendimizi yönetmekten aciziz. Büyük bir devletin yardımına ihtiyacımız var. Ancak o bizi çöküşten kurtarır. Kendi kendimize kalsak her kafadan bir ses çıkar. Son pişmanlık fayda etmez!"

Nedim Bey gürledi:

— Aferin valla şu Lütfi Beyefendiye. Bakın ne güzel söylemiş, "Biz kendimizi yönetmekten aciziz," diye. Doğru yönetemedik bu ülkeyi. Şimdi başkaları gelip yönetecek. Ama "başkaları" dediğiniz kimseden ne Amerika'dan gelecek, ne İngiltere'den. Anadolu'dan gelecek, beyefendiler.

Ortalık buz gibi oldu. Hulusi Bey,

— Kuzum Nedim Bey, biz senin ne düşündüğünü biliriz. Düşüncelerini kendine sakla. Bırak da Hayri Bey konuşsun.

— Hayır, hayır izin verirseniz devam edeyim. Başkan Wilson Haziran sonunda ne dedi biliyor musunuz? "İstanbul'da güçlü bir devlet, sağlam bir düzen kurulmalı. Türkler de İstanbul'u terk etmeli," dedi. Buyrun bakalım. Arkasından da Lloyd George "Türkler Boğazlar'dan ve denizlerden uzaklaştırılmalıdır," dedi. Ya buna ne buyrulur?

Perihan da patladı:

— Ama Nedim Bey haklı değil mi baba? Elbette boyun eğmeyeceğiz.

— Sen sus bakayım kızım. Biz büyükler konuşurken lâfa karışma. Daha senin aklın ermez bu işlere.

— Bal gibi de erer baba, hepimiz direnişten yanayız.

— Bu saçmalıkları hep Nedim Bey dolduruyor kafanıza. Şimdi kesin de Hayri Amcanızı dinleyin.

Hayri Bey derin bir nefes aldı. Çünkü asıl anlatmak istediği konulara sıra gelmişti. Keyifli keyifli konuşmaya başladı.

— Bakın efendim, arz edeyim, benim eski Vali Bekir Sami Bey'le yakın dostluğum vardır, sık sık mektuplaşırız. 25 Temmuz'da Amasya'dan Erzurum Kongresi başkanlığına çektiği bir telgrafın kopyasını da gönderdi. Bunu size duyurmak isterim. Bakın ne diyor Bekir Sami Bey: "Tam bağımsızlık istemeye kalkışırsak ülkemiz parçalanır. Bu kesindir ve hiç kuşku götürmez. Bu durumda yurdumuzun bütünlüğünü sağlayacak bir devletin mandası altına girmek yeğdir. Belli bir süre için Amerikan mandası istemeyi ulusumuz için en yararlı bir çözüm yolu sayıyorum. Bu konuda Amerikan temsilcisi ile görüştüm. Birkaç kişinin değil, bütün ulusun sesini Amerika'ya duyurmak gerektiğini söyledi. Sivas'ta toplanacak kongremizin seçeceği bir kurulun Amerika'ya bir zırhlı ile ulaştırılmasını Amerikan temsilcisi üzerine almıştır. Eğitim, din, mezhep konularında Amerika'ya güvence vermeliyiz."

Görüyor musunuz beyler, Mustafa Kemal Paşa'nın yanında olan Bekir Sami Bey de Amerika mandası'ndan yana. Demek ki biz de bu görüşü benimseyerek manda rejimi üzerinde düşünce oluşturmalıyız.

— Peki Mustafa Kemal Paşa buna ne yanıt vermiş?

— Galiba şu çeşit sözler söylemiş: "Sivas Kongresi'nde Amerikan mandasından söz açılması pek sakıncalı olacaktır. Biz hükümet olarak gücümüzü yasama organımızdan, yani Meclisimizden alacaksak Amerika'ya güvence vermeye ve ondan destek almaya neden ihtiyacımız olsun?

"Eğitimde güvence ne demektir? Yurdun her yerinde Amerikan okullarının açılmasını mı istiyorlar? Amerikalılar daha şimdiden Sivas'ta 25 kadar okul açmışlardır. Bunların yalnız birinde 1500 Ermeni öğrenci olduğunu biliyoruz. Buna göre biz Türk ve Müslüman öğrenciler için ne yapacağız?

"Din ve mezhep özgürlüğünün sağlanmasını istiyorlarmış. Patrikhanelerin bu kadar ayrıcalıkları varken bunun anlamı nedir?

"Amerikan hükümeti böyle bir manda rejimini üzerine almakla kendine ne gibi yararlar ve çıkarlar sağlamış olacaktır? Ne amaç güdüyorlar? Bizi aydınlatmanızı istiyorum."

Hulusi Bey daha fazla dayanamayarak şöyle dedi:

— Görüyor musunuz efendim, Mustafa Kemal Paşa bu manda işini nasıl yokuşa sürüyor. Ben İngiliz yanlısıyım. Ama Amerikan mandasına da karşı değilim. Çağa uymak zorundayız, yabancı düşmanlığının artık yeri olamaz.

Halide Edip Hanım'ın da Mustafa Kemal Paşa'ya büyük bir ihtimalle kongre öncesi bu konuda bir mektup yazdığını öğrendik. Arkadaşlar bunu bana da ilettiler. İzin verirseniz bazı bölümlerini size okuyayım...

— A... Elbette, çok seviniriz.

— Buyrun dinleyin öyleyse:

"Saygıdeğer Efendim,

Yurdun siyasal durumu en sıkışık bir düzeye geldi. Fransa, İtalya ve İngiltere Amerika'ya Türkiye'de bir manda rejimi kurulmasını resmi olarak öneriyorlar. Ama gerçekte Amerika Senatosu'nun bunu kabul etmemesi için de ellerinden geleni yapıyorlar. Kendilerine düşecek payı yitirmek istemiyorlar.

Fransa zararını Türkiye'den çıkarmak istiyor. İtalya Dünya Savaşına Anadolu'dan pay çıkarmak için girdiğini söylüyor. İngiltere ise Türkiye'nin yenileşmesini, gerçek bir bağımsızlık kazanmasını istemiyor.

Biz İstanbul'da kendimiz için, bütün eski ve yeni Türkiye sınırlarını kapsamak üzere geçici bir Amerikan mandasını katlanılabilir bir durum olarak görüyoruz.

Bugün hükümet hırsızların, macera ve ün peşinde koşanların sınırsız isteklerini yerine getiriyor. Bize ulusun rahatını ve gelişmesini sağlayacak bir hükümet anlayışı gerek. Bizde para, uzmanlık ve güç de yok. Yabancılardan para almak siyasal tutsaklığı arttırıyor. Yeni bir yaşam düzeni yaratamıyoruz.

Amerika Filipinler gibi yabani bir ülkeyi bugün kendi kendini yönetebilen bir düzeye getirdi. Bu bizim de çok işimize geliyor. On beş yirmi yıl sıkıntı çektikten sonra yeni bir Türkiye'yi ancak Yeni Dünya'nın (yani Amerika'nın) yeteneği yaratabilir.

Başka ülkeleri ele geçirmeye alışkın olan Avrupa'nın

bin bir dalaveresine ve alçak politikasına karşı Amerika'yı kazanmalıyız.

Amerika'nın yönetim makinesi dinsiz ve milliyetsizdir. Amerika çeşitli soy ve mezhepteki adamları bağdaşık olarak bir arada tutmanın yollarını bilir.

Amerika Avrupa'da başına dert almak istemiyor. Onlar Avrupa'dan üstün bir ulus olduklarını kanıtlamak istiyorlar. Eğer mandayı kabul ederlerse, Türkiye'de bütün ulusları eşit koşullar altında birer yurt çocuğu sayacaklar.

Çok tehlikeli günler geçiriyoruz. Anadolu'da olup bitenleri dikkat ve sevgiyle izleyen bir Amerika var. İşte bütün bunlar karşısında davamıza dostluk göstermesi için, bu elverişli zamanları yitirmeden Amerika'ya başvurmak zorunda olduğumuzu sanıyorum. Vasıf Bey kardeşimiz de böyle düşünüyor. Size ayrıca yazacaktır.

Serüven ve savaş zamanı artık geçmiştir. Sınırlarımızda bunca çocuğu ölen zavallı yurdumuzun düşünce ve uygarlık alanında kaç şehidi var? Rauf Bey kardeşimizle sizin, temelleri bile çöken zavallı yurdumuz için, uzakları görerek birlikte düşünüp çalışmanızı bekliyoruz."

Nedim Bey bu mektubu dinlerken kızgınlığından deliye dönmüştü, ama belli etmemeye çalışıyordu. Sonunda soğukkanlı bir havada şöyle dedi:

— Beyefendiler, siz Halide Hanım'ın örnek olarak gösterdiği Filipinler'de bağımsızlığın nasıl elde edildiğini ve Amerikalıların bu ülkeyi nasıl ele geçirdiklerini biliyor musunuz? Halide Hanım biliyor mu acaba? Hiç sanmıyorum. İzin verirseniz anlatayım. Ben konuyu biraz inceledim. Durumu bilmemizde yarar var.

İspanyollar 350 yıl Filipinler'i kendi egemenlikleri altında tuttular ve sömürdüler. Binlerce adadan oluşan Filipinler tam bir İspanyol sömürgesiydi. Topraksız köylüler zaman zaman toprak sahiplerine ve İspanyollara baş kaldırıyorlardı. Sonunda Rizal adında bir lider çıktı ve 1892'de bir direniş örgütü kurdu. İspanyollar 1896'da Rizal'ı yakalayıp idam ettiler. Bu kez General Aguinaldo başa geçti ve İspanyollara kök söktürdü.

İşte o sıralarda İspanyol-Amerikan savaşı çıktı. Amerikalılar Filipinlileri özgürlüğe kavuşturmak için değil, bütün bu adaları kendi ellerine geçirmek için saldırdılar. Sonunda İspanyollar yenik düştüler ve Filipinler'den ayrıldılar; Cumhuriyet ilân edildi. Ama 1899'da Paris Antlaşması'yla Filipinler Amerika'nın yönetimine bırakıldı.

Bu kez de halk Amerikalılara karşı ayaklandı; yeni bir bağımsızlık savaşı başlatıldı.

Filipinler'deki Müslümanlar da direnişe katılıyorlardı. Özellikle Filipinler'in güneyindeki Sulu takımadalarında Müslüman halk Amerikalılara karşı büyük bir direniş gösteriyordu.

Şimdi bakın, dikkat buyurun, bu konuyla ilgili ilginç bir olaya değineceğim. O sıralarda oralardan bir Amerikalı gazeteci geçiyormuş. Bakmış ki Amerikalıların Sulu adalarında durumları kötü, aklına şöyle bir şeytanlık gelmiş: Osmanlı Padişahı bütün Müslümanların Halifesi değil mi? Amerika Cumhurbaşkanı Padişah'a bir mektup göndererek Müslümanların yola gelmeleri için Halife'nin yardımını istese yararlı olmaz mı? Neden olmasın?

Bu düşüncesini Washington'a iletmiş. Cumhurbaşkanı William McKinley'in de bu işe aklı yatmış. Hemen genel sekreterini çağırtarak Abdülhamit Han Hazretlerine bir mektup yazdırmış. Mektubu İstanbul'daki Büyükelçi'ye yollamışlar. Büyükelçi David Strauss mektubu aldığı gibi Yıldız Sarayı'na koşmuş ve huzura kabul edilmiş. Mektubu verirken de Cumhurbaşkanının Sultan'dan neler istediğini anlatmış.

— Sultan Hazretleri, demiş, sayın Başbakanımız sizin yardımınızı rica ediyorlar. Siz ki dünyada Tanrı'nın gölgesisiniz, bütün Müslümanların hakanısınız, sözünüzü Filipinler'deki müslümanlar da dinlerler. Lütfen irade buyurun, Sulu halkı direnişten vazgeçsin.

Abdülhamit Han Hazretleri o zamana kadar Filipinler'in hiç adını duymamışmış.

— Nerede bu ülke? diye sormuş.

Büyükelçi de anlatmış ve,

— Biz oraya uygarlık götürmek istiyoruz, demiş.

— Peki oranın Müslümanları nasıl Müslümandır? Sünni mi Şii mi?

Büyükelçi şaşmış kalmış. Abdülhamit Han da,

— Ya, demiş, onlar Şii iseler benim onlara sözüm geçmez. Beni dinlemezler. Ama Sünni iseler sorun yok. Ya ben bir ferman yazarım, ya da Şeyhülislam bir fetva yazar, Amerikalılara itaat etmelerini söyleriz. Akıllarını başlarına toplasınlar, hadlerini bilsinler, deriz.

Filipinler'deki Sulu adalarında yaşayan Müslümanların Sünni mi, Şii mi olduğunun araştırılması için Büyükelçi hemen Washington'a bir tel çekmiş, Hünkâr da Hicaz Valisi Ahmet Ratıp Paşa'ya bir not göndererek bu işin Mekke'ye gelecek olan Filipinli Müslümanlardan soruşturulmasını istemiş.

Bir süre sonra Ratıp Paşa'dan Saray'a bilgi iletilmiş. Sulu Müslümanlarının Sünni oldukları anlaşılmış.

Bunun üzerine Abdülhamit Han hemen Şeyhülislam Efendi'yi Yıldız'a çağırtarak,

— Derhal bir fetva çıkartalım, demiş.

— Başüstüne Hünkârım, derhal. Ne emrediyorsanız yapayım.

— Bu fetvayı Sulu Müslümanlarına göndereceğiz. Şöyle diyeceksiniz: Katolik olan İspanyollar İsa putuna taptıkları için müşriktirler (yani, kendilerini Tanrı'ya ortak sayarlar). Onlara yardım edilmez. Protestan olan Amerikalılar ise puta tapmazlar. Onların dini İslâmiyete daha yakındır. Müslüman Sulu halkının Amerikan asâkirine (askerlerine) karşı koymadan onlara yardım etmeleri caiz midir? Elcevap, caizdir."

Amerikan Büyükelçisi bu fetvayı kaptığı gibi İngilizce'ye çevirtip Başkan McKinley'e göndermiş. O da uçmuş sevinçten. Fetvayı hemen Washington'da çoğaltıp Filipinler'e yollamışlar ve bu fetva bütün isyancı Müslümanlara dağıtılmış. Onlar ne yapmışlar? Hiiiç, Halife hazretlerinin varlığından bile haberleri yokmuş. O yıllarda Filipinler'de kâğıt sıkıntısı olduğundan fetvanın yazılı olduğu kâğıtları mutfak ve tuvalet işlerinde kullanmışlar! Bilmem doğru, bilmem yalan.

Şehbender Hayri Bey Nedim Bey'in sözünü keserek,

— Çok ayıp etmişler, dedi. Hiç yakıştıramadım bunu Filipinli Müslümanlara. Hâşâ tövbe hâşâ. Nasıl müslümanmış onlar? Ama bu olayın önemli bir yanı var, o da bizim Amerikalılara yardım etmiş olmamız. Hünkâr Hazretleri bütün iyi niyetiyle isyancıları Amerikalılara boyun eğmeye çağırmış mı, çağırmamış mı?

— Efendim, çağırmış da ne olmuş? Müslümanlar çok mu takmışlar Hünkâr Hazretlerini?

— Önemli olan Hünkâr Hazretlerinin davranışı. Amerikalılar bize karşı borç altında kalmışlardır. Şimdi manda yönetimiyle bize bu borçlarını ödemek istemiyorlar mı?

— Elbette efendim, istiyorlardır. Ama, ben izin verirseniz konuşmamı bitireyim. Sonunda ne olmuş Filipinler'de? 1901'de Aguinaldo esir düşmüş. Bir milyona yakın Filipinli'yi öldürmüşler. Amerikalılar bütün adaları ele geçirmişler. Bir kukla yasama meclisi kurmuşlar. Ama o Meclis'in yetkileri ne olacak? Bütün ekonomi Amerikalıların elinde. Böyle bir sömürge düzeni kurulmuş. Buna manda rejimi dememişler ama manda rejimi budur işte. Kukla bir Meclis, kukla bir Başkan, kukla bir hükümet. Alın size Amerikan düzeni. Halide Hanım'a ve Ahmet Emin Bey'e göre Amerika Filipinlere uygarlık götürmüş ve halkı adam etmiş! Beyefendiler, bunların yakın tarihten hiç haberleri yok. Bir de Mustafa Kemal Paşa'ya akıl vermeye kalkıyorlar. Amerika ancak kendi çıkarlarına uygun görürse gelir manda rejimini kurar ve ülkeyi sömürür, yoksa Türkiye'nin uygarlık düzeyini yükselteceğim diye buraya gelmez. Bunu aklınızdan çıkartın Beyefendiler. Kendi çıkarlarının da İngiltere'ye ve Fransa'ya ters düşmemesine özen gösterir, durup dururken uluslararası dengeyi bozmak istemez. Boş yere hayal kurmayalım.

Manda önerisi zaten bize Amerika'dan gelmedi ki. Bunu galiba biz yarattık. Milletler Cemiyeti bu konuyu ortaya atınca, "Aman, manda yönetimi bizde kurulsun," dedik. Beyler bu mu bizim bağımsızlık anlayışımız? Ayıptır valla. Utanıyorum.

Sömürge rejiminin iyisi, kötüsü olmaz. Amerikan mandası da çağdaş bir sömürge rejimi olacaktır. Pranga altından bile olsa prangadır, ne fark eder? Boyunduruk kadife kaplamalı da olsa boyunduruktur. Belki daha az acıtır, o kadar! Bizimkiler ne zaman anlayacaklar bunu? Boş yere oyuna gelmeyelim. Bu manda rejimi belki de ileride İngiliz sömürgeciliğini aratacaktır. Beterin beteri var. Yarın Başkan Wilson devrilir, yerine kaçığın biri gelir, canımıza okumaya kalkar.

Hulusi Bey'in yüzü kıpkırmızı olmuştu.

— Yeter Nedim Bey, yeter, diye haykırdı. Siz galiba İstanbul gazetelerini hiç izlemiyorsunuz. Bütün yazarlar manda rejimini savunuyorlar. Başta Ahmet Emin (Yalman), Refi Cevat (Ulusoy), Ali Kemal, İsmail Hami (Danişment)... Belediye Başkanı Doktor Cemil (Topuzlu) Bey de daha geçen gün, "İngiltere'nin ya da Amerika'nın yardımına muhtacız. Bağımsız kalırsak ölürüz" demedi mi? Ahmet Emin Bey, Amerika'yı yakından tanıyan ve halkla ilişki kurmuş bir kişi olarak Amerikan mandasını istediğini yazmadı mı? Kara Vasıf Bey, "Amerikan mandasından yararlanarak öbür alçakları (İngilizleri ve Fransızları) ülkemizden çıkartabiliriz, sonra yalnız Amerikalılarla uğraşmak daha kolay olur," demiyor mu?

— Peki Mustafa Kemal Paşa ne dedi, duymadınız mı? "Ahmaklar, memleketi Amerikan mandasına, İngiliz himayesine terk etmekle kurtulacak sanıyorlar. Kendi rahatları için Türkiye'nin bağımsızlığını feda etmeye kalkıyorlar!"

O arada Ümran,

— Nedim Ağabey, diye söze karıştı. Siz uzaktan da olsa Erzurum ve Sivas Kongrelerini izlediniz. Manda konusu orada hiç gündeme gelmedi mi?

— Gelmez olur mu? Sivas'ta bu konu geniş tartışmalara yol açmış. Anlatayım, belki beyefendiler de dinlemek isterler. Kongre'de Mustafa Kemal Paşa İstanbul'dan gelen arkadaşların çoğunun kurtuluş yolunu mandayı kabul etmekte bulduklarını görmüş. Yeni gelenler bu düşüncelerini öteki delgelere de aşılamaya çalışıyorlarmış. Kemal Paşa İstanbul'daki devlet yöneticilerinin Türk ulusunun uyanışından habersiz olduğuna ve aymazlıklarının derecesini bir türlü ölçemediklerine inanıyormuş.

Mazhar Müfit Bey'e Kongre sırasında şöyle demiş: "Bunlar yabancı devletlerin baskısı ve hainlik şebekelerinin propagandası altında belki de şaşırmış ve bunalmışlardır. Bunlara şimdilik 'biçareler' demekten başka yapacağınız şey yoktur."

Hulusi Bey kükredi:

— Hâşâ, ne küstahlık! devletimizin büyüklerine nasıl "biçareler" diyebilir? Anadolu halkımı kandırmaya çalışıyorlar. Vatanı felâkete sürüklüyorlar.

— Baba, izin ver de Nedim Ağabey sözlerini bitirsin.

— Mustafa Kemal Paşa şöyle demiş: "İstanbul bir Amerikan mandası tutturmuş gidiyor. Bu olmayacaktır. Türkiye istiklâlinin bütünlüğüne sahip olacaktır. Bunu istemekte devam edeceğiz. Amerikalılar bizim kara gözlerimize mi âşık olacaklar? Bu ne hayal, bu ne gaflettir (aymazlıktır). Amerikan mandası diye çırpınanlar düşman işgali altında bulunan bu millete ve bize inanmayan insanlardır. Bizim hayal ve macera peşinde koştuğumuzu sananlardır. Hiçbir taahhüdü kabul etmeyecek ve tanımayacağız. Tek ve değişmez parola şudur: Tek top, tek kurşun kalıncaya kadar mücadele. Ya istiklâl ya ölüm."

Kongrede Mustafa Kemal Paşa'nın Amerikan mandasından yana olan altı kişiyle çatıştığı anlaşılıyor: Bekir Sami Bey, Kara Vasıf Bey, Refet Bey (Bele) Rauf Bey (Orbay), İsmail Hami Bey (Danişment) ve İsmail Fazıl Paşa.

Refet Bey uzun uzun konuşmuş, mandanın ne olduğunu anlatmaya çalışmış ve, "Manda bağımsızlığımızı zedeleyemez," demiş.

İsmail Fazıl Paşa, "Bağımsızlığımızı korumak koşulu ile manda," demekle yetinmiş.

İsmail Hakkı Bey manda konusunda Bekir Sami Bey'i destek-lediğini belirttikten sonra şöyle demiş: "Herhalde bize bir yardım gereklidir. Çünkü devlet gelirleri bugün ancak borçlarımızın fa-izlerini karşılamaya yetiyor."

Kara Vasıf Bey, "Mandadan korkmayınız," demiş. "Eğer uy-gun buluyorsanız buradan hemen İstanbul'daki Amerikan tem-silcisine bir mektup yazıp Amerika'ya gizlice bir kurul gönder-mek için bir torpido isteyelim."

Rauf Bey de mandadan yana olduğunu belirtince Mustafa Ke-mal Paşa şöyle demiş: "Aylardan beri gece gündüz yanımda bu-lunan bir arkadaşın bu konuyu daha hâlâ nasıl anlamamış oldu-ğunu düşünemiyorum. Ya Rauf Bey'in öteden beri benimle gö-rüş birliği yoktu, ya vardı da İstanbul'dan gelenlerle konuştuktan sonra düşüncelerini değiştirdi. Burasını kestirmek çok güçtür."

— Peki Nedim Ağabey, sonra ne olmuş?

— Ne olacak? Bütün manda yanlıları tam bir yenilgiye uğra-mışlar. Ve bu konu kapatılmış.

— Çok iyi olmuş.

— Evet Perihan, ben de öyle diyorum, çok iyi oldu. Bağımsız-lığımızı kurtardık. Yarın ne olacak bilmem, ama onurlu bir ulus olarak savaşı sürdüreceğiz. Satılık olmadığımızı kanıtladık. Bizim manda rejimine karşı çıkmamız bütün dünyada geniş yankılar uyandırdı. Bakın Lenin ne dedi: "Mandacılık soygun ve talan için ruhsat dağıtmaktır. Uluslararası proletarya Doğu halklarının tek dostudur. Sosyalizm için savaş, emperyalizme karşı savaşla birleş-ti."

İstanbul'dan milletvekili adayı Numan Usta da şunları söyle-miş: "Meclis'te barışı hiçbir manda olmadan isteyeceğim. Sonra da amele zümresinin hakkını arayacağım. Ben milli sosyalistim."

Manda rejimini kabul etseydik ne olacaktı? Siyasal ve eko-nomik alanda hiçbir özgürlüğümüz olmayacaktı. Her şeyimize Amerika karar verecekti. Yalnız onlardan borç alacaktık. Mali-yemize onlar el koyacaklardı. Şimdikinden daha ağır koşullarda yeni bir Dûyunu Umumiye düzeni kurulacaktı. Vergi oranlarını onlar saptayacaklardı. Hangi ülkeden ne kadar mal alacağımızı onlar belirleyecekler. Kendi ürünlerine rakip olabilecek bazı tarım ürünlerini yetiştirmemizi yasak edecekler ve köylü perişan olacaktı. Belki de pamuğu, tütünü, pirinci ve eti dışarıdan almak zorunda kalacak ve tümüyle onlara bağlı kalacaktık. Ülke ekonomisi iflâsa sürüklenecekti. Eğitim sistemimizi onlar düzenleyecekler. Ulusal bir ordu kurmak için onlardan izin alacaktık. Yalnız Amerikan müziği dinleyecektik. İngilizce yavaş yavaş ulusal dilimiz olacaktı. Türkçe ikinci dil durumuna düşecekti. Sokaklarda bütün tabelalar İngilizce yazılacaktı. Her alanda ekonomik ve tecimsel bağımsızlığımızı yitirecek ve her işimizde onlardan izin almak zorunda kalacaktık. Neymiş? Yirmi yıl sonra manda rejiminden kurtularak bağımsız ve uygar olacakmışız! Kendilerinin olsun öyle uygarlık. Biz Amerikan sömürgesi olmamak için canımızı dişimize takıp savaşacağız. Anadolu'nun ortasından yeni bir güneş doğacak. Ne kölelik, ne sömürge rejimi, ne de Amerikan mandası! Göreceksiniz. Neriman, Perihan, Ümran, yarın siz de bunun savaşını vereceksiniz, onurumuzla yaşayacağız. Mustafa Kemal Paşa ve arkadaşları bunun için savaşıyorlar.

Şehbender Hayri Bey,

— Nedim Bey galiba haklı, diye söze girişti. Hepimiz büyük bir yanılgı içindeyiz. Savaşta uğradığımız yenilgi gözlerimizi kararttı. Bütün direnme gücümüzü yitirdik. Sömürge insanlarının durumuna düştük. Belki onlar bile bizden daha iyi direnebiliyorlar. Bakın, Filipinliler Amerikalılara karşı nasıl savaş vermişler. Hintliler İngilizleri yıllardan beri nasıl uğraştırıyorlar, görmüyor musunuz? Ne orduları var, ne silâhları, ne de cephaneleri, ama dayanıyorlar. Onurlu insanlar. Ya biz ne yapıyoruz? Takılmışız Damat Ferit gibi adamların peşine...

Hulusi Bey yine haykırdı:

— Yeter Hayri Bey, siz de mi onlardan yana oldunuz? Yazıklar olsun size. Ben de sizi Padişah Efendimizi sever, sayar, Damat Ferit Bey Hazretlerine bağlı, aklı başında bir insan sanırdım. Nasıl aldanmışım? Nedir bu başıma gelenler? Sevgili kızlarım da bu hain Nedim Bey'e uyuyorlar. Kahrolsun İttihatçılar! Kahrolsun Kuvayı Milliye!...

Hulusi Bey sözlerini bitiremedi. Dili dolaştı, ağzından tükürükler saçıldı. Yere yıkıldı.

Handan Hanım kocasının üzerine kapanarak hıçkırmaya başladı.

— Nedim, diye haykırdı, alçak adam, öldüreceksin kocamı. Yeter bu yaptıkların. Beni elde edemedin, kızlarımı baştan çıkardın. Şimdi de Hulusi Bey'in yüreğine indirmek istiyorsun. Gözüm görmesin seni.

Kızlar babalarının kollarına girip ayağa kaldırdılar. Hulusi Bey baygınlık geçiriyordu. Kanepeye yatırdılar, gömleğinin düğmelerini açtılar, kollarını, alnını kolonya ile ovdular. Hulusi Bey yavaş yavaş açıldı.

Haremağası Nuri Ağa, Aşçı Ömer Ağa, Gülfidan Bacı ve Bahçıvan Ramazan Efendi de gürültüyü duyup salona koşmuşlardı. Handan Hanım,

— Koş Ramazan Efendi, dedi. Yandaki köşkten Doktor Abraham Paşa'ya haber ver, hemen yetişsin. Kurtarsın kocamı.

Nedim Bey'e artık hiç ses çıkarmadan kalkıp gitmek düşüyordu. Kızlar onu bahçe kapısına kadar geçirdiler. Boynuna sarıldılar.

— Ne olur bize kızma, Nedim Ağabey, dediler. Siz haklısınız. Ama annem çılgına döndü. Bizi sakın bırakmayın. Biz üçümüz de sizi çok seviyoruz.

VIII

Maçka ve Karaağaç Baskınları

1920'nin ilk aylarında Ankara'dan çok iyi haberler geliyordu. Erzurum ve Sivas Kongrelerinden sonra Kuvayı Milliyeciler yeni bir Meclis'in toplanması için hazırlıklara başlamışlardı. Ama Yunanlılar da Anadolu içlerine doğru adım adım ilerliyorlardı. İstanbul İngiliz işgalinden sonra büsbütün kaynıyordu...

Binbaşı Cemal Karabekir'le Yüzbaşı Nedim Bey'in dostlukları bu süre içinde çok gelişmişti. İçtikleri su ayrı gitmiyordu. Konuştukları en önemli konu Maçka Silâhhanesi'ndeki silâh ve cephanenin İngilizlere teslim edilmeden Anadolu'ya kaçırılmasıydı.

Yapılması gereken ilk iş silâh ve cephaneyi Maçka Silâhhanesi'nden dışarıya çıkartmaktı. Bu çok belâlı bir işti. Çünkü Silâhhane'de İngiliz nöbetçiler görev başındaydılar. Onları atlatmak kolay olmayacaktı.

Binbaşı Cemal Bey, Yüzbaşı Nedim Bey, Yüzbaşı Arif Bey 1920 Haziranı'nda bir akşamüstü, kafa kafaya verip kaçırma planları hazırlamaya başladılar. Her şeyden önce Ankara'nın neler istediği saptandı. Bu silâhlar İngiliz nöbetçilerin hiç dikkatini çekmeden Silâhhane'nin üst katına taşınacak ve orada gizli bölmelere yerleştirilecekti. Silâhları hazırlama görevi Faik Usta adında çok güvenilir bir askere verildi, silâhları yerleştirme görevi de Marangoz Hasan Usta'ya.

Hazırlanan plana göre Yüzbaşı Arif Bey'le Faik Usta eylemin yapılacağı gece akşamüstü Marangoz Hasan Usta'yı Silâhhane'nin üst katında, hiç dikkati çekmeyecek bir yerde bulunan bir sandığa kapatacaklardı.

Nitekim öyle oldu, Hasan Usta sandığa kapatıldı. Silâhhane'de çalışan askerler ve subaylar paydos zamanı gelince çekip gittiler. İçeride bir nöbetçi Türk subayı kalmıştı. O da durumu biliyordu. Ambar kapısının iç yanında da bir manga İngiliz askeri kalıyordu. Askerler yataklarını kapı önüne serip orada yatıyorlardı.

Gece yarısı olduğunda. Artık Silâhhane'de çıt çıkmıyordu. Hasan Usta İngiliz askerlerinin uyuduklarını anlayınca gizlendiği sandığın kapağını usulcacık açtı. Ortalık zifiri karanlıktı. Hasan Usta çıplak ayaklarının ucuna basa basa silâhların bulunduğu bölüme gitti. Silâh sandıklarını teker teker taşıyarak Silâhhane' nin Levazım bölümüne bakan pencerenin önüne yığdı. Sonra da bütün sandıkları yine teker teker pencereden Levazım bölümüne geçirdi. Bu işlem bitince Hasan Usta da pencereden Levazım bölümüne geçerek sandıkları yine teker teker bodruma taşıdı. Sırılsıklam ter içinde kalmıştı, yakalanacak olsa cezasının idam olduğunu çok iyi biliyordu. Suçüstü vurulabilirdi de. Ama aklına hiç korkuyu getirmedi.

Sandıkların bodruma taşınması bütün gece devam etti. Son sandığıda indirdikten sonra Hasan Usta bodrum penceresinin önünde işaret beklemeye başladı. Bodrum penceresi Silâhhane'nin arka sokağına bakıyordu ve orada nöbetçi yoktu. Mim Mim Grubu'nun adamları oraya bir arabayla gelecek ve sandıkları yükleyeceklerdi. Gün ağarmadan pencerenin önünde bir gölge belirdi. Ya bu bir İngiliz nöbetçisiyse? Hasan Usta hiç ses etmeden dışarıyı gözetmeye devam etti. Belli, adam nöbetçi filan değil örgütün adamıydı, pencerenin önünden ayrılmıyordu. Pencereye eğilerek "Hasan Usta, Hasan Usta... Memleket nire?" diye seslendi. Parola buydu. Hasan Usta da, "Memleket Angara, Angara," diye yanıt verdi.

Dışarıdaki adam,

— Öyleyse ver bakalım sandıkları, dedi, memlekete göndereceğiz.

Hasan Usta,

— Yaşşa hemşerim, dedi. Allah senden razı olsun. Bunların hepsi memlekete taşınacak.

Hasan Usta sabaha kadar yük taşımış olmasına karşın hiç yorgun değildi, çakı gibi dipdiriydi. Sandıkları yine kucakladığı gibi teker teker pencereden uzattı. Dışardakiler iki kişiydi. Onlar da sandıkları kaptıkları gibi arabaya yüklediler.

— Hakkını helâl et hemşerim.

— Helâl olsun. Bu vatanı gâvura bırakmayacağız.

Bir at kişnedi. Tekerlek sesleri duyuldu pencereden. Sesler yavaş yavaş uzaklaştı. Gün ağarmaya başlamıştı. Hasan Usta çıplak ayaklarının uçlarına basa basa üst kata çıktı. Pencereden süzülerek kendi bölümüne geçti. Ortalık biraz aydınlanmıştı, usulca sandığına yöneldi. Aşağıdan hiç ses gelmiyordu. Demek ki İngiliz nöbetçi mangası daha uyanmamıştı. Hasan Usta yine sandığına girdi, kapağı kapattı. Gözlerinden uyku akıyordu. Hemen sızıp uyuyacaktı. Tek korktuğu şey de horlamaktı. Ya bir geçen olur da sandıktan seslerin geldiğini duyarsa. Hayır, hayır uyumaması gerekiyordu. Aklına gelen bütün duaları okudu içinden, türküler söyledi, sevdiği kızı düşündü. Ne yapıyordu acaba o şimdi? Hasan'ın bir sandıkta hapis kaldığı hiç aklına gelir miydi ki? Ah şu dünya. Hasan Usta her şeye karşın yine de mutluydu. İngilizlerden kendi mallarını kaçırmışlardı.

Bir saat sonra dışardan ayak sesleri duyuldu.

— Hasan Usta, Hasan Usta, korkma, biz geldik.

— Ne korkacakmışım be? Onlar bizden korksunlar.

Kapağı açan Faik Usta'ydı. Kucaklaşıp öpüştüler.

— Geçmiş olsun, başardık.

— Ama bitmedi, bu akşam yine buraya gizleneceğim, yarın akşam da, öbür akşam da. Silâhhane'yi boşaltana kadar.

— Evet Hasan Ağabey, işimiz kolay değil. Yeter ki memleket kurtulsun. Allah Gazi Paşamıza uzun ömürler versin. Gel şimdi bir yorgunluk kahvesi içelim.

Karaağaç Baskını (20 Ekim 1920)

Nedim Bey o sabah Harbiye Nezareti'ne biraz geç gitti. Bütün enerjisini yeraltı örgütlerinin çalışmalarına ayırdığı için zamanının çoğunu zaten Nezaret dışında geçiriyordu. Binbaşı Cemal Bey kendisini görünce,

— Nedim Yüzbaşı, dedi, sizi sabırsızlıkla bekliyordum. Müdafaa-ı Milliye Grubu'nun başlarından Hüsamettin Bey'in içeride bir konuğu var, size tanıtmak istiyordu.

— Kimmiş bu, Binbaşım?

— Bir motor kaptanıymış galiba. Tanımanızda yarar var.

— İyi ya, tanıyalım bakalım.

Birlikte Hüsamettin Bey'in odasına girdiler. Yarbayın karşısında, iriyarı, karayağız bir Karadenizli oturuyordu. Hüsamettin Bey yeni gelenleri saygıyla karşıladıktan sonra,

— Sizi tanıştırayım, dedi. Avniye motorunun kaptanı Pazarlı Eyüpreisoğlu Mustafa Kaptan. Bunlar da benim en yakın çalışma arkadaşlarım, Cemal Binbaşı ile Nedim Yüzbaşı.

Nedim Bey heyecan içindeydi,

— Ya... demek ki Karaağaç silâh deposunu boşaltan Mustafa Kaptan sizsiniz?

— Hayır, hayır, ben yalnız değildim. 70 Karadeniz uşağı, hep birlikte başardık bu işi. Topkapılı Mehmet Bey, Hemşinli Mehmet, Hemşinli Mahmut, Babaoğlu Ahmet Kaptan, Hemşinli Abdullah, Şahinzâde Ali Osman Efendi... Hep birlikte çalıştık.

— Yarbayım, müsaade etseniz de bu olayı Mustafa Kaptan'ın ağzından dinlesek.

— Karar onun. Anlatırsa ben de çok mutlu olurum.

— Eh, anlatayım öyleyse. Biz bu işe nerede, nasıl karar verdik, önce oradan başlayayım. Bundan birkaç hafta önce bir akşamüstü Fener ile Cibali arasında Ayakapı iskelesindeki Çeşme Meydanı'nda, hani bir Rize Oteli vardır, onun altında Çilingir Hasan'ın kahvesinde birkaç arkadaş oturmuş konuşuyorduk. Kimler vardı o akşam? Topkapılı Mehmet, Hemşinli Mehmet, Osman Reis, Hemşinli Mahmut, Ahmet Kaptan, Fidan Ali, neyse hepsinin adı aklıma gelmiyor şimdi. Dedik ki, "Yahu arkadaşlar, ne yapsak da şu Karaağaç deposunu boşaltıp Anadolu'ya kaçırsak?"

"Yahu, sen deli misin," diyenler oldu. "Koca depoyu biz nasıl

boşaltırız? Etimiz ne, budumuz ne? İngiliz devriyeleri, Fransız in-
zibatları, bir dudağı yerde, bir dudağı gökte zenci askerler, Avus-
tralyalılar, Hintliler dört dönüyorlar oralarda. Topumuzu temiz-
lerler."

Derken, Topkapılı Mehmet Bey yerinden doğruldu,
"Korkmayın arkadaşlar," dedi, "Mustafa Kaptan haklı, biz bu
işi başarırız."

Oradan bir başkası kalktı,
"Mehmet Ağabey, sen delirdin mi," dedi, "biz nasıl boşaltırız
koca depoyu?"

Mehmet Bey,
"Evlâdım," dedi, "bütün depoyu bir defada boşaltacak değiliz
ki... Ufak ufak, yavaş yavaş. Hiç kimselere çaktırmadan boşalta-
cağız."

"Yapma Mehmet Ağabey. Rüya görme. Eğri otur, doğru ko-
nuş," deyince, Mehmet Bey'in sigortaları atmaya başladı.

"Bana inanmayan benimle gelmesin," dedi. "Biz bu işi ina-
nanlarla, iman edenlerle yapmasını biliriz. Ama bir kancıklık
eden oldu muydu onu bu Haliç'ten sağ çıkartmayız."

"Ağabey şaka ettim. Kim seni bırakır, hepimiz arkandayız."

Karar verildi, bu iş iki motorla yapılacaktı. Biri benim moto-
rum *Avniye*, öteki de Ahmet Kaptan'ın motoru *İsmet*. İş kalıyor-
du güvenilir adamlar bulmaya. Herkes seferber oldu. 80 kişi bul-
duk. Bunların hepsinin motorlarla gelmesi gerekmiyordu. Büyük
çoğunluk depoyu boşaltma ve yükleme işinde görev alacaktı.

20 Ekim 1920 akşamı karanlık basınca uşakları Ayakapı'da
bekleyen motorlara doldurduk. Herkes heyecan içindeydi. Sanki
savaşa gidiyorduk. Bütün bizim denizciler bellerine silâhlarını ve
kamalarını yerleştirdiler. Her an bir arbede çıkar, vuruşabilirdik.
Ama kimsede korkunun eseri yoktu.

Motorların gürültüsü duyulunca da devriyeler üzerimize ge-
lir diye biraz kuşkulanıyorduk. Gürültüyü önlemek için motor-
ların egzos borularını suya batırdık. Açılmaya başlayınca hemen
hız verdik motorlara. Kimseden çıt çıkmıyordu. Bütün uşaklar ve

sandıkları taşıyacak gençler yerlere çömelmiş bekliyorlardı. Sigara içmek bile yasaktı.

Artık karanlık iyice bastırmıştı. Cibali ve Ayakapı iskelesi gerilerde kalmıştı. Karşı kıyıda Camialtı ve Taşkızak tersanelerinin ışıkları görünüyordu. Önce Fener iskelesini geçtik, motorlar hiç kimsenin dikkatini çekmedi. Hem niye çeksin ki, o saatlerde Haliç'te yük taşıyan motor çok olurdu. Az sonra Balat'ı da geçtik. Artık suda hiçbir sandal görünmüyordu. Hasköy ve Halıcıoğlu karşıda kalmıştı. Eyüp'e yaklaşmıştık. Bereket oralardan da hiç huzurumuzu kaçıracak bir kıpırdama olmadı. Artık Karaağaç mezbahasına iki dakikalık uzaklıktaydık. Az sonra silâh deposunun önlerindeydik.

Hemşinli Mehmet, Ali Osman'la Tahsin Kaptan bizi orada bekleyeceklerdi. Bir de baktım oradalar. Motorun burnunu iskeleye çevirdim. Karanlıkta bir ses gürledi:

"Reis iskeleye yanaşma!"

Kıyıdaki muhafıza,

"Hemşerim" dedim, "telâş etme. Biz görevliyiz. Emir var, buradan silâhları alıp denize dökeceğiz."

Muhafız lâf dinlemek istemiyordu.

"Yok reis, bizim size verecek silâhımız yok. Başımıza belâ olmayın. Çekip gidin. Ateş ederim ha?"

Motor iskeleye yanaşmıştı bile. Ben iskeleye fırlayarak onbaşının kolunu yakaladım.

"Aslanım," dedim, "sen bizi uğraştırma. Biz vatan için çalışıyoruz. Çekil bir kenara, bizi zor kullanmaya mecbur etme."

Onbaşı elimden kurtulmaya çalışıyordu. Ama kolay mı, bizim uşaklar motordan atladıkları gibi onbaşıyı kıskıvrak yakaladılar.

"İmdat, can kurtaran yok mu!" diye bağıracak oldu.

Ağzına bir mendil tıkadık. Kollarını bağladık, yere yıktık onbaşıyı.

Bu arada bir İngiliz nöbetçinin de cephaneliğin duvarının üzerinde beklediğini biliyorduk. İngiliz neler olup bittiğini hiç anlamamıştı. Hemşinli Abdullah bu nöbetçiye, "Hey Coni!" diye seslenince adam duvarın üstünden aşağıya doğru sarkacak oldu. Abdullah İngiliz'i yakaladığı gibi aşağı çekti. Uşaklar onu da kıskıvrak bağladılar.

Öteki muhafızlar şaşkına dönmüşlerdi. Hiçbiri silâhına sarılamadı, karşı koymaya kalkmadı. Birkaç dakika geçti geçmedi, bir de baktım bir nöbetçi teğmen geliyor. Eyüplü Nazmi adındaki bu teğmen bizim ne yaptığımızı anlamıştı. Depoların kapılarındaki mühürleri sökmesini istedik. "Benim başıma iş açılır. Siz sökün, ben görmezlikten geleceğim," dedi.

Bizim de istediğimiz buydu zaten. Nazmi Bey'in de bizden olduğu anlaşılıyordu. Mühürler söküldü, kapılar kırıldı. Daldı bizim leventler depolara. Onlar depoları boşaltırken bazı arkadaşlar da, ne olur ne olmaz diye muhafızların kollarını, ayaklarını bağladılar. Biz onların da Anadolu'ya götürülmesine karar verdik. Yaklaşık 30 kişiydiler, hepsini motorlara bindirdik. Ağızlarını da bağladık. Karamürsel'de motorları boşaltırken bize yardımcı olacaklardı.

Karadeniz uşakları ve bizim fedakâr arkadaşlarımız sabahın 4'üne kadar çalışarak motorları tıka basa doldurdular. Gün ağarmadan iskeleden kalktık. Yine çıt çıkmıyordu. Motorlara aldığımız muhafızlar da zaten seslerini çıkartacak durumda değillerdi. Yine sessiz sessiz Ayakapı'ya yanaştık. Görevini tamamlamış olan arkadaşlarımız orada bize veda ettiler. Sandıkların üzerini branda bezleri ve sepetlerle örttük. Güya zerzevat taşıyorduk.

Unkapanı Köprüsü'nün altından geçerken hiç olay çıkmadı. Ama Karaköy Köprüsü'nden geçmek tehlikeli olabilirdi. O arada bir mucize oldu sanki, bir sis bastı ortalığı, motorlar hiç göze görünmeden denize açılabileceklerdi. Karaköy Köprüsü'nde nöbet bekleyen inzibatlar bizim örgütün adamlarıydı. Hiç ses etmeden bizi geçirdiler.

Limanın ağzında devriye gemileri vardı. İngilizler, Fransızlar ve İtalyanlar birer hafta nöbet tutuyorlardı. Bizim çıktığımız akşam nöbet Fransızlardaydı. Örgütte çalışan iki Ermeni arkadaşımız vardı: Keresteci Gabriel'le Kirkor. Onları Fransız devriyelerini tanıyorlardı. Bir gün önce birlikte Galata'da kafa çekmişler, Fransızlar da motorları görmezden geleceklerini söylemişlerdi. Nitekim öyle oldu, Fransız devriye gemisinin yanından geçerken hiç ses çıkmadı.

Limandan çıkar çıkmaz birbirimizi kucakladık. Başarımızı kutladık. Sarayburnu arkada kalmıştı. Ondan sonra ilk hedefimiz Karamürsel'di.

— Kaptan, sonra başınıza bir iş gelmiş galiba.

— Evet Yarbayım, maalesef öyle oldu. Tam Darıca önlerindeydik, bizim motor bir arıza yapmaz mı? Motor boğuldu kaldı. Ne yapsak nafile. Bir de baktık açıklarda düşman donanmasından bazı gemiler görünüyor! Şaşırdık kaldık. İçi cephane dolu bir motora İngilizler el koyarlarsa ne olur? Topumuzu idam ederler. Bazı arkadaşlar çekindiler. Aramızda Karamürselli Fedai diye adlandırdığımız İsmail de,

— Kahramanlığın sırası değil, dedi. Sabaha kalmaz yakalanırız. İyisi mi cephaneyi denize dökelim.

Ben baktım moraller bozuk.

— Arkadaş, dedim, haklısın, cephaneyi denize dökelim ama hemen şimdi değil. Uğraşalım bakalım, belki arızayı gideririz.

Makinistler sıvadılar kolları. Ha babam, de babam arıza giderildi. O sırada İsmet motoru bizi bırakıp yoluna devam etmişti. Haklı onlar. Bizimle birlikte niye yakayı ele versinler? Bizim arıza giderilince faryap ettik. Son hızla çek bakalım Karamürsel'e. İnanın Yarbayım, yetiştik onlara. Sabah şafak sökerken Karamürsel'deydik. Görülecek şeydi o manzara. Bütün halk limana üşüşmüş bizi beklemiyor mu? Karamürselliler çılgın gibi bizi kucakladılar. Gözlerimizden yaşlar boşandı. Bütün insanlar seferber olup cephaneyi boşalttılar. Ama cephaneyle iş bitmiyor ki, bir de ambarda 30 tutuklu muhafızımız var. Onları da çıkarttık karaya. Bize hiç kızmamışlar. Hepsiyle kucaklaştık, helâllaştık. Onları yerel kumandanlığa teslim ettik. Bizden sonra hepsi İstanbul'a geri gönderilmiş.

Nedim Bey,

— Evet Mustafa Kaptan, dedi. Siz bu işi başardınız. Burada İngilizler deliye döndüler. Karaağaç'ta kalan muhafızları tutuklayıp türlü işkence etmişler. Ama onlar da sizin adınızı vermemişler. Helâl olsun çocuklara.

Gizli Örgütler

Nedim Bey, İstanbul'da düşman işgaline karşı faaliyette bulunan çok sayıda gizli örgüt kurulduğunu biliyordu.

Neydi bunlar arasındaki benzerlikler ve ayrılıklar? Karakol Teşkilâtı'nın devamı olan Zabitan Grubu'nun İttihatçılarla olan bağlantısı bilinen bir şeydi. Bu grup Ankara'dan destek almamıştı. Müdafaa-i Milliye Teşkilatı ve Mim Mim Grubu da bağımsız olarak kurulmuştu ama, Ankara onlara sıcak bakıyordu.

Nedim Bey diğer gruplar hakkında da bilgi edinmek istiyordu. Birlikte çalıştığı subaylar arasında bunlara dahil olanı var mıydı? Bu grupların ötekilerle ilişkileri neydi? Kesin olarak bilinen bir şey varsa bunların tümünün İstanbul hükümetine ve İngilizlere karşı oldukları, özgürlük ve bağımsızlık için çalıştıkları ve Ankara'ya destek olmalarıydı. Peki, Mustafa Kemal Paşa acaba bunlara sempatiyle bakıyor muydu? Bunların içinde kendi adamları ve çok güvendiği kişiler var mıydı?

Nedim Bey doymak bilmeyen bir merakla bu konularda aydınlanmaya çalışıyordu. Dostlarına fazla soru sormaktan da çekiniyordu. Çünkü kendisini ajan sanabilirlerdi. Bu bakımdan konuyu araştırırken sorularında hep çok ölçülü olmaya çalıştı. Sonunda da çok şeyler öğrendi.

Kendisini bu konuda ilk aydınlatan kişi Kurmay Yüzbaşı Neşet Bey oldu. Ona Çopur Neşet deniyordu. Nedim Bey zamanla onun güvenini kazandıktan sonra bir gün,

— Kuzum Neşet Bey, dedi, benim de vatanın özgürlüğü için çalıştığımı bildiğinizden emin olduğum için benden hiçbir şeyi gizlemeyeceğinizi sanıyorum. Belki benim de size yararlı olmamı istersiniz. Bana çalışmalarınız hakkında biraz bilgi verir misiniz?

— Elbette Nedim Bey, ben de bu konuyu size açmanın bir fırsatını bekliyordum. Bu akşam boşsanız birlikte bizim fakirhaneye gidelim. İki kadeh rakı içer, biraz da sohbet ederiz.

Konuştukları gibi akşam Nezaret'ten çıktıktan sonra birlikte Neşet Bey'in evine gittiler. Bir süre sonra Neşet Bey söze şöyle başladı:

— Mustafa Kemal Bey'i Çanakkale'de kurşun yağmuru altında tanıdım. Kendisine büyük bir hayranlık duyduğumu anlamakta gecikmedi. Aramızda sıcak bir dostluk bağı oluştu. Ben savaş öncesinde Saray'da Sultan yaveri olarak bulunuyordum. Çanakkale'den dönüşte ne yapmam gerektiğini Mustafa Kemal'e sordum. Bana, "Görevine devam edeceksin," dedi. "Orada bulunmanda yarar var. İleride senden önemli şeyler isteyebilirim. Sakın başka bir göreve atanmak isteme."

İstanbul'a döndükten bir süre sonra Mustafa Kemal Bey'i görmeye gittim. Sonra o İstanbul'dan yeni bir görevle Diyarbakır'a gönderildi, generalliğe yükseldi. Sonra bildiğiniz gibi Bitlis ve Muş savaşları, Hicaz seferi komutanlığı, Şam'da yeni bir görev, yine İstanbul'a dönüş ve Vahdettin'le birlikte Almanya gezisi. Bütün bu dönemde Paşa ile bağlarımı hiç koparmadım. Sonra Mondros Mütarekesi ve Paşa'nın İstanbul'a dönüşü. Mustafa Kemal Paşa Saray'a Vahdettin'i görmeye geldiği zamanlarda kendisini hep ben karşılardım. Benim hiçbir gizli örgütle ilişkim yoktu. Paşamdan emir bekliyordum. O yine bana, "Görevinden sakın ayrılma. Bekle, senden isteyeceğim çok şeyler olacak," dedi.

Paşa Mayıs'ta İstanbul'dan ayrıldıktan sonra ben de birkaç arkadaşımla birlikte ufak bir grup oluşturdum. Hem Ankara'ya birtakım bilgiler ulaştırıyorduk, hem de Anadolu'ya kaçmak isteyenlere yardım ediyorduk. O sıralarda İstanbul kaynıyordu. Ankara'da Büyük Millet Meclisi toplanmış, Paşam başkanlığa seçilmişti. Biliyorsunuz, Vahdettin bir de başımıza Anzavur'u belâ etmişti ve Anzavur Kuvvetleri Kuvayı Milliye üzerine gönderilmişti. İşte o günlerde İstanbul'da toplanan Divan-ı Harp Mustafa Kemal Paşa'yı, Ali Fuat Paşa'yı, İsmet Paşa'yı, Halide Hanım'ı, sonra da Fevzi Paşa'yı idama mahkûm etti.

Vahdettin bütün idam kararlarını onayladı. İki gün sonra, aklımda kaldığına göre, 17 Haziran 1920'de, gizlice Ankara'ya gittim. Ankara en coşkulu günlerini yaşıyordu. Paşa bütün işleri arasında beni kabul etti. Kendisine kurduğumuz gizli örgütten söz ettim. Zaten haberi vardı. Bana İstanbul'da daha geniş bir örgütlenmeye gitmemizi önerdi. Doğrudan doğruya kendisine bağlı olmamızı ve vereceği emirleri uygulamamızı istedi. Gerekli masrafları da bize Ankara sağlayacaktı.

On gün sonra İstanbul'a döndüm. Artık arkamızda Mustafa Kemal Paşa olduğu için rahatça her türlü girişimde bulunabilirdik. Kurmay Yüzbaşı Seyfettin (Akkoç) ve yine Kurmay Yüzbaşı Şakir Muzaffer (Baykal)'la birlikte Beylerbeyi'nde, Haşim Paşa köşklerinden birinde, yani, bugün benim oturduğum bu köşkte toplanmaya başladık. Sabahlara kadar çalışıyorduk. Kurduğumuz örgütün adını da Hamza koyduk.

— Niye Hamza?

— Çünkü Hamza Peygamberimizin amcasıydı. Uhud Savaşı'nda şehit düşmüştü. Biz de Hamza'yı kahraman bir savaşçı olarak tanıyorduk. Bu, kötü yorumlara yol açacak bir ad değildi. Örgütün tüzüğünü arkadaşım Seyfi Bey kaleme aldı. Artık amaçlarımızı ve yönümüzü saptamış durumdaydık. Tüzük tasarısını Ankara'ya gönderdik; İsmet Paşa bunu onayladı. Örgüt dört şubeden oluşuyor. Birincisinin başında Seyfettin Bey var; ikincisinin başında Telsiz Asteğmeni İhsan (Aksoley) Bey; üçüncüsünün başında ben; dördüncüsünün başında da Kurmay Binbaşı Ekrem (Baydar) Bey.

— Peki Neşet Bey, sizle bağlantılı olarak bir de İmalatı Harbiye Grubu'ndan sık sık söz ediliyor. Nedir o grup?

— Anlatayım. Bu grup bizden önce kurulmuş. Onu kuran Topçu Kaymakamı Eyüp (Durukan) Bey'dir. Bu kişi çok namuslu, dürüst ve çalışkan bir arkadaşımızdır. Mondros Mütarekesi imzalandıktan sonra üst düzeydeki subaylar arasında bir anlaşmazlık çıkmıştı: Silâh ve cephaneler İngilizlere teslim edilsin mi, edilmesin mi? Bu konu Harbiye Nezareti'nde uzun uzun tartışıldı. Bu işlerle görevlendirilen komisyonda iki görüş çarpışıyordu: Silâh ve cephanenin hiç olay yaratmadan teslimi ya da az gösterilmesi, gizlenmesi ve kaçırılması.

Teslimden yana olanlar ötekilere büyük baskı yapıyorlardı. Eyüp Bey karşıt görüşteydi, asla silâhların verilmesinden yana değildi. Onunla aynı görüşü savunanlar Eyüp Bey'in çevresinde toplanarak 19 Mart 1920 Cuma günü sözünü ettiğimiz bu İmalatı Harbiye Grubu'nu oluşturdular.

Biz onun çalışmalarına karışmak istemedik. Ama yaptığı işleri dikkatle izliyorduk. Eyüp Bey şöyle diyordu:

"Dün Türk kalesini dışardan ele geçiremeyen düşman bugün artık içimizdedir. Bizim nankör iç düşmanlarımızla da işbirliği yapmaktadır. Bunlara tek bir fişek bile teslim etmeyeceğiz.

"Elimizdeki silâh ve cephaneyi yarın kullanılmak üzere saklayacağız, düşman eline geçme tehlikesi başgösterirse de yok edeceğiz.

"Bu işi başarmak için her sınıftan arkadaşlarla işbirliği yapacağız."

Eyüp Bey'in önerisi üzerine Tophane, Zeytinburnu, Bakırköy, Feshane, Baruthane, Ayazma, Ağaçlı, Beykoz, Tahniye fabrikalarında, Karadeniz, Hadımköy, Çanakkale depolarında, Çobançeşme, Karaağaç, Sütlüce, Piripaşa ve Zeytinburnu ambarlarında çalışanlar da bu eyleme katıldılar ve kale gibi bir örgüt yaratıldı.

Hepsi iyi de bu arkadaşların elinde beş para yoktu. Düşmana teslim edilmeyen silâh ve cephane Anadolu'ya nasıl kaçırılacaktı?

Bu konuda bizim grubumuzla işbirliği yapmaya karar verdiler. 2 Aralık 1920'de, Harbiye Nezareti'nde Eyüp Bey'le, bizim şube sorumlumuz Ekrem Bey bir araya gelip görüştüler ve iki örgütün birlikte çalışmasına karar verdiler.

— Nasıl yani?

— Eyüp Bey'in adamlarının depoları boşaltmasına ve Ekrem Bey'in adamlarının da silâhlarla cephaneyi Anadolu'ya kaçırmasına karar verildi. Böylece iki grup anlaşmış oldu.

▲ Çamlıca köşklerinde bahçede bir öğle yemeği (Suha Tugay'dan)

▲ Galatasaray Lisesi önünde bir gösteri (Çelik Gülersoy'dan)

▼ Halide Edip Adıvar Sultanahmet Meydanı'nda kürsüde (Sipa Press)

▲ 1918 Kasımı'nda İstanbul limanında bir İngiliz gemisi (Sipa Press)

▼ İşgal yıllarında Büyükada'da Yunan bayrakları

▲ İstiklâl Caddesi'nde İngiliz birlikleri (Çelik Gülersoy'dan)

▼ İstanbul caddelerinde İngiliz birlikleri (Çelik Gülersoy'dan)

▲ İngiliz askerleri Galata Köprüsü'nde (Nezih Başgelen'den)

▼ Bir İngiliz birliği Beyoğlu'nda (Sipa Press)

▲ 16 Mart 1920'de İstanbul'da İngiliz ve Hintli askerler (Sipa Press)

▼ Beyazıt'ta işgal askerleri (Nezih Başgelen'den)

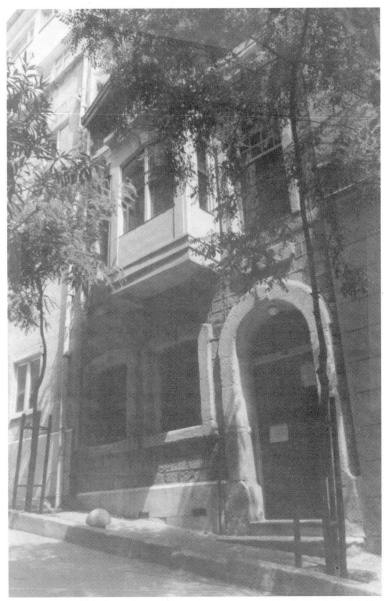

▲ Direniş örgütlerine katılanların işkence gördüğü ve yargılandığı, Galata'daki İngiliz Karakolu.

◄ İstanbul'a beyaz bir at üzerinde giren Fransız işgal kuvvetleri kumandanı General Franchet d'Espérey

▼ General Franchet d'Espérey Taksim Meydanı'nda 14 Temmuz töreninde

▲ İtalyan, İngiliz ve Fransız işgal kuvvetleri komutanları (Sipa Press)

▼ Damat Ferit Paşa işgal kuvvetleri komutanlarıyla (Sipa Press)

▲ Eski İttihatçılardan Şeref Çavuşoğlu

▲ Karakol Cemiyeti'nin kurucularından Kara Vasıf Bey

▼ 1919'da İstanbul'da Milli Kongre'yi toplayan göz doktoru Esat Işık Paşa (Esat Paşa Meyyâle Hanım'la Hasan Hilmi Paşa'nın, daha önce de Sadullah Paşa'nın damadı olmuştur. Hasan Esat ve Tomris Işık'ın babası ve gazeteci Zeynep Atikkan'ın dedesidir)

▼ Menzil Hattı'nın kurucusu Yenibahçeli Şükrü Bey (Oğlu Burhan Oğuz'dan)

▲ İstanbul'dan Anadolu'ya büyük ölçüde silah kaçırılmasını sağlayan Mim Mim Grubu'ndan Hüsnü Himmetoğlu (*Cumhuriyet* gazetesi arşivi)

▲ Felah Grubu'nun başkanı Ekrem Baydar (*Cumhuriyet* gazetesi arşivi)

▼ General Ekrem Baydar son yıllarında (*Cumhuriyet* gazetesi arşivi).

▲ Felah Örgütü'nün yöneticileri Kurtuluş'tan sonra toplu halde (1) General
Ekrem Baydar, (2) Yarbay Eyüp Durukan, (3) Binbaşı Aziz Hüdai Bey (4),
Yüzbaşı Fransız Kemal Bey, (11) Yüzbaşı Kerim Bey, (12) Yüzbaşı Hüsnü Bey,
(13) Üsteğmen Cevdet Bey, (14) Teğmen Salih Bey, (17) Yüzbaşı Rasim Bey,
(18) Yüzbaşı Emin Bey, (19) Teğmen Ziya Bey, (20) Yüzbaşı Ahmet Ağa.
(*Cumhuriyet* gazetesi arşivi).

▼ Ekrem Baydar Felah Grubu'nu yö-
nettiği sıralarda

▼ İmalâtı Harbiye Grubu'nun
kurucusu Yarbay Eyüp Durukan

▲ Büyük Taarruz'dan önce Yunan mevzilerinin durumunu gösteren haritayı Fransızlardan elde edip Ankara'ya iletilmesini sağlayan Yüzbaşı Fransız Kemal Bey

▲ Pandikyan Efendi'yi sorgulayan Binbaşı Aziz Hüdai Bey

▼ Ali Kemal Bey'i kaçıran Teğmen Cevdet Bey

▼ Silâh ve cephane kaçırılmasında büyük yararları olan Yüzbaşı Ahmet Ağa

▲ Damat Ferit Paşa'nın Baltalimanı'ndaki yalısından, Nazan Hanım'ın yardımıyla önemli belgeleri kaçıran, Kabataş Lisesi'nde uzun yıllar öğretmenlik yapan Galip Vardar Bey (*Cumhuriyet* arşivi)

▲ Neriman'ı Bakırköy'deki köşkünde konuk eden direnişçilerden Yunus Fettah Bey (Oğlu Nihat Akçan'dan)

▼ Ahmet Emin Yalman Malta'da sürgünde.

▼ Neriman'ın arkadaşı, Nesrin Sipahi ve Nihat Akçan'ın annesi Adile Hanım.

▲ Milli Kongre'ye katılan Kadın
Esirgeme Derneği Yönetim Kurulu:
(1) Başkan Saliha Kerim Hanım,
(2) İstanbul mitinglerinde konuşan
Naciye Fuham Hanım, (3) Naciye
Naim Hanım, (4) Ahmet
Ağaoğlu'nun eşi, Samet
Ağaoğlu'nun annesi Sitare Hanım,
(5) Hamdullah Suphi Bey'in kardeşi
Hamiyet Kocamemi Hanım, (6)
Naciye Hurşit Hanım, (7)
Naile Hanım, (8) Altunizâde Nurhayat
Hanım. (9) Matlube Ömer Hanım.

◄ *Diken* gazetesinde Sedat Simavi'nin
çizgileriyle Ali Kemal.

▲ Fransız yazarı Claude Farrére İzmit'te Mustafa Kemal Paşa ile birlikte.

▲ Ankara hükümetinin temsilcisi olarak 1922'de İstanbul'a gelen
Refet (Bele) Paşa, Mustafa Kemal Paşa'ya bilgi verirken.

▲ Türk askerleri Anadolu'da ilerlerken

◄ Milli mücadele
yıllarında bir
çeteci

▼ Büyük Taarruz'dan
temsili bir resim

▲ İzmit'te Ali
Kemal'in linç
edilmesi için emir
veren Nurettin
Paşa (Nezih
Başgelen'den)

▶ İstanbul'un
kurtuluşunda
Selahattin Adil Paşa,
General Harrington
ve eşiyle (Nezih
Başgelen'den)

◄ Fransız şairi Jacques Prévert
mütareke yıllarında (Coşkun
Tunç'tan)

◄ Jacques Prévert yıllar sonra
Paris'te.

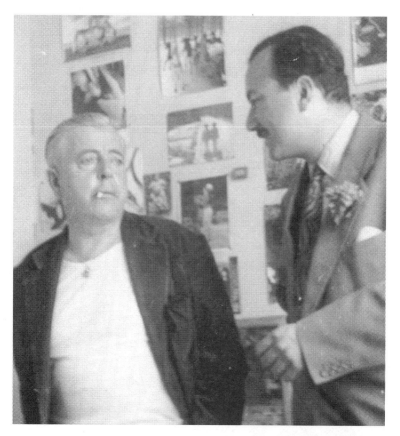

▲ Jacques Prévert 1954'te Saint Paul
de Vence'da Hıfzı Topuz'a mütareke
yıllarında İstanbul anılarını anlattığı
günlerde.

▶ Mütareke yıllarında İstanbul'da
askerliğini yapan Marcel Duhamel.

Biz Çamlıca'nın Üç Gülüyüz

Yesâri Asım Arsoy   *Nihavent Şarkı*

1- Biz Çam lı ca nın üç gü lü yüz
2- Yal nız ge ze ne söz a ta rız

Aşk bah çe si nin bül bü lü yüz
Nâz ey le ye ne biz ça ta rız

Dil ler de ge zer söy le şi riz
Yüz bin ko ku lu gül sa ta rız

Gâm sız ya şa rız ey le ni riz
Bil lâ hi ca na can ka ta rız

▲ "Biz Çamlıca'nın Üç Gülüyüz" şarkısının notası.

IX

Yüzbaşı Bennett, Ekrem Bey
ve Hrisantos Çetesi

Nedim Bey'in Harbiye Nezareti'nde en çok ilgisini çeken subaylardan biri Siyasal Haberalma bölümünün sorumlusu Binbaşı Ekrem (Baydar) Bey'di. Uzun boylu, yakışıklı, çakı gibi bir subay olan Ekrem Bey'e yaklaşmak kolay değildi. Görevinin ne olduğunu, her gün nelerle uğraştığını da Nedim'den başka pek bilen yoktu.

Ekrem Bey Suriye'deyken Mustafa Kemal'le tanışmış, sonra İngilizlere esir düşmüştü. Savaş bittikten sonra o da bütün esirlerle birlikte yurda dönmüştü. Mustafa Kemal Suriye'deyken Ekrem Bey'i sevmiş ve çeşitli görevlerde kullanmıştı. Ekrem Bey İstanbul'a dönünce Mustafa Kemal'e her zaman onun hizmetinde olmak istediğini söylemiş, Mustafa Kemal, "Sırası gelince ben sana haber veririm," demekle yetinmişti.

Ekrem Bey daha sonra Ankara'nın desteğiyle 1920 Ağustosu'nda kurulan Hamza Grubu'nda yer almıştı.

Aradan bir süre geçip de Nedim Bey'le Ekrem Bey yakın dost olduktan sonra bir gün Ekrem Bey Hamza Grubu'na katılış hikâyesini anlattı.

— Azizim Nedim Bey, senden hiçbir şey saklayacak değilim, dinle, bak, ben bu örgüte nasıl girdim. Bir sabah Bostancı'daki evimden çıkmış Harbiye Nezareti'ndeki işime gidiyordum. Birden önümde bir dilenci belirdi. Elindeki fesi bana uzatarak, "Allah rızası için bir sadaka," diye mırıldandı. Adama acıdım, para vermek için ceplerimi karıştırırken bir de ne göreyim, fesin içinde bir zarf. Zarfın üzerinde de şunlar yazılı: "Erkânı Harp (Kurmay) Binbaşı Ekrem Bey'e. Zata mahsustur."

Cebimden çıkardığım beş on kuruşu fesin içine koyarken zarfı aldım. Sağıma soluma bakındım; kimseler yok. Zarfı cebime yerleştirdim. Ama meraktan deli oluyordum. Köşe başına gelince birden aklıma bir şey gelmiş gibi bir an durakladım. Sonra geriye döndüm. Hemen eve gidip mektubu okuyacaktım.

Eve geldim, mektubu cebimden çıkardım. Zarf kırmızı mumla kapatılmış ve üstüne resmi mühür vurulmuştu. Zarfı açtım. İçinde 20 kişilik bir liste. Başkan olarak da ben atanmışım.

Kimler vardı bu listede? Gizli haberalma işlerinde çalışan Binbaşı Aziz Hüdai, İmalatı Harbiye'nin kurucusu Topçu Yarbayı Eyüp, Piyade Yüzbaşısı İsmail Hakkı, Yüzbaşı Seyfettin Akkoç vb...

Hemen Nezaret'e gittim, oradan da gizli Telgraf Merkezi'ne ve Ankara'ya, gizli şifre ile emaneti aldığımı bildirdim. Artık yaşamımda yeni bir dönem başlıyordu. Adı geçen kişilerle gizli gizli buluşup görüşmem gerekiyordu. Mustafa Kemal Paşa'ya da özel bir mektup yazarak, "İçimde alevlerin yandığını, bir kurmay subay olarak vatana hizmet etmek istediğimi ve emirlerini beklediğimi" bildirdim.

Mustafa Kemal Paşa'nın yanıtı gecikmedi. Derhal örgütlenmeye başlamamı bildiriyordu.

İşte azizim, göreve böyle başladım. Büyük Postane'nin bodrumunda gizli bir telgraf merkezi kurdum. Ankara ile sürekli bir haberleşme sistemi sağladık. Hamza grubu, yani gizli örgüt böyle oluşturuldu.

— Demek ki Binbaşım, siz şimdi bizim için en sağlam haber kaynağı sayılırsınız. Benim çok merak ettiğim bir şey var. Duyduğumuza göre İstanbul'daki İngiliz Gizli Haberalma Servisi'nin başında olan Yüzbaşı Bennett Kasım'da (1920) ağır yaralı olarak apar topar İngiltere'ye geri gönderilmiş. Bu konuda bir bilginiz var mı?

— Nasıl olmaz Nedim Bey, anlatayım. Bu Yüzbaşı Bennett sizinle de yakın ilişki kurmak sevdasındaydı. Sizin Çamlıca'da Hulusi Bey'in köşküne sık sık gidip geldiğinizi biliyordu, biz de biliyorduk.

— Elbette Ekrem Bey, bunun gizli bir yanı yok. Hulusi Bey'in eşi Handan Hanım'la kardeş çocuğu oluruz

— Tabii, tabii, onu biliyoruz.

— Kızlarını da çok sever, eğitmeye çalışırım.

— Onu da biliyoruz. Ama sizin de şunu bilmenizde yarar var. Yüzbaşı Bennett yakın arkadaşı Yüzbaşı John White'a Hulusi Bey'in kızlarından biriyle ilgilenme görevi verdi.

— Ben John White'ın Hulusi Bey'in büyük kızı Neriman'la ilgilendiğini biliyorum. Ama bunun bir görev olacağını hiç düşünmemiştim.

— Evet azizim, bu bir görevdi. Yüzbaşı Bennett Neriman Hanım aracılığıyla size ulaşmayı tasarlıyordu.

— Bana ulaşacaktı da ne olacaktı?

— Öyle demeyin, sizin yeraltı örgütleriyle ilişkileriniz olduğunu biliyordu. Böylece size hiç aklınıza gelmeyecek bir darbe hazırlayacaktı.

— Çok şaşırdım Ekrem Bey. Benden herhalde hiçbir şey elde edemezdi. Ama planını gerçekleştiremedi.

— Biz zaten buna izin vermezdik.

— Peki ne oldu da Yüzbaşı Bennett alelacele Londra'ya gönderildi?

— Anlatayım, Yüzbaşı Bennett Türkiye için özel olarak yetiştirilmiş bir ajandı. Çok iyi Türkçe konuşuyordu. Geleneklerimizi çok iyi biliyor ve bizim gibi giyiniyordu. Kuran'ı yorumlayacak kadar iyi Arapça öğrenmişti. Bir şey daha söyleyeceğim, çok şaşacaksınız. İlişki kuracağı İstanbullu kadınların kendisinden şüphe etmemeleri için İstanbul'a gelirken sünnet de olmuştu. Çok bol para harcıyor ve herkesi satın alabiliyordu. Rumlar ve Ermeniler Bennett'e hayrandılar. Burada akla gelmeyecek düzeyde bir gizli örgüt kurmuştu.

— Onu duydum.

— Türklere karşı ne kadar acımasız olduğunu da duymuşsunuzdur herhalde.

— Evet onu da biliyorum.

— Evet, Amerikan konsolosluğu ile Novotni'nin arasında Kroker Oteli vardır ya, bürosu oradaydı. Uzun boylu, kırmızı yüzlü, sarışın ve yakışıklı bir adamdı. Ama her çevrede korku salmıştı. Parlak çizmeler giyer ve elinde bir kamçıyla dolaşırdı. Zevkine çok düşkündü. Sınırsız içki içerdi. Rakı, viski, ne bulursa. Otelin alt katındaki bodrumlar Bennett'in işkence odalarıydı. O duvarların dili olsa da o alçak herifin orada yaptığı işkenceleri anlatsalar.

Bazen de Galata Kulesi'nden Voyvoda Caddesi'ne uzanan yol üzerindeki İngiliz Karakolu'na gider ve orada hücreye tıkılan zavallıları kırbaçlar, millete kan kustururdu.

Yüzbaşı Bennett'in İstanbul halkına ettiği bu zulüm elbette cezasız kalmayacaktı. Silâhlı üç gizli örgüt bir süre sonra Bennett'i yok etmeye karar vermişler ve bunun için ayrıntılı bir plan hazırlamışlar. Bana bunu duyurdular. Bennett bu ölüm cezasını öylesine hak etmişti ki, karşı koyamadım. Zaten onları durdurmak benim elimde değildi.

Hamza Grubu'nun adamları günlerce çalışmışlar ve Yüzbaşı Bennett'in hangi saatlerde nerelerde olduğunu saptamışlar. Bennett'in mehtaplı gecelerde Büyükdere'de bir gazinoya gidip kafayı çektiğini öğrenmişler. Rum gazinocular Yüzbaşıya kız da buluyorlar ve hoş saatler geçirmesi için ellerinden geleni yapıyorlarmış.

Bizim örgütlerin adamları bu iş için en uygun yerin Hacıosman Bayırı'ndan Maslak'a giden ağaçlık yol olduğunu saptamışlar. Eylemi gerçekleştirecek sekiz kişilik çete gündüzden gidip görev yerini belirlemişti. Yol kenarındaki bir çam ağacının gövdesi testere ile dörtte üç oranında kesilmiş, ağaca birkaç sağlam ip bağlanmış, iplerin ucu yolun karşı yanına uzatılmış. Öyle ki gençler iplere asıldıkları zaman ağaç yolun üzerine devrilecek ve yol kapanacakmış. Çayırbaşı'ndan gelen yolun üzerine iki nöbetçi çıkartılmış. Onlar Yüzbaşı'nın arabasını görür görmez ışıkla haber verecekler ve ipler çekilecekmiş.

Her şey kararlaştırıldığı gibi olmuş. Bennett o gece de iyice kafayı çekmiş. Bir ara bir Rum dilberiyle gazinonun özel bir locasına çekilip sevişmişler. İşi bitince, "Haydi artık dönelim," diye korumalarına seslenmiş. Bizim gizli örgütte çalışan garsonlardan biri de bu gelişmeleri yakından izliyormuş.

Sonra hep birlikte arabaya yerleşmişler. Önde şoför ve bir yardımcısı, onların arkasında *straponten* denen çekme iskemlelerde otomatik silâhlı iki muhafız ve arkadaki koltukta da uyuklayan Yüzbaşı Bennett.

Bizim çetenin başında Manastırlı Deli Ömer adında bıçkın bir silâhşör varmış. Çetenin adamları ağaçların altında gizlenmiş bekliyorlarmış. Nöbetçi yolun başından ilk işareti verince bizim çocuklar hemen tetikleri hazırlayıp arabayı beklemeye başlamışlar. Az sonra yolun başında otomobilin farları görülmüş. Bunun Bennnett'in arabası olduğunu anlayan bir nöbetçi ıslık çalmış. Bizimkiler derhal iplere sarılıp ağacı yola devirmişler. Otomobilin lastikleri patinaj yaparak güç belâ durabilmiş. Bizimkiler sarılmışlar silâhlara. Bennett'in muhafızları da otomatikleri ateşlemişler. Savaş alanına dönmüş ortalık. Çocuklar bir de el bombası patlatmışlar. Şoför o arada arabayı ağaçtan kurtararak basmış gaza.

Gürültüyü duyan İngiliz devriyeleri ve bizim jandarmalar da olay yerine koşmuşlar. Ama bizim çeteciler hiç iz bırakmadan ormanın içinde kaybolmuşlar.

Olayı biz ertesi gün duyduk. Meğer Bennett bacağından yaralanmış. Yüzbaşı'yı son hızla Fransız Hastanesi'ne götürmüşler ama bir bacak paramparça olmuş. Ayağı galiba kesmişler. Bakmışlar durum çok kötü, Bennett'i ertesi gün Londra'ya göndermişler. İşte Bennett olayı bu.

Bennett İngiltere'ye gönderilince yerini Binbaşı Withol aldı. Onun da ilk işi John White'la birlikte Çamlıca'daki köşke adımını atmak oldu. Bunu duyduğunuzu sanıyorum.

— Nasıl duymam? Neriman bu olayı bütün ayrıntılarıyla bana anlattı.

— Evet size şunu söyleyeyim, ayağınızı denk alın. Bunlar sizi

bir kazaya kurban da edebilirler. Gerekli korumaları size sağlaya-
biliriz. Cambaz Mehmet Bey'in adamları bu işi çok iyi becerirler.
— Hiç şüphem yok. Şimdilik bunu gerekli görmüyorum. Ama
Neriman'ın başına bir dert açılmaması için elimden geleni yapa-
cağım.

Hrisantos Çetesi

O yılların en çok konuşulan konularından biri de ünlü hay-
dut Hrisantos olayıydı. Adını ilk kez 1918'de duyuran Hrisantos
Beyoğlu, Dolapdere, Galata, Aynalıçarşı ve Tatavla (Kurtuluş)
semtlerinde, 13'ü polis olmak üzere tam 21 kişiyi öldürerek İs-
tanbul'u titretmiş bir kent eşkiyasıydı. Tatavla canavarı diye de
anılıyordu.

1895'te Beyoğlu'nda doğan Hrisantos genç yaşlarda meyhane-
lerde ve genelevlerde sevgililer bularak ün yapmış bir bıçkındı. Si-
yah pantalon, iki yandan düğmeli bir siyah yelek, yakası açık bir
pembe gömlek, uzun püsküllü bir kırmızı fes ve yumurta topuk-
lu ayakkabı giyerek bütün dikkatleri üzerine çekiyor ve kadınları
kendine hayran bırakıyordu.

Çocukluğunda güzel bir oğlan olduğu anlatılıyordu. Kendisi-
ne âşık olan kabadayılar da az değilmiş. Hrisantos bazen ka-
dınların sevgililerini de ellerinden almıştı.

1915 yılında Sakızlı meyhaneci Deli Panayot bu yakışıklı gen-
ce âşık olmuş ve başına belâ kesilmişti. Oysa Hrisantos'un başka
bir sevgilisi vardı: Sarı Hristo. O da Tatavla'nın ünlü kopukların-
dan biriydi. Sarı Hristo Deli Panayot'un Hrisantos'a asılmasına
deli oluyordu. Bir gün Panayot'u bir köşede sıkıştırarak,

— Ulan kaçık Panayot, dedi, sevgilimi rahat bırak. Vazgeç bu
sevdadan.

— Vazgeçmezsem ne olacak?

— Dünyayı ters görürsün.

— Konuş oğlum konuş, güzel oluyor.

— Ulan senin gibi sapıkları ben İstanbul'da yaşatırsam bana
da Sarı Hristo demesinler.

Panayot bu sözleri duyar duymaz sarıldı bıçağına. Hristo daha sustalı çakısını açamadan Panayot bıçağını onun göğsüne sapladı. Hristo gafil avlanmıştı. Panayot bıçacağını hiç durmadan Hristo'nun göğsüne ve boynuna saplıyordu. Hristo'nun her yanından kan fışkırıyordu. Vücudu delik deşik olmuştu. Ağzını bile açamadan yere yıkıldı.

Bu olay bomba gibi patladı bütün meyhanelerde. Demek ki Hrisantos için korkunç bir cinayet işlenmişti. Hrisantos böylece kabadayılar çevresinin en gözde delikanlısı olmuştu.

Hrisantos cinayetler dizisine 1918'de Boğazkesen'de parası için bir sütçüyü öldürmekle başladı. Tutuklandı, cezaevine girdi. Ama 16 Mart 1920'de İstanbul işgal edilince İngilizler cezaevlerini boşalttılar. O da özgürlüğe kavuştu.

Cezaevi Hrisantos için okul olmuştu. Orada yeni dostlar edindi: Zafiri, Hariton, Makarnacı Niko, Fantoma Mehmet, Arap Mesut, Galip, Onnik, Nubar. Hep birlikte kent eşkiyalığına başladılar. En büyük düşmanları polislerdi. Cinayet olaylarının siyasal bir nitelik kazanması üzerinde duruluyordu. Hrisantos'un öldürdüğü insanların sayısı 21'e yükseldi. Bunlar bilinenlerdi. Ya bilinmeyenler? Yunanistan'da, İzmir'de ve Malatya'da işlediği cinayetleri? Onlar siciline geçmemişti.

Hrisantos'u hep kadınlar korudu. Bu yüzden de yakayı ele vermedi. Bir koruyucusu daha vardı, İngiliz Haberalma Servisi Şefi Yüzbaşı Bennett. Hrisantos ona istediği bilgileri aktarıyor, o da kendisini koruyordu. Zaman zaman İngiliz üniformasıyla dolaşıyordu. Ama İngilizce bilmediği için İngilizlerin arasına hiç karışmıyordu. Yine de bu üniforma işini herkes duymuş ve Karargâh kumandanı General Fuller durumu kurtarmak için, *"İngiliz kuvvetleri içinde hiçbir görevleri olmadığı halde bazı kimselerin İngiliz üniformasıyla dolaştıkları öğrenilmiştir. Bunlar suç işlemek amacıyla bu giysileri giymektedirler. Bizden değillerdir. Halkı uyarınız,"* şeklinde bir bildiri yayınlamak zorunda kalmıştı.

Nedim Bey de bu konuda bir şeyler öğrenmek istiyordu. Bu nedenle Mim Mim Grubu'nun yetkili yöneticilerinden olan Yarbay Hüsamettin Bey'le görüşmesinin yararlı olacağını düşündü. Hüsamettin Bey Hrisantos'un İngiliz Gizli Servisi'nden büyük destek gördüğüne inanıyordu. Şöyle dedi:

— Hrisantos'un arkasında İngilizler vardır. Bu nedenle ben olayı yakından izliyorum. Hrisantos İngilizlerden bol para alır, İngiliz yapısı tabancalar kullanır. İngiliz Gizli Servisi'nin temsilcisi John Bennett kendisini çok şımartmış ve koruması altına almıştır. Bakın, dikkat edin, şimdiye kadar hiç İngilizlerle çatıştı mı? Fransız ve İtalyan polislerine kök söktürdü ama İngilizlere değil. Bennett'in Hrisantos'u korumasının nedeni de bu celladın onlar hesabına casusluk yapmasıdır. Hrisantos İngilizlerin ulaşamıyacakları yerlerden haber sızdırmasını bilen bir ajandır.

Nedim Bey,

— Neden bugüne kadar onu yakalayamadınız? diye soracak oldu.

Hüsamettin Bey,

— Kolay değil, dedi. Örgütümüz bu tehlikeli haydutu yakalamak için polisteki arkadaşlarımızla sıkı bir işbirliği yaptı, ancak henüz başarılı olamadık. Bir keresinde Hrisantos az daha yakayı ele veriyordu, ama kaçırdık. Sivil polis memuru Gönenli Muharrem Efendi çok güvendiğimiz bir adamımızdı. Bir gün Pangaltı hamamında yıkanırken bir de bakmış, Hrisantos da orada. Kendisini ilk kez çıplak gördüğü için önce tanıyamamış, sonra Hrisantos olduğunu anlar anlamaz keselenmeyi bırakarak acele su dökünmüş ve hamamdan fırlamış. Hrisantos da kendisini Barba Yani'nin meyhanesinden tanıyormuş. Muharrem Efendi'nin alelacele hamamdan çıktığını görünce, "Bunda bir oyun var," demiş, "Karakola haber vererek, gelip beni burada bastıracaklar."

Hrisantos da hamamın soyunma odasına koşmuş, sırtına mintanını, ayağına pantalonunu çekerek düşmüş Muharrem Efendi'nin peşine. Dolapdere'ye inen yolda kendisini yakalamış.

— Nereye böyle Muharrem Efendi, demiş. Acelen ne, doğru dürüst yıkanmadın. Karakola mı gidiyorsun?

Gönenli Muharrem Efendi,

— Yok canım, demiş, karakolda ne işim var? Yıkandım temizlendim, evime dönüyorum.

Hrisantos,

— Yok arkadaş, demiş, ben seni tanırım. Kaç zamandır peşimdesin. Düş önüme bakalım.

Daha Muharrem Efendi tabancasına sarılmadan Hrisantos kurşunları boşaltmış başına. Ertesi sabah Muharrem Efendi'nin Dolapdere yolunda cesedini bulmuşlar. Bu, Hrisantos'un öldürdüğü dördüncü polisti.

Hüsamettin Bey haydudu ellerinden kaçırmış olmalarının üzüntüsü içindeydi. Bu yenilgiyi bir türlü içine sindiremiyordu. Konuşmasını şöyle sürdürdü:

— Bu olay Aynalıçeşme Karakolu'nda çalışan arkadaşlarımızı deliye döndürdü. Mutlaka Hrisantos'un hakkından gelmeye yemin ettiler. Hepsi seferber oldu. Ama Hrisantos da tehlikeyi sezdiği için önlem almıştı. Onun adamları da karakola girip çıkanları uzaktan izliyorlardı. Ne yazık ki biz bir yenilgiye daha uğradık. Hrisantos Çetesi Aynalıçeşme Karakolu'nu basmış. Karakolda altı polis memuru varmış. Neye uğradıklarını anlamamışlar. Çeteciler tabancalarını çekerek,

— Hiç kıpırdamadan silâhlarınızı teslim edin, diye bağırmışlar.

Komiser namuslu ve yürekli bir adammış, silâhını teslim etmek istememiş. Çeteciler bunun üzerine komiseri delik deşik etmişler. Öteki polisleri de nezarethaneye kapatmışlar, bütün silâhları toplayıp kaçmışlar.

Olay polisimiz için bir yüzkarası oldu. Düşünebiliyor musunuz Nedim Bey, İstanbul'un göbeğinde kent eşkiyaları karakol basıp komiser öldürüyorlar ve polislerimizi nezarethaneye kapatıyorlar. Kim artık polise güvenebilir?

Adamlarımız yeniden seferber oldu. Ama bu kez de Hrisantos' un İngilizlerin yardımıyla Yunanistan'a kaçırıldığını öğrendik. Hrisantos orada kaldığı üç ay içinde birçok kimseyi zorla haraca bağlamış, bir köyü basarak birkaç kişiyi yaralamış, kendisini sıkıştırmışlar, bu kez de bir evin kapısını siper alarak oradan ateş etmeye başlamış, bir jandarma subayını öldürmüş. Sonra bütün mahallenin kordon altına alındığını anlayınca bir damda gizlenmiş ve geceyi orada geçirmiş. Ertesi sabah damdan dama atlayarak kaçmış ve Atina'ya dönmüş.

Atina varoşlarında bir meyhanede bir İngiliz askeriyle kafa çekmiş. İngilizi bir güzel sarhoş etmiş. Sonra da, İngiliz sızıp uyuyunca adamı soymuş ve onun elbiselerini giyerek limana kadar yürümüş. Oradan da bir gemiye atlayarak İstanbul'a gelmiş ve Dolapdere'de, dostu olan bir kadının evine sığınmış. Ama kadının kardeşi Yani de korkarak durumu hemen karakola bildirmiş. Polis bunun üzerine sıkı önlemler aldı. Bakalım şimdi bu hayduttan nasıl kurtulacağız?

Nedim Bey'in bu konuda yapabileceği bir şey yoktu. Ama Yüzbaşı Bennett'in Londra'ya gitmiş olması Hrisantos'u büyük bir destekten yoksun bırakacağı için de seviniyordu.

Polis son olarak Hrisantos'un Tatavla'da Agaton adında bir balıkçının evinde gizlendiğini haber aldı. Agaton böyle korkunç bir haydutu evinde saklamaktan korkuyordu. Başına bu yüzden hiç olmadık belâlar gelebilirdi. Hem de en önemlisi Hrisantos kendisine Yunanistan'dan İstanbul'a iki kişiyi öldürmek için geldiğini söylemişti. Öldüreceği insanların biri meyhaneci Brava, öteki de onun kızı Eftimya'ydı.

Hrisantos Eftimya'yı delicesine seviyordu. Yunanistan'a kaçarken onu da götürmüştü. Ama kız orada sıkılmış, Hrisantos'tan da bıkmış ve hiç haber vermeden İstanbul'a kaçmıştı.

Hrisantos sevgilisini babası Brava'nın kaçırdığına inanıyordu. Bu yüzden ikisini de öldürecekti. Agaton Hrisantos'a onları öldürmemesi için ne söylediyse olmadı. Katilin gözü kararmıştı, kimseyi dinlemiyordu. Üstelik yaralıydı da. Birkaç gün önce bir kavgada koluna kurşun yemişti. Yatakta kıvranıyor ama meyhaneci ile kızını öldürmekten asla vazgeçmiyordu.

Agaton Hrisantos'u polise bildirmek zorunda kaldı. Hrisantos gece uykuya dalınca Agaton pencereden işaret verecek ve ev basılacaktı.

Polis geniş önlemler aldı. 7 Eylül 1920 gecesi 15 kişilik bir ekiple ev kuşatıldı. Hepsi kulak kesilmiş Agaton'un işaretini bekliyor ve çıt çıkmıyordu.

Sonunda, gece yarısı beklenen işaret geldi. Komiser Muharrem (Alkor) ile yardımcısı Cafer Tayyar açık pencereden içeri atlayarak Hrisantos'u yatakta bastırdılar. Çaprazlama yaylım ateşi başladı. Hrisantos'un üzerinde yatakta bile, iki tabanca ve bir el bombası vardı. Karanlıkta atılan kurşunlar daha hedefine ulaşmadan Hrisantos yastığının altındaki tabancasına sarılıp ateş etti. Bu kurşun yağmuru on dakika sürdü. Hrisantos karyolanın altına gizlenmiş, oradan ateş ediyordu. Bir süre sonra ateş kesildi. Demek ki haydudun mermileri tükenmişti.

Komiser Muharrem Bey yere uzandı. Hrisantos karyolanın altında can çekişiyordu. Muharrem Bey hemen haydudun boğazına sarılmak istedi. Hrisantos'un tabancasında son bir kurşun kalmıştı. Silâhını son bir kez ateşledi. Muharrem Bey karnından vuruldu ama yılmadan Hrisantos'un boğazına sarıldı. Haydut artık kımıldayacak durumda değildi. Muharrem Bey yine de tabancasını katilin kafasına doğrultarak bütün şarjörü boşalttı.

Böylece İstanbul en büyük kent eşkiyasından kurtulmuş oluyordu. Haydudun giysileri ve tabancaları polis müzesine kaldırıldı.

Hrisantos'un çetesindeki Fantoma Mehmet'ler, Arap Mesut'lar, Kunduracı Aleko'lar, Zafiri'ler, Hariton'lar, Nubar'lar, Onnik'ler, Makarnacı Niko'lar da kısa zamanda teker teker ele geçirildiler. İngiliz gizli örgütü önemli bir kolunu yitirmiş oldu.

X

Nazan, Beyaz Ruslar

Perihan'la Nedim Bey artık sık sık Beşiktaş'taki evde buluşuyorlardı. Bu buluşmaların birinde Perihan Amerikan Koleji'nden arkadaşı Nazan'dan söz etmek istedi. Çünkü Nazan'ın da Milli Mücadele'ye çalıştığını biliyordu.

Nazan'ın babası Sadrazam Damat Ferit'in sır kâtibi, yani özel sekreteriydi ve Paşa'nın Baltalimanı'ndaki ünlü yalısında çalışıyordu. Nazan da ara sıra bu yalıya gidiyor ve Paşa'nın eşi Mediha Sultan'ın çaylarına katılıyordu. Ferit Paşa ve Mediha Sultan, Nazan'ı kendi kızları gibi seviyor ve onunla yakından ilgileniyorlardı.

Ne var ki Nazan özgür düşünceli bir kızdı ve Ferit Paşa'nın körü körüne İngilizleri ve Padişah'ı destekleyen politikasından çok rahatsız oluyordu. Bu düşüncelerini Perihan'a anlatmaktan da hiç çekinmiyordu.

Nazan, Perihan'la konuşmalarında hiç adını vermeden hoşlandığı bir gençten söz etmiş, ama kim olduğunu, kendisini nasıl ve nerede tanıdığını açıklamak istememişti. Ne var ki Perihan Nazan'ın düşlerinin kahramanı olan gencin Milli Mücadele'den yana olduğunu anlamakta gecikmedi.

Perihan Nazan'ı biraz daha sıkıştırınca bu gencin Ferit Paşa'nın yalısındaki muhafız birliğinde çalışan bir üsteğmen olduğunu öğrendi.

Peki, bu üsteğmen nasıl olmuş da Nazan'ı tanımıştı? Bu genç yalının çevresinde nöbet tutuyor ve yalıya girip çıkanları sürekli olarak denetliyordu. Nazan'ın babası da bu üsteğmenin ilgi alanına giriyordu. Kimdi bu özel sekreter? Kimlerle ilişki içindeydi? Nerede oturuyor ve nasıl yaşıyordu?

Muhafız birliğinin başındaki bu üsteğmen bir akşam Nazan'ın babasının peşine takılmış ve onu Arnavutköy sırtlarında oturduğu köşke kadar izlemişti. Üsteğmen ertesi sabah da erkenden köş- kün çevresinde dolaşmaya başlamış ve o sırada koleje gitmek için kapıdan çıkan Nazan'a gözleri takılmıştı. Nazan uzun eteği, rugan papuçları ve saçlarının bir bölümünü örten zarif başörtüsüyle evden çıkmış ve kıyıya doğru yürümüştü. Çevresiyle hiç ilgilenmiyor ve derslerini düşünüyordu.

Genç subay bu izleme görevlerini yaparken dikkati çekmemek için sivil giyiniyordu. Ertesi sabah yine Arnavutköy'e gitti. Nazan yine aynı saatte evden çıkınca kendisini izlemeye başladı. Ama kız hiç de gizlenmeye çalışmıyordu. Daha ertesi gün üsteğmen yine Nazan'ın peşindeydi, kolejli kız da artık izlendiğini anlamıştı. Böyle bir ilgi onun duygularını okşuyor, peşinden gelen genci de beğeniyordu.

Nazan'ın anlattığına göre daha sonraki günler gözleri kendisini izleyen adamı arar oldu. Bir sabah uzaktan gülümseyerek selâmlaştılar. Ondan sonraki sabah da o yakışıklı genç Nazan'a yaklaşarak kendini tanıttı.

"Artık birbirimizi tanıyoruz. Konuşmamızda sakınca olmasa gerek," dedi.

"Evet ama, bizim köşk denetim altındadır. Benimle konuşmanız sakıncalı olmaz mı?"

"Hayır hiç olmaz. Ben kendimi tanıtayım size. Adım Galip. Sizi çok beğeniyorum. Arkadaşlık edebiliriz."

"Benim de adım Nazan. Gördüğünüz köşkte oturuyorum. Babam da Sadrazam Hazretleri'nin yanında çalışıyor. Sizi tanıdığıma çok sevindim. Yine görüşürüz herhalde. Şimdi ben hemen koleje gitmek zorundayım."

Perihan bunları anlatırken Galip adını işiten Nedim Bey kızın sözünü keserek,

— Üsteğmenin adı Galip (Vardar) mıymış? diye sordu. Çok sempatik, akıllı ve becerikli bir gençtir. Kendisine Damat Ferit Paşa'yı denetlemek görevi vermiştik.

— Nasıl yani? Siz mi verdiniz bu görevi? Harbiye Nezareti, yani hükümet mi? Yoksa sizin gizli örgütünüz mü?

— Anlatayım. Hükümet Sadrazam Paşa'yı korumak zorunda. Bu nedenle de yalının çevresinde bir muhafız birliği bulunduruyor. Öte yandan biz de Sadrazam'ın özel ilişkilerini denetlemek istiyoruz. Yalıda gizli toplantılar oluyor, bakanlar, yazarlar, yabancı konuklar, İngiliz generalleri gelip gidiyor o yalıya. Neler konuşuyorlar, Kuvayı Milliye'ye karşı neler hazırlıyorlar, bunları öğrenmemiz gerekiyor. Bunun için de Muhafız Birliği'ne bir adamımızı yerleştirmek istedik, Galip'in oraya atanmasını sağladık.

Yani Galip'in resmi görevi yalıyı korumak, gerçek görevi de bize bilgi toplamak. Anlıyor musun?

— Peki Galip Nazan'dan bilgi sızdırmak mı istiyor? Eğer durum böyle ise çok acı. Nazan Galip'in kendisinden hoşlandığını sanıyor. O da aynı duygular içinde. Ama bir gün bu ilişkinin bir çıkar ilişkisi olduğunu düşünürse büyük bir bunalım geçirmez mi? Çok yazık olur Nazan'a.

— Valla, orasını bilmem, belki de kızdan gerçekten hoşlanmıştır. Hiçbir düş kırıklığı olmaz.

Perihan,

— İnşallah olmaz, dedi. Buluşmalarını sürdüren Perihan ile Nedim, sık sık Nazan'la Galip'i konuşuyorlardı. Perihan,

—Galip Bey geçenlerde yine Nazan'ı yokuşun başında bekliyormuş. Bu kez kıyıdaki yola kadar birlikte yürümüşler. Galip subay olduğunu ve Muhafız Birliği'nde çalıştığını Nazan'a anlatmış, "Görevim dolayısıyla her gün buralarda dolaşıyorum," demiş. Nazan da sık sık buluşabileceklerini düşünerek çok mutlu olmuş.

Ama bakmışlar ki bu sabah buluşmaları yeterli olmuyor, akşam okul dönüşlerinde de birbirlerini görmeye karar vermişler. Akşamları Arnavutköy sırtlarındaki Ayazma'nın çevresindeki ormanda el ele gezintilere başlamışlar. Bu gezintiler birkaç hafta büyük bir mutluluk içinde, hiç aksamadan sürmüş.

Günün birinde de Nazan Galip'e, "Beni evine götürüp ailenle

tanıştır," diye tutturmuş. Galip Çarşamba'da eski bir evde oturu-
yormuş. Kıza o evi ve ailesini göstermekten biraz kaçınmış, ama
sonra, "Kabul," demiş, "senin için ne zaman uygun olursa birlik-
te gideriz, ailemi tanırsın."

Bir tatil günü Galip Nazan'ı evine götürmüş. Nazan onların
oturduğu mahalleyi ve evleri çok yadırgamış. "Hayret ediyorum,"
demiş, "insanlar bu evlerde nasıl yaşıyorlar? Buraları hiç güneş
görmez ki. İnsanların içi kararır bu yerlerde." Galip, "Nazancı-
ğım," demiş, "güneş bizim içimizde. Sizin oturduğunuz evlerde,
içi hiç güneş görmemiş, aydınlanmamış insanlar yok mu?"

Eve gittikleri gün Galip'in babası hastaymış, annesi de çok
yorgun ve keyifsizmiş. Ama ikisi de güleryüzle ve sevgiyle karşıla-
mışlar Nazan'ı. Çay yapmışlar, ev kurabiyeleri çıkarmışlar. Nazan
da çok sevmiş onları.

— Evet, ben de biliyorum. Galip bana bunları anlattı.

Şimdi hikâyenin devamını ben sana anlatayım. Bir gün yalıda
büyük bir davet varmış. General Harrington, Yüzbaşı Bennett,
General Charpi, General Montpelli, Albay Nelson, Kont Caprini
gibi ünlü kumandanlar ve temsilciler yalıya gelmişler. Ama aksi-
lik bu ya, Sadrazam'ın çevirmeni o gün hastalanmış ve yalıya ge-
lememiş.

— Evet, Nazan da oradaymış, bana anlattı, herkesin iki ayağı
bir papuca girmiş. Ne yapacaklarını şaşırmışlar. Sadrazam İngi-
lizce biliyormuş ama çeviri yapması hiç yakışık almazmış. Yalıda-
ki Muhafız Kumandanı, "Paşa Hazretleri," demiş, "bizim birliği-
mizde çok iyi İngilizce konuşan bir üsteğmen var. Onu çağırsak
size yardımcı olabilir."

— Evet, doğru, Galip de bana anlattı. Kendisini içeri almışlar.
O da o akşam General Harrington'un çevirmenliğini yapmış.

— General de kendisini çok beğenmiş.

— Evet, çok beğenmiş ve Galip'e, "Neden," demiş, "Fransızca
öğrenmediniz de İngilizce öğrendiniz?" Galip, "Generalim," de-
miş, "İngilizce çok soylu bir ulusun dilidir. Ben İngilizlere ve Bü-
yük Britanya'ya çocukluğumdan beri hayranım."

General, "Nereden geliyor bu hayranlığınız?" diye sormuş. Galip de, "Çünkü," demiş, "İngilizler dünyadaki yüz milyonlarca Müslümanın koruyucusudur. İngiltere olmasaydı ne olurdu Müslümanların durumu?"

Harrington bayılmış bu sözlere. Damat Ferit de onları dinliyormuş, göğsü kabarmış, çok övünmüş bu genç üsteğmenle.

General, "Peki," demiş, "haklısınız. Biz gerçekten de Müslümanları korumaya çalışıyoruz. Ama Türkiye'de Mustafa Kemal diye bir kumandan çıkmış, Müslümanları bize karşı kışkırtmaya çalışıyorlar. Ona ne dersiniz?"

Galip Harrington'un ve Damat Ferit'in daha çok güvenini kazanmak amacıyla, "Generalim," demiş, "dinimiz Müslümanlara karşı gelenin öldürülmesini emreder."

İkisi de bayılmış Galip'in bu sözlerine. Damat Ferit davetliler gider gitmez Nazan'ın babasını çağırtarak, "Bu genç subayı çok beğendim," demiş. "Hiç ötekilere benzemiyor. Bu kadar Müslümanlığın ve Türklüğün bilincinde olan bir subaya hiç rastlamamıştım. Kendisini emir subayı olarak yalıya aldırın." Mediha Sultan da duymuş bu konuşmaları. O da Galip'e bayılmış, "Derhal," demiş, "o yakışıklı genç yarın yeni görevine başlasın."

Perihan,

— Nedim, dedi, olayın öteki yüzünü de benden dinle. Nazan Galip'in yalıya girdiğini görünce heyecandan çılgına dönmüş. Düşünebiliyor musun, sevgilisiyle aynı evdeler. Sadrazam'ın yalısında Mediha Sultan, bütün konuklar ve babası hepsi bir aradalar. Nazan da evin genç kızıymış gibi ortalıklarda dolaşıyormuş. Ayakları dolanıyor, ne yapacağını, ne söyleyeceğini bilemiyormuş. Galip mükemmel bir İngilizce'yle General'e çevirmenlik yapmış. Nazan neler konuşulduğunu pek duyamamış ama hayran hayran sevgilisini seyretmiş.

Ertesi gün Nazan'la Galip Arnavutköy'de buluşmuşlar. Nazan Galip'in artık babasıyla birlikte çalışacağından son derece mutlu olmuş. Ama anlamadığı bir şeyler varmış. Galip gerçekten de Ferit Paşa'ya ve İngilizlere hayran mı, yoksa yaşamının en büyük

oyununu mu oynuyor diye düşünmüş. Son bir ay içinde tanıma-
ya ve anlamaya çalıştığı bu adam nasıl İngiliz hayranı olabilir?
Yoksa rol mu yapıyor? İkili mi oynuyor? Bu derecede başarılı rol
yapabilen bir insan duygularında ne ölçüde dürüst ve içten olabi-
lir? diye türlü sorular geçmiş kafasından.

Nazan sonunda patlamış ve Galip'e, "Ben hâlâ seni tanımıyo-
rum," demiş. "Benim gerçek sevgilim kim? Damat Ferit Paşa'ya,
İngilizlere dalkavukluk eden sıradan bir Osmanlı subayı mı?"

Galip, "Kendimi artık senden gizlemeyeceğim Nazan," diye
yanıt vermiş. "Ben aslında Anadolu'ya çalışıyorum. Bağlı oldu-
ğum gizli örgütün adını söylememe gerek yok. Bir gün anlata-
cağım. Ama şunu bil ki Milli Mücadele'ye bütün kalbimle bağlı-
yım."

Nazan bana bunları söyleyince ne derecede mutlu olduğu-
mu sana anlatamam. Hemen onu kucakladım. O benden böyle
bir tepki belki beklemiyordu, ama herhalde ona güven verecek
bir şeyler yapmış olmalıyım ki bana açılmasını bilmişti. Artık
Nazan'ı da bizden sayabiliriz. Demek ki Baltalimanı'nda gü-
veneceğimiz bir dostumuz var. Kendisinden çok şeyler bekleye-
biliriz.

— Galip bu konuda Nazan'a görevler verecektir. Benim işe
karışmama gerek yok. Ama sen de Nazan'la ilişkilerini koparma,
bir şeyler öğrenmeye çalış.

Damat Ferit Paşa 1919 Martı'ndan 1920 Ekim ayı ortalarına
kadar beş kez Sadrazamlık koltuğuna oturarak Türk ulusuna ve
özellikle İstanbullulara kan kusturdu. Mustafa Kemal Paşa'nın
görevden alınmasına, ordudan atılmasına ve idamının istenme-
sine varıncaya kadar çevirmediği dolap kalmadı. Sırtını İngilizle-
re ve eniştesi Padişah Vahdettin'e dayayarak ülkede tam bir dikta
rejimi kurmaya çalıştı, ama buna ne yetenekleri elverişliydi, ne de
gücü. İşbirlikçi ve çıkarcı kırk-elli kişiden başka kendisini candan
destekleyen yoktu.

Damat Ferit Paşa, Baltalimanı'ndaki görkemli yalısında sık sık toplantılar yapıyor ve hükümet düzeyindeki kararları orada alıyordu.

Neler görüşülüyordu bu toplantılarda? Anadolu'ya gönderilecek casuslar, İngilizlerle yapılacak işbirliği çerçevesi içinde Osmanlı devletinin sınırsız bir biçimde teslim olması ve bir İngiliz mandasının oluşturulması, Ermenileri sürgün eden Boğazlayan Kaymakamı Kemal Bey'in Beyazıt meydanında idamı, ünlü gazeteci ve yazar Refik Halit Bey'in Posta Genel Müdürlüğü'ne atanması, Kars'ın yönetiminin Ermenilere bırakılması, Mersin'den Konya'ya kadar uzanan bölgenin İtalyanlara verilmesi, İzmir'in işgali, Mustafa Kemal Paşa'nın İzmir'in işgalini protesto eden telgrafı, İngiliz Muhipleri (dostları) Cemiyeti'nin kurulması, Dahiliye Nâzırı Gazeteci Ali Kemal Bey'in Fransız mandasını öneren açıklaması, Refi Cevat (Ulunay)'ın, "Bütün dünya İngiliz adaletine hayrandır" başlıklı yazısı, mitinglerin yasaklanması ve Ahmet Anzavur'un başkanlığında Kuvayı Milliye ile savaşmak amacıyla Kuvayı İnzibatiye adı verilen bir hainler çetesinin oluşturulmasıydı.

Kimdi bu Ahmet Anzavur denen hain? Anzavur jandarma binbaşılığından ayrılmış dikkafalı bir Çerkez'di. İngilizler bu adamın Kuvayı Milliye'ye karşı direnebileceğini düşünerek kendisine bol para silâh ve cephane gönderdiler. İstanbul hükümeti de kendisini destekledi. Anzavur, Tarikatı Ahmediye adlı bir de tarikat kurdu. Kuvayı Milliye'den yana olan askerlerin üzerine yürüdü. Kocaeli-Biga çevresini egemenliği altına aldı. Yüzlerce kişiyi öldürdü. İstanbul Hükümeti kendisini destekliyor ve her türlü yardımı yapıyordu. Padişah bu zorbayı paşa rütbesiyle Saruhan mutasarrıflığına getirdi.

Anzavur'un görevi ulusal cepheyi içinden vurmak ve Kuvayı Milliye'yi bozguna uğratmaktı. Halife ordusu diye bir de ordu kurarak İzmit'e çıktı. Kendisine karşı gelenleri idam etti. Milli Mücadele'yi yıkmak için her türlü alçaklığı yapacak karakterdeydi. Damat Ferit Paşa da onun arkasındaydı.

İşte bu nedenle Baltalimanı'nda tezgâhlanan oyunların önceden bilinmesinde yarar vardı. Galip Bey bu bilgileri elde etmekle görevlendirilmişti. Ama bu işi nasıl başaracaktı? Her ne kadar Paşa'nın emir subaylığına atanmışsa da aklına estiği gibi Sadrazam'ın çalışma odasına girip çıkamazdı. Özel kalem müdürünün bilgisi olmadan oraya giremezdi. Bu güçlükleri Nazan'a söyleyince kızın tepkisi şu oldu:

— Bak Galip, benim aklıma iki yol geliyor. Birincisi şu: Babam bazı notlarını akşamları eve getiriyor ve yazılarını sakin kafayla evde hazırlıyor. İngilizce'ye çevrilecek yazıları bana getiriyor, tasarıları birlikte hazırlıyoruz. Ben onların birer kopyalarını sana iletebilirim.

İkinci yol da şu: Ben, biliyorsun, birkaç günde bir yalıya gidiyorum. Mediha Sultan, konukları olduğu zaman, benim de bulunmamı istiyor. Bazen çay servisi yapıyorum. Babamın da odasına girip çıkıyorum. Çoğu zaman babamın kâğıt sepeti dolu oluyor. Onların içinde senin işine yarayabilecek çok şeyler olabilir.

— Elbette Nazan. Bunlar benim için hazine. Kâğıt sepetini boşaltmak için bürodan çıkartırsın. Ben de onları, kimseye göstermeden gözden geçiririm. Sence hiçbir sakınca yok, değil mi?

— Hiç olur mu? Bu işi birlikte yapacağız.

Bu iş öyle bir tuttu ki, İstanbul'dan Anadolu'ya gönderilen bütün casusların kimliği önceden saptandı. Bunlar Samsun'da teker teker yakalandılar ve cezalarını buldular. Gizli örgütün içindeki işbirlikçi hainler ve satılmışların kimlikleri saptandı, yakalandılar, Anzavur'a hangi yollardan yardım gönderileceği anlaşıldı, hainler çetesi büyük darbeler yedi.

Aylar boyu bu haberalma ve iletme işi çok büyük bir başarıyla yürütüldü. Bu Galip Bey'in ve Nazan'ın başarısıydı. Ama günün birinde Galip Bey'in Milli Mücadele'ye çalıştığını Sadrazam'a bir bildiren oldu. İhbarı yapan kişi bereket bu olaylarda Nazan'ın parmağı olduğunu bilmiyor ve Galip Bey'in bu işi tek başına yaptığını sanıyordu. Artık her an Galip Bey'in tutuklanması bekleniyordu.

Mim Mim Grubu'ndan Yarbay Hüsamettin (Ertürk) Bey bu

durumu öğrenir öğrenmez Galip Bey'i hemen Anadolu'ya kaçırmaktan başka çare olmadığını anladı. Alelacele kendisini Karargâha çağırttı ve,

— Galip, dedi, derhal kaçman gerekiyor. Aksi halde seni temizleyecekler. Kesin karar almışlar, kurtuluşun yok.

— Ne diyorsunuz Yarbayım? Ben nasıl İstanbul'dan uzaklaşabilirim? Biliyorsunuz, Nazan'la nişanlı sayılırız. Çok yakında bunu açıklamayı düşünüyorduk. Bir süre burada kalayım. Gizleneyim. Başımın çaresine bakmasını bilirim.

— Hayır Galip, ben seni feda edemem. Biliyorsun, baban sevgili Yüzbaşı Sabri benim en yakın arkadaşımdı. Örgüte seni ben aldım, elinden tuttum. Sana kendi oğlummuşsun gibi davrandım. Ama hayatın tehlikede. Anla bunu. Çılgınlığın hiç sırası değil. Çok büyük işler başardın. Anzavur'un öldürülmesinde senin de payın var. Yüzbaşı Bennett'e kurduğumuz pusudaki payını hiç unutabilir miyim oğlum? Şimdi sana söylüyorum, hemen yarın ilk vapurla seni Samsun'a kaçıracağız. Şimdilik Nazan'ı unut. Bir gün döndüğünde ona kavuşacaksın. Düğününüzü ben yapacağım.

Ve Galip Bey yaşlı gözlerle ertesi gün İstanbul'dan ayrıldı.

Ya Nazan? Deliye döndü. Galip'e ne olduğunu hiç kimseden öğrenemedi. Sonunda Çarşamba'daki eve gidip Galip'i ailesinden sormaya karar verdi. Gitti de, kapıyı yaşlı annesi açtı. Nazan,

— Hanımefendi, dedi, n'olur bana doğruyu söyleyin, Galip'e ne oldu?

Kadıncağız ne söyleyeceğini bilemiyordu. Birkaç dakikalık bir suskunluktan sonra,

— Kızım, dedi, Galip Anadolu'ya kaçtı! dedi.

Nazan başladı ağlamaya:

— Neden bana söylemedi? Neden? Ben de onunla birlikte kaçardım. Yoksa benden mi kurtulmak istedi? Benden mi kaçtı?

— Hayır kızım, biliyorsun seni hep sevdi. Hiç aklından çıkmadın. Ama Hüsamettin Amcası onun hemen kaçmasını uygun gördü. Kaçmazsa öldürülecekmiş. Ben de karşı koyamadım. İşkence etseler, öldürseler daha mı iyi olurdu? İnan bana, bir gün İstanbul'a Kemal Paşa'yla birlikte dönecek. Düşman kovulduktan sonra. Üzülme kızım, bekle göreceksin. Zaferi birlikte kutlayacağız. Sizin düğününüzü de göreceğim. N'olur ağlama, kendini tut. Benim de yüreğim parçalanıyor. Benimkisi ana yüreği. Ben inanıyorum, ikimiz de karalar bağlamayacağız. Galip'le övüneceğiz. Mutlu olacaksınız. Sabret kızım, güçlü ol.

Gerçekten mutlu olabildiler mi? Ne yazık ki hayır; Nazan bu ayrılığa dayanamadı... Verem o yıllarda çaresi olmayan bir hastalıktı.

Beyaz Ruslar

16 Kasım 1920 günü İstanbul Limanı görülmemiş bir gemi trafiğine ortam oluyordu. Tam 45 gemi Sivastopol'dan İstanbul'a 40 bin sığınmacı getirmişti. Bunlar Kızılordu karşısında tam bir yenilgiye uğradıktan sonra Fransızların yardımıyla İstanbul'a getirilen Ruslardı.

Kızıl orduyla savaşan General Wrangel'in askerleri Kırım'da sıkışıp kalmışlardı. Fransız donanmasının Karadeniz kumandanı Amiral Dumesnil Beyaz Rusları koruma altına aldı. Amiral'in eşi Vera da Rus kökenliydi ve Amiral Ruslara özel bir ilgi gösteriyordu. Toul, Algerien, Sénégalais, Waldeck-Rouseau, Coquelicot, Sakalave ve Bar-le-Duc adlı gemiler hemen Sivastopol'a gönderildi. İlk partide 40 bin kişi gemilere bindirildi. Bunların dörtte üçü askerdi. Gemiler Moda koyu açıklarında demir attılar. Daha 110 bin kişinin gelmesi bekleniyordu.

Sonraki günlerde de Fransız gemileri akın akın Rus sığınmacısı taşıdılar. Öte yandan Rus zırhlıları doldurdu limanı: General Alekiev Zırhlısı, General Kornilof Kruvazörü, bir yığın torpil taşıyan gemi, denizaltılar ve onlarca savaş gemisi. Bir hafta içinde sayıları 150 bine yükselen sığınmacıların barınması için Çatalca'da, Gelibolu'da, Heybeliada'da, Selimiye'de, Bakırköy'de, Zeytinburnu'nda, Yedikule'de, Hadımköy'de, Sancaktepe'de ve daha birçok yerde kamplar kuruldu.

Bu insanların bakımı, sağlığı, yiyeceği, içeceği Fransızların başına dert oldu. Ya İstanbul hükümeti ne yapacaktı? Nasıl besleyecekti bu sığınmacıları? Zaten bütün İstanbul halkı yoksulluk içindeyken ne yapılabilirdi bu konuklara?

İstanbul Rus sığınmacıların istilasına uğramıştı. İçlerinde varlıklı olanlar parmakla gösterilecek kadar azdı. Ya yoksullar? Aç susuz İstanbul'a geldiler. Öyle ki bazıları geminin güvertesinden nişan yüzüklerini iplere bağlayarak sandallarda meyve ve simitekmek satan satıcılara uzatıyor ve karşılığında yiyecek-içecek bir şeyler istiyorlardı.

Kıyıya çıkanların bazıları Dolmabahçe Sarayı'nın ahırlarına yerleştirildiler, bazıları da Galata'da boşaltılan genelevlere. General Wrangel'in askerleri Çatalca ve Gelibolu'daki kamplara gönderildi. Fransızlar onları kamplara yerleştirmelerine karşılık gemilerini aldılar.

Beyoğlu sokakları sığınmacı Ruslarla doldu. Hepsi Rusya'dan getirdikleri bir şeyleri satmaya çalışıyordu: Takılar, yüzükler, değerli taşlar, semaverler, giysiler, gümüş şamdanlar, çatal bıçaklar, aynalar, çerçeveler, kristal takımlar, ikonalar.

Pera Sitesi'nin avlusunda çiçek satan Rus kızları nedeniyleoraya Çiçek Pasajı adı verildi.

Kentin dört bir yanında Rus lokantaları açıldı. Bunların birinde ünlü bir matematik profesörü kasaya bakıyordu. Ünlü Filozof Gürcief ise havyar satarak geçimini sağlıyordu. 1879'da Gürcistan' da doğan G.I. Gürcief Tiflis'te Stalin'le birlikte bir papaz okulunda okurken birtakım eylemlere katıldığı için yine Stalin'le birlikte okuldan atılmış, sonra da kendini felsefeye vermişti. Sovyet devriminden sonra Rusya'dan kaçarak İstanbul'a geldi. Dr. Rıza Nur'la dost oldu ve onu etkiledi. Bir süre sonra da Paris'e gidip yerleşti. Kısa zamanda orada kendini tanıttı. Çevresine öğrenciler toplandı. "Ezoterik felsefe" denen ve yalnız uzmanlaşmış felsefecilerin anlayabileceği bir dalın en büyük temsilcilerinden biri oldu. Nereden nereye? Acaba İstanbul'da kalıp Balıkpazarı'nda havyar satıcılığını sürdürseydi ne olurdu? 1949'da Paris'te öldü.

İstanbul'a yerleşenler yeni meslekler edinerek çalışmaya başladılar. Kimi marangoz oldu, kimi oto tamircisi, kimi daktilo sekreter, kimi muhasebeci, kimi fotoğrafçı, kimi kundura tamircisi, kimi tuhafiyeci, kimi oyuncakçı, kimi terzi, kimi aşçı, kimi garson, kimi barlarda şarkıcı ya da müzisyen, kimi abajurcu, kimi işportacı. Neler satmıyorlardı ki? Sigara, kibrit, çikolata…

İçlerinde becerikli olanlar eğlence yerleri ve barlar açtılar. Buralarda Rus kadınları çalışıyordu. Genelde sarı kısa saçlı ve mavi gözlü kadınlar doldurdu bu eğlence yerlerini. Rus kadınlarının her çeşidi vardı İstanbul'da. Biraz gösterişli olanlar soylu ailelerden geldiklerini söyleyerek varlıklı insanlarla ilişki kuruyorlardı. Bir Rus merakıdır aldı yürüdü sosyete çevrelerinde. Bu yüzden boşanmalar, evlenmeler oldu. Dedikodular aldı yürüdü. Evlilik dışı ilişkilerde büyük bir patlama oldu.

Güzel ve alımlı Rus kadınlarına "Haraşo" deniyordu. Zaten Haraşo Rusça'da "güzel" demekti. Türkler güzel saydıkları kadınlara Haraşo demeye başladılar. Bu ad çok tuttu. Hatta "Bir Haraşo" adlı Fransızca'dan çeviri bir de roman yayınlandı. Oysa romanın orijinal adı Acide Russique (Rus Asidi) idi. Haraşo birçok öyküye, romana, karikatüre, dergilere konu oldu.

Alt düzeydeki barlarda Rusların uyuşturucu sattıkları öne sürülüyordu. Türk kadınları bu olaylara büyük tepki gösteriyorlardı. Asri Kadınlar Cemiyeti adında bir kuruluş Rus kadınlarının sınır dışı edilmeleri için bir kampanya açtı. *Vakit* gazetesi bu konuda bir anket düzenledi. Ankete yanıt veren ünlü kişiler ve yazarlar Rus kadınlarını suçsuz buldular.

İstanbul'da ilk bale okulunu Arzumanova adında ünlü bir Rus balerini kurdu. Bu okul Türkiye'ye birçok değerli balerin kazandırdı.

İstanbul'a o furyada birçok Rus ressamı da gelmişti. Bunlar, Rus Ressamlar Birliği'ni kurdular. Bunların en ünlüsü İsmailoviç, yüzlerce İstanbul resmi yaptı.

Müzisyenler İstanbul'a Rus müziğini tanıttılar. Bütün gece kulüplerinde, barlarda, otellerde ve lokantalarda sabahlara kadar balalaykalar, akordeonlar, gitarlar ve kemanlar çalınıyordu. Rus şarkıları çok moda oldu. *O çi çorniya, o çi krasniya, Volga tekne-cileri, Kazaska, Stefan Rozim, Step ve Volga, Kalinka* gibi şarkılardan geçilmez oldu.

Ünlü bir Rus aktörü olan Ivan Mosjoukine de o dönemde İstanbul'dan geçti ama uygun çalışma koşulları bulamadığı için Paris'e gidip yerleşti.

Türkiye'nin ünlü fotoğrafçılarından biri olan Kanzler de o yıllarda İstanbul'da çalışmaya başladı.

Rusların en başarılı oldukları dallardan biri de şoförlüktü. Genelde takım elbise, kolalı gömlek ve kasket giyerlerdi. Kendi aralarında bir Rus Şoförler Kulübü kurdular. İstanbul'daki bütün kulüpleri ve lokantaları bildikleri için oralara gitmek isteyenler Rus şoförleri arıyorlardı.

Ünlü eskrim hocası Nodolski ve ünlü tenisçi Gorodoski de o dönemde İstanbul'a yerleşerek yüzlerce eksrimci ve tenisçi yetiştirdiler.

Yine o yıllarda İstanbul'a gelen ünlülerden biri de opera sanatçısı Vladimir Petroviç Smirnoff'tu. Smirnoff'un büyükbabası yüzyıllar boyu Çar'ın sarayı için votka üretmişti. Vladimir Smirnoff da bu votkanın formülünü biliyordu. Opera sanatçısı olarak para kazanamayacağını bilen Vladimir Smirnoff İstanbul'da bir votka imalathanesi kurdu. Bu imalathane elbetteki Rusya'dakine benzemiyordu ama yine de yerel olanaklarla bu üretim işini gerçekleştirdi. Smirnoff'un eşi de primadonna'ydı. O da Parizyen adlı bir pavyon-bar açtı. Karı koca bir süre burasını işlettiler ama ne votka üretimi onlar için doyurucu olmuştu, ne de Parizyen. Sonunda votka fabrikasını kapatıp birlikte Paris'e gittiler. Çok yazık oldu.

O dönemde İstanbullular Rus yemeklerini ve içkilerini tanıdılar. Böf Strogonof, Piroşki, Kievski, Karski, Rus salatası, Borç çorbası, Paskalya çöreği, Kuriç, Rus pastaları ve kekleri, Rus havyarı o yıllarda İstanbul mutfağına girdi.

Wrangel ordularının albayları, yarbayları da köşklerde bahçıvanlık işleri buldular.

İstanbul'un sürekli olarak bu 150 bin sığınmacıyı doyurması imkânsızdı. İlk başlarda bunlar için kantinler, revirler açıldı, her gün Ruslar'a çorba dağıtıldı, ama bu bir çözüm olamazdı. Fransızlar Rusları başlarından savmak için gönderecek yer arıyorlardı. Yirmi binini Bulgaristan'a gönderdiler, beş on binini Romanya'ya, beş on binini Yunanistan'a, üç beş binini Tunus'a, bir bölümünü Çekoslovakya'ya, Yugoslavya'ya ve Brezilya'ya. Bir bölümü Fransa'ya göç etti, bazıları da katillerden, suçlulardan ve gönüllülerden oluşan Fransız Yabancılar Lejyonu'na katıldılar.

Bazıları Rusya'ya geri dönmek istiyordu. Vatanlarından ayrıldıklarına çok pişman olmuşlardı. Sığınmacı kılığında İstanbul'a gelen Bolşevik ajanlar da burada bildiriler yayınlayarak onları yeniden kazanmaya uğraşıyorlardı. General Wrangel ise Türkiye'ye sığınan ordusunun ne silâhlarının alınmasını istiyordu, ne de askerlerinin dağılmasını. O komünistlerin birbirine düşmelerini, içeride de ayaklanmalar olmasını bekliyordu. O zaman ordusuyla Rusya'ya girerek iktidarı ele geçireceğini umuyordu. Oysa Fransızlar artık umutlarını kesmişlerdi. Yeni rejim hiç de çökeceğe benzemiyordu. Ama Wrangel bu gerçekleri bir türlü anlamak istemiyor ve kendini hâlâ Rus orduları başkumandanı sanıyordu. Fransızlar kendisiyle çok uğraştılar.

İstanbul'da sivil sığınmacılar için kurulan kamplarda, Limni'de, Çatalca'daki askeri kamplarda barınanlar ise Wrangel'i hiç dinlemeden Rusya'ya dönmek istediklerini açıkladılar, olay çıkarttılar. Osmanlı hükümetinin ve Uluslararası Kızılhaç Örgütü' nün yardımıyla Fransız işgal kuvvetlerinin yönetiminde Don Kazaklarından 5.300'ü *Reşit Paşa* gemisine bindirildi ve gemi 16 Şubat 1921'de İstanbul'dan ayrıldı. Bir ay *Reşit Paşa*'dan haber alınamadı. Kazakların gemide aç ve perişan kaldıkları öğrenildi. Sonunda Ruslar sığınmacılara Novorosisk limanını açtılar ve yurda dönüş seferleri düzene girdi. *Kızılırmak* adlı bir gemi daha buldular, bu iki gemi Rusları yurtlarına geri götürdü.

Giden gitti, kalan kaldı. İş ya da koca bulanlar geri dönmek istemediler, burada kaldılar. Türkleştiler ve İstanbul'a renk kattılar. Gidenlerin sonuncusu da yenik kumandan Wrangel oldu. Uzun süre Fransızlar'a kafa tuttuktan sonra 1922 yılının Şubat ayında batan gemiden son ayrılan kaptan gibi İstanbul'a veda ederek tek başına Londra'ya gitti. Onun ayrılışı biraz da Vahdettin'in İstanbul'dan kaçışına benziyordu.

XI

Gazi'ye Suikast Girişimi:
Mustafa Sagir Olayı

Milli Mücadele yıllarında Kuvayı Milliye'nin her türlü yardıma ihtiyacı vardı. Türk halkının çok büyük çoğunluğu Milli Mücadele'nin başarısı için seferber olmuştu.

İşte o sıralarda Hindistan'dan da bir yardım önerisi geldi. Öneri İngiltere'nin yönetiminde olan Hindistan'daki Müslüman topluluğundan geliyordu. Varlıklı Hint Müslümanları, (şimdiki Pakistanlılar) Milli Mücadele'ye katkıda bulunmak için aralarında para toplamışlar ve bunu Ankara'ya iletmek için İstanbul'a bir temsilci göndermişlerdi.

Bu girişim coşkuyla karşılandı ve geniş yankılar uyandırdı.

Mustafa Sagir adındaki bu temsilci Hilâfeti İslamiye Cemiyeti adına İstanbul'a geldiğini söylüyordu. Böyle bir cemiyet gerçekten var mıydı? Onu hiç bilen yoktu. Bu garip temsilci Fatih'te Kıztaşı'nda kiraladığı bir daireye yerleşerek Ankara'ya ulaşmanın yollarını aramaya başladı.

İşte o günlerde Merkez Kumandanlığı'nda görevli Rıfkı ve Adil adlı iki teğmen İstanbul'da bağlı bulundukları şubeye bir rapor sundular. Kuvayı Milliye'ye yardım edenlere işkence yapmakla ün kazanmış bu teğmenler şunları yazmışlardı:

"Hintli Mustafa Sagir adında şüpheli bir kişinin Anadolu'ya hizmet etmek için karışık birtakım işlere giriştiği saptanmıştır. Bu kişinin üstünde bol miktarda para da vardır. Evine üniversiteli gençleri toplayan bu adam Kuvayı Milliyecilerle ilişki kurmuştur. Çevresindeki insanlara da para yediren bu kişinin İngiliz düşmanı olduğu sanılmaktadır. Tutuklanmasını öneririz."

Merkez Kumandanlığı bu yazıyı, "gereği yapılmak üzere" Yüzbaşı Nedim Bey'e havale etti. Nedim Bey de bu kişinin peşine düştü ve bazı ipuçları elde etmeye çalıştı.

Bu raporu yazan işkenceci Teğmen Rıfkı[*] boş zamanlarında karikatür yapan ve yüzde yüz Padişah'ın hizmetinde olan biriydi.

Nedim Bey Mustafa Sagir'in Ankara açısından da sakıncalı bir ajan olabileceğini saptadıktan sonra durumu hem İstanbul Merkez Kumandanlığı'na bildirdi, hem Polis Genel Müdürlüğü'ne. Polis kendisini tutuklamak isteyince Mustafa Sagir İngiliz İşgal Kuvvetleri Komutanlığı'na başvurarak yaşamının tehlike altında olduğunu anlattı ve İngiliz uyruklu olduğu için bir tür dokunulmazlık kazandı.

Evine gelen polisler bir de baktılar ki duvarlar Enver, Talât ve Mustafa Kemal Paşa'ların resimleri ve Kuran'dan âyetlerle donatılmış.

Bir süre sonra İngiliz Haberalma Servisi, kendisine Abdülmecit Efendi'yle görüşmesi için bir randevu ayarladı. O da kalkıp Veliaht Hazretleri'ni ziyarete gitti. Veliaht, Mustafa Sagir'e, oğlu Faruk Efendi'yle birlikte Ankara'ya kaçmak istediğini anlattı. Demek ki Veliaht Hazretleri'nin amacı Anadolu'ya giderek Milli Mücadele'nin başına geçmekti. Sagir bu durumu rapor edince İngilizler telâşa kapıldılar. Vahdettin de Veliaht'ın bu tasarısını öğrenince ürktü. Belki de Veliaht kendisine karşı bir darbe hazırlamak niyetindeydi. Veliaht'ın köşkü derhal İngilizlerin gözetimi altına alındı.

O tarihlerde İstanbul'da Müdafaa-i Milliye Teşkilatı Mim Mim Grubu'nun başında olan Yarbay Hüsamettin (Ertürk) Bey muhakkak çok şeyler biliyordu. Nedim Bey Mustafa Sagir konusunda daha geniş bilgi almak için Hüsamettin Bey'i bularak ona bu Hintli'nin kim olduğunu sordu. O da şunları anlattı:

— Cemal Paşa Suriye'de ordu kumandanlığında bulunduğu

(*) Rıfkı, Kurtuluş'tan sonra Mısır'a kaçmış ve 1924'te de Yüzellilikler listesine alınmış bir vatan hainidir.

sıralarda oradaki Hilaliahmer Cemiyeti'nde tanıdığı Nizamettin adında bir Hintli'yi bize göndermişti. Bu gence acıdık ve o zamanki Hilaliahmer Cemiyeti Başkanı göz doktoru Esat Paşa'ya gönderdik. Esat Paşa bu genci bağrına bastı ve Hilaliahmer'de kendisine ufak bir iş buldu.

Meğer bu adam bir İngiliz ajanıymış. Paşa'yı İngilizlere düşman diye rapor etmiş. Paşa belki de o yüzden bir süre sonra Malta'ya sürüldü.

Hintli Nizamettin günün birinde bana gelerek, "Hüsamettin Beyefendi," dedi, "Hint-İslam âleminin bir temsilcisi gizlice İstanbul'a gelmiş, sizinle görüşmek istiyor."

Ben, "Kimmiş bu adam?" diye sordum. "Niçin buraya gelmiş? Ne istiyor?"

Nizamettin, "Efendim," dedi. "Bu kişinin Adı Mustafa Sagir'dir. Hint-İslam Cemiyeti'nin bir mektubuyla birlikte Mustafa Kemal Paşa Hazretleri'ne verilmek üzere kutsal bir emanet getirmiş. Paşa'ya milyonlarca altın para yardımı yapmak istiyor."

Ben kendisine, "Söylediklerin çok güzel ama," dedim, "İngilizler düşmanlarını nerede ele geçirirlerse Malta'ya sürüyorlar. Bu adam nasıl oluyor da burada elini kolunu sallayarak dolaşabiliyor? Kroker Oteli'ndeki Haberalma Servisi'nin bundan hiç haberi olmaz olur mu?"

Nizamettin bu sözlerimden hiç hoşlanmadı. Sapsarı kesildi. Eveledi, geveledi, sonra, "Ben onun ajan olduğunu pek sanmıyorum," diyebildi.

Ben de, "Bak, Nizamettin," dedim. "Sen böyle işlere âlet olma. Benim Sagir Efendi'ye tavsiyem şu: Mustafa Kemal Paşa'ya yardım işinden vazgeçsin. Karşısında ondan çok akıllı insanlar var. Hemen İstanbul'dan ayrılıp geldiği yere dönsün. Eğer, senin söylediğin gibi, İngiliz ajanı değilse ve gerçekten Mustafa Kemal Paşa'ya yardım etmek istiyorsa ne olur biliyor musun? İngilizler yakaladıkları gibi icabına bakarlar. Çanakkale'deki İngiliz Mezarlığı'nda soluğu alır. Sen ona iyilik etmek istiyorsan buradan uzaklaşmasını söyle."

Hüsamettin Bey konuşmasını şöyle sürdürdü:

— Ben bu Hintli Nizamettin'e pek güvenmiyordum. O odam-

dan çıkar çıkmaz, benim yanımda çalışan bir asteğmeni yanıma çağırtarak, "Oğlum," dedim, "demin odamdan çıkan adamın hiç peşini bırakmayacaksın. Nerelere gidiyor, kimlerle görüşüyor, bana rapor edeceksin."

Görevlendirdiğim asteğmen ertesi gün bana raporunu getir-di. Hintli Nizamettin bizden ayrılır ayrılmaz bir tramvaya atlaya-rak Tepebaşı'nda Kroker Oteli'ne gitmiş. Tabii benim asteğmen de peşinde. Otelde bir süre kaldıktan sonra, yanında orta boylu, sakalsız, 35-40 yaşlarında bir adamla çıkmış. Oradan yürüyerek, birlikte İngiliz Büyükelçiliği'ne gitmişler. Nizamettin'in yanında-ki adamın Mustafa Sagir olduğu artık kesinleşiyordu. O günden beri Mustafa Sagir'i adım adım izliyor, onun hakkında bilgi top-lamaya çalışıyorum.

Nedim Bey Hüsamettin Bey'in kendisine aktardığı bu bilgile-ri en iyi biçimde değerlendirmesini bildi. Ama onun bağlı olduğu kimseler de bu konuda acele edilmemesinden yanaydılar. Amaç bütün bir casusluk şebekesini suçüstü yakalayıp ele geçirmekti. Mustafa Sagir'i adım adım izlemenin daha yararlı olacağına karar verdiler.

Nedim Bey, "Her işte bir hayır vardır. Bekleyelim bakalım," sözüne deli oluyordu. Her işte hiç de bir hayır yoktu. Bunun iyi değerlendirilmesi gerekiyordu. Nedim Bey bütün yaşamı boyun-ca başarıyı yazgıda değil, akılda aradı.

Sonunda yetkililer Mustafa Sagir'in Ankara'ya gitmesine ka-rar verdiler. Nedim Bey de, "Herhalde onların bildiği başka şeyler vardır," deyip bu karara karşı çıkmadı.

Dostları Mustafa Sagir'i İstanbul'dan uğurladılar. Basında bu-na elbette hiç yer verilmedi. *Bahricedit* vapuruyla İnebolu'ya ge-len Sagir Efendi 26 Kasım 1920'de orada büyük bir törenle kar-şılandı. Kurmay Albay Kemalettin Sami (Paşa) kendisini ağır-lamakla görevlendirilmişti. Belediye Başkanı'nın evinde konuk edilen Mustafa Sagir rolünü başarılı bir biçimde oynayarak o akşam İngilizler aleyhine aklına ne geldiyse söyledi. Sofrada bulunanları coşturdu, alkışlandı. Herkes, "Yaşasın Hint Müslümanları!", "Yaşasın Hint-Türk işbirliği!", "Yaşasın Mustafa Sagir dostumuz!" diye bağırdı.

Büyük Türk dostunu Çankırılılar da ertesi gün gösterilerle karşıladılar. Onuruna görkemli bir ziyafet düzenlendi. Sagir, yemekte bir dostluk konuşması yaptı ve herkesi ağlattı.

Değerli konuk o akşam hava kararırken Kemalettin Sami Bey' le birlikte Ankara'ya vardı. Çankırı kapısında kendisini Mustafa Kemal Paşa adına Gaziantep milletvekili Kılıç Ali Bey, Ankara Valisi, Polis Umum Müdürü ve birçok milletvekili karşıladı. Kim nereden bilecekti Mustafa Sagir'in Ankara'ya yalnız casusluk için değil, Mustafa Kemal Paşa'yı öldürmek için geldiğini?

Kılıç Ali Bey Mustafa Sagir'in arabasına bindi. Hep birlikte Büyük Millet Meclisi'ne geldiler. Gazi kendisini kabul etti, yarım saat kadar görüştüler. Değerli konuk ondan sonra, kalacağı Hürriyet Oteli'ne gitmek üzere Meclis'ten ayrıldı. Kılıç Ali Bey ona katılmamış ve Meclis'te kalmıştı. Mustafa Kemal Paşa'yla bu garip Hintli konuk hakkında konuştu. Paşa,

— Dikkatli olmalı. Mükemmel bir casustur, kendisini izleyeceğiz, demekle yetindi.

Ama yine de ertesi gün Meclis'te bir konuşma yapmasını kabul etti. Paşa'nın niyeti Mustafa Sagir'in gerçek kimliğini açığa vuracak birtakım sözler söylemesine fırsat tanımaktı.

Ertesi günün programı Meclis'i ziyaret etmekle başlıyordu. Meclis Başkanı Mustafa Kemal Paşa kendisini başkanlık odasında kabul etti. Hintli, Paşa'ya sırma ile işlenmiş canfes kumaştan bir sancak hediye etti. Sancağın üzerinde "Lâ ilâhe İllallah Muhammeden Resulullah" yazısı yer alıyordu. Sagir sancağı sunarken şöyle dedi:

— Paşa Hazretleri, bu kutsal sancağı size Hindistan Hilafeti İslamiye Cemiyeti Başkanı Ebulfazl Hazretleri yolladı. Hint Müslümanları giriştiğiniz cihada katılıyor ve sizi destekliyorlar. Hep yanınızda olacağız.

Mustafa Sagir az sonra konuşmasını şöyle sürdürdü:

— Paşa Hazretleri, size bir konuyu daha arz etmek istiyorum.

Hint Müslümanları Milli Mücadele'ye yardım amacıyla aralarında üç milyon altın topladılar. Bu paranın Türk ve Müslüman devletinizin giriştiği bağımsızlık savaşına ufak bir katkısı olacağını düşünüyoruz. Size en büyük yardım elbetteki Allah'tan gelecektir. Ama lütfen bizim bu ufacık yardımımızı da kabul buyurun. Bu parayı size ne yolla iletebileceğimizi söylerseniz çok mutlu olacağım.

Paşa,

— Çok yakında arkadaşlarım bu yolu size bildirirler. Katkınıza teşekkür ederim, demekle yetindi.

Bu görüşmeden sonra Mustafa Sagir Meclis'te çok dokunaklı bir konuşma yaptı ve alkışlarla karşılandı. Artık bütün Ankara kendisine kucak açıyordu. Her gün Hürriyet Oteli değerli konuğu görmeye gelen sayısız insanlarla doluyordu. Kendisini ziyarete gelenler arasında Ankara'nın ünlü gazetecileri de vardı. *Yeni Gün* gazetesinin sahibi Yunus Nadi Bey de bu Hintli konuğu tanımak amacıyla otele gelmişti. Mustafa Sagir Yunus Nadi'nin kim olduğunu ve Paşa'ya yakınlığını elbette biliyordu. Yunus Nadi'ye,

— Beyefendi, dedi, sizinle tanışmaktan büyük onur duyuyorum. Bana Ankara basını konusunda bilgi verirseniz çok mutlu olacağım.

Yunus Nadi büyük bir açık kalplilikle gazetelerin durumunu anlatmaya başladı.

— Burada gazete çıkarmanın ne kadar güç olduğunu bilemezsiniz, dedi. Kâğıt bulmakta büyük zorluk çekiyoruz. Dışarıdan kâğıt da çok pahalıya geliyor. Baskı makinelerimiz çok eski. Tirajımız da yüksek değil. Kendi dar olanaklarımızla ancak bu kadar yapabiliyoruz.

Mustafa Sagir bunları duyunca,

— Aman beyefendi, hiç telâş etmeyin, bunların çaresi bulunur, dedi. Bendeniz zâtıâlinizden her gün birkaç bin gazete satın

alarak Hindistan'a gönderirim. Dindaşlarımız Ankara'da çıkan
bir gazeteyi görmekle çok mutlu olurlar.

— İyi ama Sayın Mustafa Sagir Beyefendi, Hintliler Türkçe
bilmezler ki, ne anlayacaklar bizim gazeteden?

— Yok öyle demeyin efendim, çok hoşlarına gidecektir. Gaze-
teniz ellerine geçince Ankara'nın kutsal havasını ciğerlerine dol-
durmuş olacaklardır.

— Çok naziksiniz ama ben buna inanamıyorum.

— Bir önerim daha var Beyefendi. Ankara'da, Hint Müslü-
manlarının konuştuğu Urdu dilinde bir gazete çıkartabiliriz. Bu
da sizin gazeteniz olur. Hint Hilafet Komitesi, bunun bütün mas-
raflarını karşılar.

Yunus Nadi Bey bu öneriden biraz huzursuz oldu. Neydi bu
adamın gerçek maksadı? Yoksa kendisini satın mı almak istiyor-
du.

— Beyefendi, dedi, bu öneriniz birtakım araştırmaları gerek-
tirir. İzin verin de biraz düşüneyim.

Yunus Nadi hemen Meclis'e giderek Mustafa Kemal Paşa'yı
buldu. Durumu anlattı.

— Paşam, ne diyorsunuz? diye sordu.

— Ne mi düşünüyorum? Bu adam casustur Yunus Bey, casus.
Anlamadınız mı? Bu adam İngiliz casusudur. Hakkında araştır-
ma başlattık. Çok yakında gerçek bütün çıplaklığıyla ortaya çıka-
cak. Ama siz şimdi hiç kimseye bu olaydan söz etmeyiniz.

Sagir birkaç gün sonra Dahiliye Nâzırı Doktor Adnan (Adı-
var) Bey'le görüşmek istediğini bildirdi. Adnan Bey de bu Hint-
li'yi merak ediyordu. Meclis'teki odasında kendisini kabul etti
ve uzun uzun görüştüler. Adnan Bey Hindistan'da bulunmuş ve
dostlar edinmişti; onlardan söz ettiler. Mustafa Sagir de ona bol
bol Hintlilerin İngilizlere karşı duydukları nefreti anlattı. Böylece
onun güvenini kazanmaya çalışıyordu.

Hintli, günün birinde de Adnan Bey'e elinde bir mektupla gel-
di ve,

— Ben, dedi, buradaki çalışmalarımı günü gününe İstanbul'a

bildirmek istiyorum. Orada, *İleri* gazetesinde çalışan Cavit Bey adında bir dostum var. O benim raporlarımı yine İstanbul'da Ramiz Bey adında bir dostuma iletiyor. Onun görevi benim notlarımı Stockholm aracılığıyla Hindistan'daki Hilâfet Komitesi'ne iletmek. Siz benim mektuplarımı herhangi bir yolla *İleri* gazetesindeki Cavit Bey'e iletebilirseniz çok sevineceğim. Postalar işlemediği için çok güç durumda kalıyorum.

Adnan Bey,

— Hay hay, dedi, hiç sakınca yok. Bunu sağlarız.

Casus yollamak istediği zarfı açık getirmişti. Yani mektubun sakıncalı olmadığının anlaşılmasını istemişti.

Ama ne oldu? Mektup okunduktan sonra Gizli Haberalma Örgütü'ne gönderildi. Orada bu işin tekniğini bilen uzmanlar mektuba birtakım kimyasal sıvılar sürünce yazıların gerisindeki mesajları da okudular. Artık şüphe edilecek bir şey kalmamıştı. İstanbul'daki Mim Mim Grubu'na da bilgi verildi ve her şey ortaya çıktı. *İleri* gazetesindeki Cavit Bey bir İngiliz ajanıydı. Ramiz Bey takma adını kullanan kişi de General Harrington'un yanında çalışan Gizli Haberalma Bürosu Şefi Albay Nelson'du.

Polis ve gizli polis duruma derhal el koydu. Sagir'in otelde kaldığı daire basıldı. Bütün yazışmalar, belgeler, gizli yazı yazmaya yarayan mürekkepler, bunların yanında da Sagir'in silâhları ve el bombaları ele geçirildi.

Suç artık ortadaydı. Kovuşturma genişletilince Sagir'in bütün suç ortakları da tutuklandı.

Gerçekte kimdi bu Mustafa Sagir?

Mustafa Sagir daha on yaşındayken Hindistan'da bir burs kazanarak Londra'ya gönderilmiş ve ileride gizli servislerde çalıştırılmak üzere özel bir eğitim görmüştü. Önce bir kasabada, sonra Edinbrough'da, sonra da Oxford'da bir kolejde okuduktan sonra Hindistan'a dönmüş ve İngiltere'nin izlediği politikaya, krala ve imparatorluğa sadık kalacağına dair Kuran'a el basarak yemin etmişti.

İngilizler Mustafa'yı görevle ilk olarak 1910'da Mısır'a gönderdiler. Orada Arapça eğitimi gördü, milliyetçilerin arasına girerek projelerini öğrendi ve bunları İngiliz gizli örgütüne bildirerek başarılı bir ajan olduğunu kanıtladı.

Bu kez de İngilizler onu Almanya'ya gönderdiler. Çünkü Heidelberg Üniversitesi'nde okuyan Hintliler arasında devrimcilik eylemleri çok gelişmişti. Sagir'in görevi devrimcilerin çalışmalarını gizli örgüte bildirmekti. Genç Hintli casus bu görevini yaparken derslerini de hiç aksatmadı ve felsefe doktorasını tamamlayarak İngiltere'ye döndü.

İngiliz Gizli Servisi Sagir'i bu başarısından dolayı ödüllendirerek üç aylık bir dünya turuna çıkardı, sonra da Londra'da Türkiye-İran-Afganistan bölümünde iyi bir göreve getirdi. Sagir artık İngiliz Haberalma Servisi'nin en güvendiği gençlerden biri olmuştu.

Sonra daha neler yapmadı? İran'da ortalığı karıştırdı, Kaşgar aşiretlerini ayaklandırdı, İsfahan'da birtakım dalavereler çevirdi, İran Şahı'nı İngilizlerin yanına çekti, Afganistan'da suikastlar düzenlendi, Afganistan Emiri'ni öldürttü, İngilizler sonra da onu Türkiye'ye gönderdiler.

Mustafa Sagir suçunu bir türlü kabul etmek istemiyor ve hep Milli Mücadele'ye yardım amacıyla Türkiye'ye geldiğini söylüyordu. Sen misin suçunu inkâr eden? Sagir'i penceresi olmayan bir odaya kapattılar. Hem de ne tür kapatmak! Hiç kimseyle konuşamıyor, tuvalete bile gidemiyordu. Odaya bir oturak koydular, o oturak doldu doldu taştı. Oda koktu mu koktu. Sagir ne yatabiliyor, ne de uyuyabiliyordu. On gün sonra pes etti. "Her şeyi anlatacağım, dayanamıyorum bu kokulara," dedi ve çözüldü. Başladı bir bir anlatmaya:

— Beni Albay Nelson İstanbul'a getirtti, dedi. Görevim Mustafa Kemal Paşa'yı vurmaktı. Amacımızı gizleyerek Paşa'ya yaklaşabilmek için İstanbul'da dostlar edindim. Karakol Cemiyeti yöneticilerini kandırdım. Türk-Hint Dostluk Cemiyeti'ni kurduk. Bana "güvenilir insandır" diye bir belge verdiler. Bu belge bazı kapıları açmaya yaradı. *İleri* gazetesinde çalışan Mehmet oğlu Ferit Cavit Bey İngilizlerin adamıydı, onunla da işbirliği yaptım.

Karakol Cemiyeti'nden aldığım belge Ankara'ya gelmemi kolaylaştırdı. Mustafa Kemal Paşa vurulunca Milli Mücadele başsız kalacak ve İstiklâl Savaşı sona erecekti. Mustafa Kemal'i de Afgan Emiri gibi öldürmeyi aklıma koymuştum. İlk haftalarda her şey yolunda gitti, birçok kişinin güvenini kazandım.

Mustafa Kemal'in gidiş gelişlerini izledim. Nerelerde ne kadar kaldığını saptamaya çalıştım. Yanında çalışan insanların, aşçıların, uşakların bahşiş almadıklarını öğrendim. Yemeğine zehir karıştırmak imkânsızdı. Otomobile binerken kendisine yaklaşma olanağı yoktu; yaverleri ve yakınları bir an bile kendisini yalnız bırakmıyorlardı. Onun kolay kolay silâhla vurulamayacak bir insan olduğunu anladım. Yeni yollar aramak zorunluluğu ortaya çıktı. Ama başaramadım...

Güvenlik görevlilerinin önünde yaptığı bu konuşmalardan sonra Mustafa Sagir 1 Numaralı İstiklâl Mahkemesi'ne verildi. Yargıçlar Kurulu Kılıç Ali, Topçu İhsan ve Hüseyin Beylerden oluşuyordu. Ankara'da bir emekli subayın evinde toplanan mahkemeye getirilen Sagir'in ayağında koyu renk bir pantolon, sırtında redingot, başında da bir kırmızı fes vardı. Yüzü sapsarıydı. Gergin ve sinirli görünüyordu.

10 Mayıs 1921'de başlayan duruşma 13 gün sürdü. Salon her gün hınca hınç doluyor, *Hâkimiyeti Milliye* gazetesi de günü gününe duruşmanın bütün ayrıntılarını yayınlıyordu. 23 Mayıs günü mahkeme sanığın idamına karar verince yer yerinden oynadı. İngilizler protesto üzerine protesto yayınladılar. Halide Edip Hanım bile devreye girerek idamın durdurulmasını istedi. Bu olayın İngilizleri kızdırmasından çekiniyordu. İsmet Paşa bu yüzden İngilizlerle Milli hükümetin arasının açılmasından korkarak Mustafa Kemal Paşa'yı uyarmaya çalıştı. Paşa ise İstiklâl Mahkemesi'nin başkanı Kılıç Ali Bey'e, "Siz görevinizi bilirsiniz. Ben konuşmam," demekle yetindi.

Mustafa Sagir'in mahkemedeki son numarası da şu oldu:

— Ben bu memleketin evlâdı değilim. Türkiye benim vatanım değil ki vatanıma hainlik etmiş olayım. Türkiye'ye hiçbir borcum yok. Beni İngilizler yetiştirdi, onlara hizmet ettim. Türkler yetiştirseydi sizin hizmetinizde olurdum. İdamdan korkmuyorum, ama onurum kırıldı. İslamda merhamet diye bir şey vardır. Bana merhamet ederseniz size daha çok şeyler anlatabilirim. Nasıl olsa Türkiye'de kalacağım. Bana acırsanız bu toprağın üstünde kalırım, acımazsanız toprağın altında...

Hintli casus 24 Mayıs 1921 Çarşamba günü elleri kelepçeli ve beyaz bir entari giymiş olarak Karaoğlan Çarşısı'na getirildi. Meydanda yaklaşık on bin kişi idamı izlemek için bekliyordu. Mahkeme kâtibi Rıza Bey orada yüksek sesle idam kararını okudu. Uzun ve beyaz bir kâğıda yazılmış olan karar casusun göğsüne çengelli iğneyle tutturuldu. Sonra jandarmalar suçluyu idam sehpasının önüne getirdiler ve darağacının altındaki masaya çıkardılar.

Cellat Celâl yağlı ipi boğazına geçirirken suçlu gözlerini yummuş, hiç kıpırdamadan bekliyordu. Cellat masadan atladı. Jandarma subayı,

— Bekleme artık Celâl, dedi. Devir masayı!

Üç saniye sonra masa devrildi ve casusun vücudu beyaz entarinin içinde havada sallanmaya başladı.

XII

Bir Kilit Adam: Pandikyan Efendi

Nedim Bey'in yeraltı çalışmalarında en çok ilgisini çekenlerden biri de Pandikyan Efendi'ydi. Kimdi bu Pandikyan Efendi? İngiliz casusu mu? Direniş örgütlerinin hizmetinde olan bir kişi mi? Yoksa ikili oynayan bir ajan mı?

Bu konuda kendisini aydınlatacak en önemli kişinin Ekrem Bey olduğunu biliyordu. Uygun bir günde Ekrem Bey'in bürosuna giderek,

— Binbaşım, dedi, sizden bir konuda daha bilgi rica edeceğim. Ben şu Pandikyan Efendi'yi çok merak ediyorum. Hani hem Anadolu'ya silâh ve cephane taşınmasında bize yardımcı oluyor, hem de İngilizlere çalışıyor.

— Çok haklısın Nedim Bey, dedi, gerçekten o çok ilginç bir kişi. Biz Yüzbaşı Bennett konusunda araştırmalar yaparken onun birlikte çalıştığı insanlardan biri olan Pandikyan Efendi üzerinde de durduk. Ermeni kökenli bu adam İngiliz Haberalma Merkezi'nin bulunduğu Kroker Oteline çok sık gidip geliyordu. Galata'da İstavropulo Han'da da bir bürosu vardı. Kendisini kaçırmaya karar verdik.

Bir akşam saat 9 sularında Pandikyan Efendi otelden çıkıp Pera Caddesi'ne uzandı ve Galatasaray Postanesi'nin önünden Taksim'e doğru yürümeye devam etti. Kendisini kaçırmak için iki subayımızı görevlendirmiştik. Ben de uzaktan izliyordum. Subayların elleri pardesülerinin cebindeydi. Pandikyan'a iki yandan yaklaşıp ceplerindeki tabancaları böğrüne dayadılar. Pandikyan telâş içindeydi. Ağzını açıp tek kelime söyleyemedi. Şaşkın şaşkın bir sağına baktı, bir soluna. Arkadaşlardan biri,

— Milli kuvvetlerin elindesin, dedi. Bağırmaya, kaçmaya kalkarsan seni kalbura çeviririz. Tut çeneni. Hiçbir şey belli etmeden sağdaki ilk sokağa sap.

Pandikyan Efendi sapsarı olmuştu. Sesi titriyordu. Ancak,

— Pekâlâ, diyebildi.

Ürkek adımlarla karşı kaldırıma geçti ve sağdaki sokağa saptı. Arkadaşlarımız kendisini bir adım geriden izliyorlardı. Sokağın içinde bir otomobil onları bekliyordu. Şoför motoru durdurmamıştı. Arkadaşlar arabada onu ortalarına aldılar. Ben de ön koltuğa geçtim. Pandikyan tirtir titriyordu.

— Bana ne yapacaksınız? diye sordu. Öldürmeye mi götürüyorsunuz? Benim hiç kabahatim yok. Vatanımı çok severim. Ben Türk'üm. Babam bu devlete çok hizmet etmiştir.

— Telâş etme Pandikyan Efendi, sana kötülük etmeyeceğiz. Yalnız gözlerini bağlamak zorundayız.

Pandikyan Efendi hiç karşı koymadan gözlerini bağlattı. Takip edilmemek için arabayı karışık yollardan dolaştırarak Sarıgüzel'deki gizli merkezimize geldik. Arkadaşlar Pandikyan Efendi'nin kollarına girerek arabadan çıkardılar ve salona aldılar. Orada bir masanın çevresinde beş subay arkadaşımız kendisini bekliyordu. Başlarında da örgütün ikinci başkanı Binbaşı Aziz Hüdai Bey vardı.

Hüdai Bey ayağa kalkıp Pandikyan Efendi'nin elini sıktıktan sonra,

— Özür dilerim Pandikyan Efendi, dedi, sizi buraya başka türlü getiremezdik. Konuğumuzsunuz. Önce birer kahve içelim. Sonra rahat rahat konuşuruz.

Kahveler içildikten sonra Aziz Hüdai Bey söze başlayarak şöyle dedi:

— Pandikyan Efendi, biz sizi çok iyi tanıyoruz. Muhterem babanızın da bu memlekete yaptığı hizmetleri iyi biliyoruz. Yalnız anlamadığımız bir şey var. Böyle vatansever bir babanın oğlu nasıl oluyor da baş düşmanımız İngilizlerin emrinde çalışıyor? Siz Türk dostu bir aileden geliyorsunuz. Aileniz Bulgaristan'da mal mülk edindi. Sonra siz buraya yerleştiniz. Size hiç yakışır mıydı düşmanımıza hizmet etmek? Siz Osmanlı vatandaşı değil misiniz? Ayrımız gayrımız mı var?

Pandikyan Efendi öldürülmekten korkuyordu. Gözlerinden yaşlar boşanıyordu. Çok heyecanlanmıştı.

— Söyledikleriniz çok doğru, dedi. Yerden göğe kadar haklısınız. Yapmamalıydım. İnsanoğlu hata edebiliyor; ben de hata ettim. Gözümü parayla boyadılar, dayanamadım, şeytana uydum. Beni affedin. Ailemi ve çocuklarımı size rehin bırakabilirim. Namusum ve şerefim üzerine size söz veriyorum, bu andan itibaren size çalışacağım, vatanımın hizmetinde olacağım. İngilizlerden bunu gizleyeceğim. Duyarlarsa beni yok ederler. Bana inanın, bana güvenin. Onlardan öğrendiklerimi bütün ayrıntılarıyla size bildireceğim.

— Anlaştık öyleyse Pandikyan Efendi. Size bu yakışırdı. Biz de sizden bunu beklerdik.

Pandikyan Efendi'yi fazla sıkmadan o gece evine yolladık. Bize karşı sorumluluk altındaydı. En ufak bir yalanını yakalayacak olursak bunu ödetebilecek durumdaydık. Pandikyan Efendi hiç fire vermedi. Bize hep bağlı kaldı. Şu anda yine aramızda sıkı bir işbirliği var.

— Peki Pandikyan Efendi'nin ne gibi hizmetleri oldu?

— Onun aracılığıyla İngiliz Haberalma Merkezi'nin bütün sırlarına ulaştık. Verdikleri emirler, haberler, şifreler, raporlar, hepsi sıcağı sıcağına bize iletildi.

O günlerde Ankara'dan bir telgraf aldım. Ordunun yedi buçukluk sahra toplarına ihtiyacı varmış, bizden bunları istiyorlardı. Nereden bulalım bu topları? Deli olacağız. Ankara bizden bu topları istiyor, ama kolay mı top bulmak?

İşte o sıralarda bir de baktık imparatorluğun askeri malzemesi, silâh ve donanımı artırma yoluyla satılığa çıkartılmış. Bunları Pandikyan Efendi bize bildirdi. Biz alabilir miyiz bu topları? Hangi sıfatla? Kimin için? Bir İtalyan komisyoncu bulduk, bu topları hurda fiyatına o satın alacak, sonra da biz bunları Anadolu'ya geçirecektik. Diyelim ki para bulduk, bu topları nasıl Anadolu'ya göndereceğiz?

Onun da çaresini bulduk. Lloyd Triestino adlı İtalyan vapur kumpanyasının bir vapuruyla topları İnebolu'ya yollayacaktık. Her şey istediğimiz gibi oldu. Osmanlı İmparatorluğu Tasfiye Komisyonu bu topları İtalyanlara sattı ve toplar hurda diye İtalyan vapuruna yüklendi. İyi de, vapurun Kız Kulesi açıklarında denetimden geçmesi gerekiyordu.

Vapurun kalkmasından iki saat sonra, önce Pandikyan Efendi'den gizli bir mesaj geldi. İngiliz Haberalma Merkezi'ne Türk yeraltı örgütlerinin Anadolu'ya gönderilmek üzere bir İtalyan vapuruna silâh ve cephane yükledikleri bildirilmiş. Bu durumda İtalyan vapuru Kız Kulesi açıklarında İngiliz zırhlıları tarafından durdurulacak ve denetimden geçirilecekmiş. Pandikyan topları derhal vapurdan indirmemizi öneriyordu.

Hemen işe giriştik. Bizim Karadenizli takacılar seferber oldular ve toplar geminin arka yanından mavnalara indirildi. Topların üzerine portakal sandıkları yerleştirildi ve bunlar Haliç'e çekildi. İki buçuk saat süren araştırmada İngilizler hiçbir şey bulamadılar. Gemiye çıkış izni verildi. Mavnalar yeniden yanaştı gemiye, toplar gemiye yükletildi ve hiçbir şey olmamış gibi İtalyan şilebi Karadeniz'e açıldı. Pandikyan'ın mesajı olmasaydı o topları zor kurtarırdık.

Ekrem Bey bunları anlattıktan sonra Nedim Bey'e,

— Gidin, biraz Hüsnü (Himmetoğlu) Bey'le konuşun, o da bu konuda çok şeyler anlatacaktır, dedi.

Bu sözler üzerine Nedim Bey Hüsnü Himmetoğlu'nu aramaya koyuldu. Kimdi bu Hüsnü Bey? Savaş yıllarında yedek subaylığını yaptıktan sonra İstanbul'da deniz taşımacılığına başlayan Hüsnü Bey İtalyan Lloyd Triestino firmasının temsilcisiydi. Binbaşı Aziz Hüdai Bey aracılığıyla Ekrem Bey'le tanışmış ve Anadolu'ya silâh kaçırma işlerinde gizli örgüte yardımcı olacağını belirtmişti. Ekrem Bey'le yaptıkları anlaşma gereğince silâh ve cephaneyi Lloyd Triestino vapurlarıyla İnebolu'ya taşıtacaktı. Böylece Himmetoğlu Felah Grubu'na katılmış ve önemli bir görev üstlenmiş oluyordu.

Nedim Bey Hüsnü Bey'i Sirkeci'de, Reşadiye Caddesi'ndeki ardiyesinde buldu. Kendisini tanıttı. Zaten o da Nedim Bey'in kim olduğunu biliyordu. Nedim Bey Himmetoğlu'na Pandikyan'ı nasıl ve ne zaman tanıdığını sordu. O da şunları anlattı:

— Haziran'ın (1921) ilk pazar günü sabah erkenden depoma gitmiştim. Odamda oturuyordum. Çayımı içtim. Aradan yarım saat geçti geçmedi, içeriye uzun boylu, zayıf, garip bir Türkçe konuşan, beli tabancalı bir adam girdi. Kendini tanıttı. "İngiliz Haberalma Merkezi'nden Polis Tayyar." Buyrun, dedim, ne istiyorsunuz? "Sizi tutuklamaya geldim," dedi. "Karşıya (yani Karaköy'e) geçeceğiz."

Yapabileceğim bir şey yoktu. "Pekâlâ, gidelim," dedim.

Sonra deponun bekçisi Mehmet Ağa'ya, "Beni polis götürüyor," dedim. "Ne yapacakları hiç belli olmaz. Felah Grubu'na haber verin."

Depodan çıktık. Sonradan Arnavut olduğunu öğrendiğim Tayyar önde, ben arkada köprüye geldik. Aklım hep depoda kalmıştı. Orada yüzlerce sandık cephane vardı. İngilizler bunları ele geçirirlerse yanmıştım. Bir yandan da eşimi düşünüyordum. Evleneli daha bir yıl olmuştu. Kundakta bir çocuğum vardı. Ne olurdu onların durumu? Silâh kaçırmanın cezası idamdı. Her yere bunu bildiren afişler asmışlar, bildiriler dağıtmışlardı. Kendimi nasıl savunabilirdim? Her şey ortadaydı. Yanmıştım.

Tayyar'la hiç konuşmadan köprüyü geçtik. Beni nereye götürüyordu? Karaköy'e gelince bana, "Sağa sap," dedi, saptık. Rıhtım'ı geçtik. Yeraltı camisine geldik. Tayyar, "İstavropulo Hanı'na gireceğiz," dedi. Han hemen caminin ilerisindeydi. Birlikte hana girdik. Merdivenleri çıktık. Tayyar önde, ben onun peşinde, koridorda bir kapının önünde durduk. Tayyar kapıyı açtı. İçeri geçtik. Görkemli bir yazıhaneye girmiştik. Masa başında kır saçlı, orta yaşlı, soluk yüzlü bir adam oturuyordu.

Tayyar, "Efendim, emir buyurduğunuz adamı getirdim," dedi.

Masadaki adam da, "Pekâlâ, sen çık dışarı," diye yanıt verdi.

Odada başbaşa kalmıştık. Gözlerimi adamın gözlerine dikmiş, hakkımda vereceği kararı bekliyordum. "Buyrun, oturun Hüsnü Bey," dedi. Karşısındaki iskemleye oturdum. Birdenbire rahatlamış gibiydim. Çünkü adamın sesi bana pek yumuşak geldi. Hiç de öyle emir verir, beni aşağılar gibi konuşmuyordu. Bana, "Oğlum," dedi, "sen memleketini seviyor ve kurtarmak için çalışıyorsun. Fakat çok gençsin, bu işlerde çok acemisin. Dikkatli olman gerekir."

Heyecan içindeydim. Adam sözünü nereye getirecekti? Konuşmasını şöyle sürdürdü:

"Deponda sekiz sandık mavzer olduğunu biliyorum. Bunları çuvallatmak için Acem İsmail adında bir herifi çağırtmışsın. O da geldi, durumu bana ihbar etti. Parasını verdim. 'Sağ ol İsmail Efendi,' dedim, 'biz gerekeni yaparız.' Senin deponun yerini öğrendim ve Tayyar Efendi'yi yolladım. O seni niçin çağırttığımı bilmiyor. Bak, sana açık açık söyleyeyim, Acem İsmail gibi adamları bir daha depona sokma. İhtiyatlı ol. Başın sıkışırsa bana gel, derdini anlat, bir çaresini buluruz. Benimle bu konuştuklarını da sakın kimseye söyleme. Sen de yanarsın, ben de. Haydi oğlum, şimdi git depona, tedbirini elden bırakmadan silâhlarını nereye göndereceksen oraya gönder. Ben hiç duymamış olayım."

Şaşkına dönmüştüm. Hemen kalkıp adamın ellerine sarıldım, öptüm, gözlerimden yaşlar döküldü. Kapıdan çıkar çıkmaz Tayyar Efendi yanıma geldi,

"Hayrola Hüsnü Bey," dedi, "bir sorun çıkmadı ya!"

"Hayır," dedim, "önemli bir şey yokmuş. Benden bir konuda bilgi istedi, anlatım, teşekkür etti. Peki kimdi bu konuştuğum adam?"

"Bizim şefimiz Pandikyan Efendi."

Bu benim için ölçülmez değerde bir haberdi. Düşünsenize Nedim Bey, beni İngilizlerin hizmetinde olan birine götürüyorlar, adam bana, "Başın sıkışırsa bana gel," diyor. Bu nasıl İngiliz ajanlığı? Kimlere çalışıyor bu Pandikyan Efendi? Ertesi gün Ekrem Bey durumu bana anlattı, çok rahatladım. Demek ki Pandikyan Efendi gerçekten bize çalışıyormuş.

Sonradan öğrendim, onun başında bir İngiliz varmış, Yüzbaşı Gordon, ama o her işi Pandikyan Efendi'ye bırakmış. Onun emrinde yetmişten fazla Rum, Ermeni, Çerkez, Türk ajan varmış. Pandikyan Efendi dilediği kimseleri tutuklatabilirmiş. Özellikle kaçakçılık işlerinde bütün yetkiler onun elindeymiş. Yüzbaşı Gordon ise oyuna, eğlenceye, kızlara düşkünmüş. Pandikyan Efendi Yüzbaşı Gordon'u istediği gibi kullanırmış. O isterse hepimizi tutuklatabilirdi; yapmadı, bizi korudu. Yapılacak baskınları günü gününe bize bildirdi. Öğrendiği her olayı bize duyurdu. Bütün savaş boyunca bize en ufak bir kötülüğü dokunmadı. Aksine, elinden gelen hiçbir şeyi bizden esirgemedi.

Nedim Bey Himmetoğlu'nun sözünü keserek sordu:

— Peki Beyefendi, lütfen anlatır mısınız. Pandikyan neden bize bu hizmetleri yapmak istemiştir? Bunu hiç kendisine sordunuz mu?

— Sorar gibi oldum. "Oğlum," dedi, "bu davada çok hassas davrandığımı belki garip buluyorsunuz. Ama anlatayım. Biz Ermeniler İstanbul'un işgalinden sonra İngilizleri, Fransızları ve İtalyanları daha yakından tanıdık ve düş kırıklığına uğradık. Biz Türkiye'de hiç ezilmedik, efendi olarak yaşadık. Bugüne kadar iş de bizdeydi, para da. Bunu Türklerle birlikte yaşayarak kazandık. Ama şimdi bakıyoruz, durum hiç de öyle değil. Bu bakımdan ben Türklere elimden gelen her yardımı yapmak istiyorum. Ermenistan Dışişleri Bakanı Hadisyan'ı buraya getirtip Dahiliye Nâzırı Reşit Bey'le görüştürmek istedim; engellediler. Başımıza Ermeni kıyımı sorununu çıkardılar. İmparatorluğu yıkmak için hep bu konuyu ele aldılar. Biz Türklerle görüşüp anlaştık, aramızda her şeyi çözdük. Artık Ermeni mezalimi, Ermenilere yapılan zulüm, kıyım diye bir olay kalmamıştır dedik. Ama ne yazık ki bütün gayretlerime karşın olumlu bir sonuca varamadık."

İşte Nedim Bey, şimdi anlıyor musunuz Pandikyan'ın düş kırıklığını. Bizden bir kuruş para istemedi. Ben onun namuslu, dürüst ve çok iyi bir insan olduğuna inanıyorum. Silâh ve cephane kaçırma işlerimizde Pandikyan Efendi'nin bize büyük yardımları olacaktır.

Nedim Bey bir süre sonra Hüsnü Himmetoğlu'nu görmek için yeniden Sirkeci'deki ambarına gitti. Onunla konuşacağı pek çok şey vardı. Çünkü Karaağaç ambarının ikinci bir kez boşaltılması için bütün hazırlıklar yapılmış, iş bunları İnebolu'ya taşıyacak bir vapur bulmaya kalmıştı. Himmetoğlu bu konuda çok deneyimliydi. Motorlarla birçok kez Karamürsel'e silâh ve cephane göndermişti.

Fransız bayrağı çeken Rus vapurlarıyla İstanbul'a bol sayıda Rus sığınmacı geliyor ve bu vapurlar İstanbul'dan çeşitli limanlara yolcu taşıyorlardı. Bu alanda işleyen vapurların yanı sıra Lloyd Triestino ve Société Française de Transport firmalarının ellerinde çeşitli gemiler vardı. Himmetoğlu büyük çapta silâh ve cephane kaçırma işini ilk kez *Penay* vapuruyla yapmış ve çok başarılı olmuştu.

Bu İnebolu seferi için Hüsnü Bey'den yardım isteniyordu. Nedim Bey Felah Grubu adına Hüsnü Bey'den yeni bilgiler isteyecek ve Anadolu'ya gönderilecek cephane o koşullara göre sağlanacaktı.

Himmetoğlu yaptığı girişimleri Nedim Bey'e şöyle özetledi:

— Bu iş için en uygun vapurun la Société Française de Transport'un elinde bulunan *Ararat* vapuru olduğuna karar verdim. Bu ortaklığın aksiyonlarının yarısı Rusların, yarısı da Ermenilerin elindedir. Finansman müdürü de Charles Calchi adında zeki, bilgili ve namuslu bir Ermeni'dir. Pandikyan Efendi'yle çok yakından dostlukları vardı. Şirkette Terziyan, Hogasyan, Piyerbedeş gibi başka Ermeniler de çalışır, hepsi dürüst ve namuslu insanlardır.

Ben vapurun kiralanmasını Charles Calchi'den önce Pandikyan Efendi'yle konuşmak istedim. Galata'da Cenyo Lokantası'nda buluştuk. O da olaya çok sıcak baktı ve bana,

"Oğlum," dedi, vapuru yüklemeden bir gün önce bana haber

ver. Ben bir memurumu gönderir, olayı uzaktan izlerim. Eğer o sırada kötü niyetli bir kişi vapura silâh doldurulduğunu ihbar edecek olursa ben oyalamaya çalışırım, olay çıkartmam. Ama bana yukarıdan bir emir gelirse durumu hemen sana bildiririm, siz de başınızın çaresine bakarsınız, ben bir şey yapamam. Diyelim ki, benim bile haberim olmadan gemi basıldı, benim elim kolum bağlı kalır, sizi kurtaramam. Bak şimdi oğlum, ben hemen bu durumu Charles Calchi'ye bildireceğim. O da çok anlayışlı bir adamdır, seni kırmaz, gider anlaşırsın."

Hemen Galata'da Hovakimyan Hanı'nda La Française vapur şirketinde Charles Calchi'yi buldum. Pandikyan Efendi kendisine bilgi vermişti. Charles Calchi beni güler yüzle karşıladı. Oturduk, kahve ısmarladı. Konuyu açtım. Bana şöyle dedi: "Büyükbabam bu vatanda yaşamış ve ailem çok mutlu olmuştur. Biz de bu vatanın ekmeğini yiyor, suyunu içiyoruz. Gönlüm sizinle beraberdir. Düşmanı mutlaka yeneceksiniz."

Ücret konusunda da anlaştık. Artık *Ararat* vapuru emrimizde.

Nedim Bey'le Hüsnü Bey'in buluşmalarından birkaç gün sonra Haliç'e çekilen *Ararat* gemisine cephane ve silâhlar yüklendi. Ama bir de baktılar ki Muaveneti Bahriye (Denizcilik Yardımı) Başkanı Albay Nazmi Bey gemiye uzun menzilli iki topun da yükletilmesini istiyor. Bu toplara ordunun büyük ihtiyacı vardı. Elbette olmaz diyemediler, topları gemiye yüklettiler.

Tam gemi Dolmabahçe'nin önüne gelmiş, yola çıkmaya hazır beklerken, Muaveneti Bahriye Grubu'ndan Yüzbaşı Selahattin Bey'le Korsan Murat denilen Yüzbaşı Murat gelmezler mi? "Aman," dediler, "gemiye iki uçak yükleyeceksiniz." Hüsnü Bey, "Tabii, elbette, çaresine bakarız," derken Korsan Murat, "Bir ricamız daha olacak," dedi, "kırk sekiz sandık ve seksen altı balya daha yükümüz var…"

Sonradan bu yüklemeye Tapa Fabrikası'nda kalmış yirmi altı sandık telemetre, dürbün ve çeşitli malzemeler de eklendi.

Ancak sorunlar henüz bitmemişti. La Française şirketi sonradan yüklenen toplar, uçaklar, sandıklar ve balyalar için ekstra ücret istiyordu. Mim Mim Grubu temsilcileri bu ücreti ödeyemediği için vapur Dolmabahçe açıklarında tam dört gün kaldı.

Hüsnü Bey, Felah Grubu Başkanı Ekrem Bey'den ve Eyüp Bey' den para istedi. Pandikyan Efendi neredeyse çıldıracaktı. "Çabuk gemiyi kaldırın," diyordu. "Olay duyulursa gemiye el koymak zorunda kalacağız!"

Sonunda paralar bulundu, Charles Calchi'ye teslim edildi ve 5 Kasım 1921 Cumartesi günü akşam üzeri gemiye "muayeneye hazır" bayrağı çekildi.

İyi de asıl tehlike bundan sonra başlıyordu. Çünkü gemi İngilizlerin denetiminden geçecekti. Hüsnü Bey, her şeyden önce gemiye komiser olarak bir Fransız subayı almayı düşündü. Gemide bir Fransız subayı olursa İngilizler fazla sorun çıkartmayacaklardı. Şirketin müdürüne gidip, "Aman," dedi, "gözünüzü seveyim, bize bir Fransız subayı bulun, aksi halde hepimiz yanarız!" Buldular.

Gemideki bütün cephanelere de çeşit adlar uyduruldu; hurda demir, manifatura, şahmerdan, dikiş makinesi, değirmen eşyası. Ordinolar ve konşimentolar buna göre düzenlendi.

Gemide çeşit çeşit içki ve bol mezeler hazırlandı. Hüsnü Bey' in maksadı denetime gelen subayları sarhoş etmekti.

Korsan Murat Bey gemi kaptanı diye kaptan köprüsüne çıktı. Mim Mim Grubu'nun temsilcisi Yüzbaşı Abdullah Bey kahveci çırağı kılığına girdi. Hüsnü Bey de şirketin acentası olarak gemideki yerini aldı.

Akşam saat 5.30 sularında vapurun bordasına kontrol motoru yanaştı. İçinden dört kişi çıktı: Biri İngiliz denetim subayı, ikincisi bir Fransız astsubayı, iki de çevirmen.

Dördünü de salona buyur ettiler. "Emredin," dediler, "ne içki seversiniz?" Viskiler, şaraplar açıldı. Mezeler ortaya geldi. İçildi de içildi...

Sonunda zil zurna sarhoş olan denetim subayları, "Getirin şu konşimentoları da imzalayalım, işiniz görülsün," dediler.

Hüsnü Bey, bu zorlu görevin üstesinden gelmeyi başarmıştı.

Gizli Örgütte Yeni Bir Kız: Neclâ

O günlerde gizli örgütlerin üzerinde durdukları en önemli sorun Maçka Silâhhanesi'nden yeni bir şeyler kaçırabilmekti. Felah Grubu sorumlusu Ekrem (Baydar) Bey'e Ankara'dan yollanan şifreli bir telgrafta ordunun çok acele top kamalarına ihtiyacı olduğu belirtiliyor ve bunların Maçka'dan sağlanması isteniyordu. Neydi bu top kamaları? Topun namlusunun altını kapayan kalın ve sağlam demir kapak. Bunların uzun süreli ateşlere dayanması ve yıpranmaması gerekiyordu. Sürekli top atışlarında bunlar aşınıp parçalanıyor ve toplar kullanılmaz oluyordu. İşte Erkânı Harbiye İstanbul Örgütü'nden Yunanlılarla yapılacak savaşlarda kullanılmak üzere 7.5'luk sahra topları için bu tür kamalar istiyordu.

Ekrem Bey bunun için şöyle bir çözüm buldu: Ramazan gelmişti. Önce iftar topları, sonrada bayram topları atılacaktı. Bunun için sağlam top kamaları gerekiyordu! Ekrem Bey bu konuda Harbiye Nâzırı Ziya Paşa'nın imzasına sunulmak üzere İstanbul İşgal Kuvvetleri Kumandanlığı'na bir yazı hazırladı. Yazı şöyleydi:

"İstanbul'da yarım milyonu aşkın insanın Müslüman olduğunu bilirsiniz. İslam dini kurallarına göre Ramazanlarda ve dinsel bayramlarda beş vakit namaz, sahur zamanı, iftar ve bayram namazları halka top atışlarıyla duyurulur. Bundan önceki uygulamalarda âdi ateşli kamalarla yapılan atışlarda birçok kazalar olmuş ve bunlar can kayıplarına yol açmıştır. Bu kez bu tür kazaların önlenmesi için Maçka Kışlası'nda bulunan hızlı ateşli 7.5'luk top kamalarının, bayram biter bitmez geri verilmesi koşuluyla bir görevliye teslimini rica ederim."

Harbiye Nâzırı
Ziya Paşa"

Ekrem Bey yazıyı Ziya Paşa'ya götürdü. Gerçekte kalbi Ankara'da olan Ziya Paşa, Ekrem Bey'in niyetini hemen sezmişti.

— Peki, dedi, kamaları aldınız, Ankara'ya yolladınız. Bayram sonunda kışlaya neyi teslim edeceksiniz?

Ekrem Bey,

— Bir çaresini buluruz, demekle yetindi.

Gerçekte o anda kendisi de çareyi bilmiyordu. Nâzır biraz durdu, düşündü, gülümsedi, sonra da yazıyı imzalarken,

— Hayırlı olsun, dedi. İnşallah başımıza bir belâ gelmez.

Yazı İşgal Kuvvetleri Kumandanlığı'na gitti. Ekrem Bey büyük bir heyecan içinde sonucu bekliyordu. İngiliz general de Müslüman halkın inanç ve geleneklerine saygı duyarak yazıya onay verdi. Bundan sonrası artık kolaydı. Örgüte bağlı askerler hemen bir kamyona atlayarak Maçka Kışlası'nın kapısına dayandılar. Nöbetçi İngiliz subayları General'in yazısını ve imzasını görünce,

— Buyurun bakalım, dediler. Ne kadar kama gerekiyorsa girin alın. Ama bir zabıt düzenleyeceğiz. Bayram ertesi bütün kamaları kışlaya geri getireceksiniz.

— Elbette kumandan, bayram biter bitmez.

Kamalar kamyona yüklendi ve Ekrem Bey bunları derhal gizli örgütün hizmetindeki motorlarla Karamürsel'e ulaştırdı. Operasyon büyük başarıyla sonuçlanmıştı. Peki kamaların iade zamanı geldiğinde ne yapacaklardı? Ziya Paşa'ya verilen sözün de tutulması gerekiyordu.

Ramazan çok çabuk bitti. Bayram da tatsız bir hava içinde geçti. İşgal altındaki İstanbul'da bayramın ne tadı olacaktı ki? Şimdi sıra gelmişti top kamalarının teslimine.

Ekrem Bey bunun için yeni yollar araştırıyordu. Sonunda şu yolu buldu: Nöbetçi İngiliz subay ve askerleri sarhoş edilecek ve cepheye gönderilen top kamalarının yerine kırık dökük, işe yaramaz kamalar İngilizlere teslim edilecekti. Ama nöbetteki İngilizleri nasıl sarhoş edebilirlerdi?

Neriman Maçka Silâh Deposu'ndaki nöbetçilerin durumunu

John'dan bütün ayrıntılarıyla öğrenmişti: İngilizler her gece kışlada yatıyorlardı. Ama cumartesi gecesi ve pazarları çoğu bir yolunu bulup Beyoğlu'na gidiyor ve buraların tadını çıkartıyorlardı. Beyoğlu'nu iyi bilen bir de Fransız arkadaşları vardı. Onun bilmediği meyhane, bar, genelev ve randevuevi yoktu. İyi de İngilizce konuşuyordu.

Yapılacak ilk iş bu Fransız çavuşu ile ilişki kurmaktı. Bu iş de Ümran'ın alanına giriyordu. Ümran, Jean Pierre aracılığıyla bu çavuşu bulmakta güçlük çekmedi. Bir gün Union Française'de buluştular. Eğilim bakımından Jean Pierre'e çok yakın olan çavuş, onlara yardım edeceğini söyledi.

Uygulamaya geçmek için bütün koşullar oluşmuş gibiydi.

Neriman bu operasyona katılmak istemiyordu. Ümran'ın da İngiliz çavuşlarıyla ilişkiler kurmaya hiç niyeti yoktu. Bu iş için yeni bir kız buldular: Neclâ.

Neclâ genelde Beyoğlu barlarında dolaşan, Fransızca ve İngilizce bilen bir kızdı. İyi bir aileden gelmiş ama kendini çok dağıtmıştı. Ümran ve Jean Pierre bu kızı bir pazar günü bir barda aralarına aldılar ve ona neler yapabileceğini anlattılar.

Neclâ çok duygusal ve vatansever bir kızdı. Bütün içtenliğiyle Milli Mücadele'ye yardım etmek istiyordu. Ama o güne kadar hiç kimse Neclâ'dan bu konuda bir şey istememişti. Ümran'la tanışmak, konuşmak onu çok etkiledi,

— Peki, benim nasıl bir katkım olabilir, diye sordu.

— Kolay, seni çok sıkmayacak bir önerimiz var. Hep birlikte Maçka Deposu'na gideceğiz. Bizle birlik olan Fransız çavuşu oradaki İngilizlerle çok yakın dostluk ilişkileri kurmuş. Onlara viski götüreceğiz. Jean Pierre'in arabasına viski doldurduk. Senin görevin İngilizleri sarhoş etmek olacak. Viski hiç tükenmeyecek, arabadan taşıyacağız. Onlar iyice sarhoş olunca da örgütün adamları görevlerini yapacaklar. Var mısın?

Neclâ büyük bir içtenlikle,

— Elbette varım, dedi. Yaşamımın en mutlu işini yapmış olacağım.

Pazar günü hep birlikte Silâhhane'ye gittiler. İngiliz nöbetçiler kızları, Jean Pierre'i ve Fransız çavuşunu çok iyi karşıladılar.

— Çok mutlu olduk, dediler. Pazar nöbeti bize düştü. Bütün arkadaşlar Beyoğlu'nda barlarda eğlenirlerken bize yazık değil mi?

— Yazık tabii, bizde size eşlik etmeye, sizi eğlendirmeye geldik. Viski de getirdik.

— Tanrı sizden razı olsun. Bu kızlar da herhalde Türkiye güzelleri, değil mi?

— Eh, öyle sayılırlar. Yabancı dil de biliyorlar.

— Harika bir iş yapmışsınız. Birlikte eğleniriz. Biz de size İngiliz, İrlanda ve İskoç şarkıları söyleriz.

— Gelin şöyle aramıza. Bardak getirelim. Fındık ve yerfıstığı da var. Daha fazlası can sağlığı.

Viski şişeleri açıldı, bardaklar dolduruldu, nöbetçiler şarkı söylemeye başladılar. Kızları dansa davet ettiler. Neclâ çok çabuk bu havaya uydu.

Bir ara Silâhhane'nin kapısı vuruldu. Gidip açtılar. Bir kamyon gelmişti. İçinde İngilizlere teslim edilecek, hiç işe yaramayan, yıpranmış ve çürük kamalar vardı.

Zilzurna sarhoş olan İngilizler bu malzemeyi denetleyecek durumda değillerdi. Neclâ,

— Aman, Allahaşkına, bu herifler keyfimizi bozmasınlar, malzemeyi alın, basın imzayı, çekip gitsinler, dedi.

Öyle de oldu. İngilizler bozuk top kamalarını teslim aldılar ve olay kapandı. Neclâ ile Ümran'ın ilk başarıları bu Silâhhane olayı oldu.

O akşam Ümran'ı yine Jean Pierre Çamlıca'ya götürdü. Araba Kısıklı'dan geçerken yine gençler Ümran'ın bir yabancı subayla köşke döndüğünü gördüler. Biri,

— Hulusi Bey'in kızları da artık iyice işi azıttılar, dedi. Her biri başka bir yabancı askerle çıkıyor. Hulusi Bey de yaldızlıyor, yazık bu kızlara.

— Bu işler çok kötüye gidiyor. Semtin namusu beş paralık oldu.

Gençler sonra Kısıklı'daki kahveye gittiler. Semtin kabadayıları ve tulumbacılar da oradaydı. Gençlerden biri kabadayıların en ünlüsüne,

— Hasan Ağabey, dedi, Hulusi Bey'in kızları düşman askerleriyle düşüp kalkıyorlar. Şeytan diyor ki, "Ulan ne duruyorsunuz, siz de hallenmeye bakın. Kaçırın kızları, işinizi görün. Anlasınlar bakalım elin gâvurlarıyla sürtmek ne demekmiş."

Hasan Ağabey,

— Yok oğlum, dedi, kazın ayağı öyle değil. Ben geçen gün Cambaz Mehmet'le konuştum. "Dokunmayın Hulusi Bey'in kızlarına," dedi. "Onlar da bize çalışıyorlar."

— Yapma yahu! Çamlıca'nın güllerine bak. Hiç akla gelir miydi?

— Çocuklar, Mehmet Ağabey böyle konuşuyorsa bizim bilmediğimiz başka şeyler var demektir. Kafanızı işletin bakalım.

XIII

Zeytinburnu Baskınları

Nedim Bey'in Harbiye Nezareti'ndeki yakın dostlarından biri de Topçu Şubesi Müdürü Binbaşı Kemal (Koçer) Bey'di. Kemal Bey Mim Mim Grubu'nun kurucularındandı. Topkapılı Cambaz Mehmet Bey'in yakın arkadaşıydı. Hamza Grubu'nun kuruluşunda yer almamıştı. Arada bazı çekememezlikler vardı.

Topçu Binbaşı Kemal Bey'le Hüsnü Himmetoğlu'nun ilişkileri de pek sıcak sayılmazdı. Birinci Dünya Savaşı'nda Kemal Bey bir alaya kumanda ederken Hüsnü Bey de yedek subay olarak onun yaverliğini yapıyordu. Savaş sonunda Hüsnü Bey ordudan ayrılıp da Sirkeci'deki ambarı açtıktan sonra bir süre birbirlerini hiç görmemişlerdi. İkisi de Anadolu'ya hizmet ediyordu, ama ayrı ayrı örgütlerin içindeydiler. *Ararat* vapurunun kiralanması dolayısıyla aralarında büyük çekişmeler olmuştu. *Ararat* vapuru İnebolu'ya ilk seferini yaptıktan sonra da eski alay kumandanı ile yaveri arasında bu sürtüşmelerin devam ettiği anlaşıldı.

Topçu Kemal Bey *Tasviri Efkâr* gazetesi başyazarı Ebuzziya Velit Bey'le dosttu. O da Mim Mim Grubu içinde yer almıştı zaten. Velit Bey Fransızlarla yakın ilişkiler içindeydi. Önce Galatasaray'da, sonra Saint Benoit'da okumuş, daha sonra da yükseköğrenimini Paris'te yapmıştı. Fransa'daki Türk dostlarıyla da ilişkilerini hiç kesmemişti. Kimler vardı bunların arasında? Pierre Loti, Claude Farrére, Madam Berthe Georges-Gaulis ve daha birçok yazar ve gazeteci. Doktor Nihat Reşat (Belger) Paris'te çıkan bir gazeteye yazılar yazıyordu. Paris'teki TBMM temsilcisi, Ferit Bey'le eşi Müfide Ferit Hanım da Paris'te konferanslar vererek Fransız kamuoyunu aydınlatmaya çalışıyordu.

Pierre Loti o yıllarda Türkiye için "ikinci vatanım" diyordu. Claude Farrére de şöyle yazıyordu: "Neden mi Türklerin dostuyum? Çok basit, barışı seviyorum da ondan. Barışa ulaşmanın en iyi yolu diğer halkları tanıyıp sevmektir. Bu tanıdıklarımın içinde Türk halkından daha çok saygı ve sevgiyi hak edenini görmedim. Tanıdığım en dürüst, en doğru, en sadık, en sağlıklı, en cömert ve en iyiliksever halk Türk halkıdır. Fransız olmasaydım Ankara'daki dostum Kemal Paşa'nın yanında Yunanistan'a, İngiltere'ye ve aşağı yukarı bütün Avrupa'ya karşı ne büyük bir istekle dövüşürdüm."

Paris'teki Türk dostları Doğu Komitesi adında bir de örgüt kurmuşlardı. Kamuoyunu aydınlatmak için İstanbul'a 22 yaşında Delacroix adında genç bir gazeteciyi gönderdiler. Delacroix İstanbul'a gelir gelmez doğru Bakırköy'e gitti, orada bir pansiyona yerleştikten sonra da Velit Bey'in evine giderek Paris'ten getirdiği mesajları kendisine iletti.

Ünlü resam Eugene Delacroix 1824'te yaptığı "Sakız Adası Kıyımı" adlı tablosuyla Fransız kamuoyunu Türklere karşı ne kadar kışkırtmışsa, 22 yaşındaki Delacroix de onun tam karşı yönünde Fransa'da Türk dostluğunu yaratmaya çalışıyordu.

Velit Bey, Topçu Kemal Bey ve Delacroix ertesi günü *Tasviri Efkâr* gazetesinde buluştular. Delacroix şunları söyledi:

— Ben buraya milli orduya nasıl yardım edebiliriz, onu araştırmaya geldim. Fransız askerlerinin denetiminde bulunan silâh depolarının boşaltılması için birlikte çalışmalıyız, ortak planlar hazırlamalıyız. Burada benimle birlikte çalışacak Fransız subaylarının da olduğunu biliyorum. Çok sevgili dostum Jean Pierre, Fransız Yüksek Komiserliği'nde çalışıyor. General Pellé'nin de yanına girip çıkıyor. Bir de Türk sevgilisi var, kendisine yardımcı oluyor.

Velit Bey ve Kemal Bey bu sözlerden çok heyecanlanmışlardı. Kemal Bey,

— İyi olacak hastanın doktor ayağına gelirmiş, dedi. Siz de Hızır gibi bizim imdadımıza yetiştiniz. Durum şöyle: Zeytinburnu ve Baruthane depolarında dünya kadar silâh ve cephane var. Bolşeviklerden kaçan Wrangel ordusunun elindeki 400 bin makineli tüfek de Bakırköy'de kaldı. Bunları kurtarmak ve Anadolu'ya geçirmek gerekiyor.

Delacroix bu işe çok sıcak baktı ve Velit Bey'e bu konuda General Pellé ile görüşmesini önerdi.

Nedim Bey bu olayda Jean Pierre'in parmağı olduğunu yakından biliyordu. Delacroix'nın buraya gelmesi için Jean Pierre elinden geleni yapmıştı. Jean Pierre'i bu maceraya sürükleyen Ümran'dı. Ümran da Nedim Bey'in önerileriyle bu işi başarmıştı. Ne var ki Ümran Jean Pierre'den hiçbir şeyi gizlemiyordu.

Hepsi iyi de, Ümran'la Jean Pierre'in ilişkileri ne durumdaydı. Bu hikâye önce Çamlıca'daki köşkte bir görüş ve düşünce birliği olarak başlamış ve ikisi de birbirlerine hayran kalmıştı. Sonra Union Française'de Jacques Prévert ve Marcel Duhamel'le birlikteki buluşma bu ilişkiyi rayına oturtmuştu. Ümran Jean Pierre'in zekâsına, konuşmalarındaki akıcılığa, yaptığı mantık oyunlarına, sözlerindeki inandırıcılığa, genel kültürünün zenginliğine ve karşısındakini tuşa getirmesindeki becerisine bayılmıştı.

Jean Pierre de bu kadar tatlı, güzel ve akıllı bir kızın kendisini coşkuyla izlemesinden büyülenmişti âdeta. Ne inanılmaz bir şeydi İstanbul'da Fransız kültürüyle yetişmiş bir kızla birlikte olmak. Üstelik de o kız Fransız Devrimi'ni ve Paris Komünü'nü biliyor ve Fransa'daki sosyalist akımlara büyük ilgi gösteriyordu. Pierre Loti İstanbul'da böyle kızlar tanımamıştı herhalde. Onun soylulardan ve Levantenlerden oluşan çevresinde Ümran düzeyinde bir kız hiç olmamıştı. Ümran Jean Pierre için İstanbul'un pırlantasıydı.

Düşünce, eğitim, genel kültür, devrimcilik konularının yanında Jean Pierre için hiç de küçümsenmeyecek bir etmen vardı, o da Ümran'ın fizik güzelliği, çekiciliği, tatlılığı ve keşfetmek istediği dişiliği.

Jean Pierre Paris'teki sevgililerini bir anda unutuvermişti. Onların hepsi çok tatlı kızlardı ama hiçbiri Ümran'la boy ölçüşemezdi. Hiçbirinde Ümran'ın sıcaklığı, cana yakınlığı, albenisi ve dişiliği yoktu. Aralarındaki cinsellik sanki bakışlarında kurulmuştu. Aşk yapar gibi birbirlerinin gözlerine bakıyorlardı. O anlarda ikisi de sevişmenin doruğuna erişiyormuş gibiydiler. Ümran onun bakışlarında müstehcenliği yaşıyor ve bu duygularını çevresindekilere ele vermekten ürküyordu. Oysa ne harika bir şey olurdu onunla sevişmek. Bunları düşündükçe yüzü kızarıyor, her yanından terler boşanıyordu.

Union Française'deki buluşmalarının sonunda bir gün bir arkadaş apartmanında birlikte oldular. Ümran kadınlığını ilk kez Jean Pierre'in kollarında yaşadı.

Bu iş nasıl böyle birdenbire oldu? İkisi de pek anlayamadılar. Ümran aralarındakinin sadece bir dostluk ilişkisi olarak kalacağını kendini inandırmaya çalışıyor ama onunla birlikte olma arzusunu da kolay kolay kafasından atamıyordu.

En büyük korkusu ilişkilerinde atabilecekleri bu önemli adımın her şeyi mahvetme tehlikesiydi. Ya cinsel bakımdan anlaşamazlarsa, uyum içinde olamazlarsa? Kendisinin nasıl olacağını da hiç bilmiyordu ki. Belki cinsel bir soğukluk içindeydi. Belki de sevişmekten hiç hoşlanmayacaktı.

Olaya bir de Jean Pierre'in açısından bakmak gerekirdi. Sevgilisinin Fransa'da kim bilir ne tür deneyimleri olmuştu? Sevişmesini iyi bilen güzel kızlarla mutlaka yatmıştı. Ümran şimdi ona bu zevkleri verebilecek miydi? Ya Jean Pierre kendinden hiç hoşlanmazsa? O zaman kaç haftadır geliştirdikleri bu ilişki, bu aşk birdenbire sona ermeyecek miydi?

Böyle bir duygusal ilişkiden sonra cinsel düş kırıklığı ileriye dönük bütün tasarılarının sonu olmaz mıydı?

Ümran bu düşüncelerle boğuşurken, Jean Pierre bu dostluk ilişkisinin çok yakın bir gelecekte cinsel bir ilişkiye döneceğine yüzde yüz inanıyordu. Bu konuda hiç kuşkusu yoktu. Cinsel bir temele dayanmayan bir aşk ilişkisi hiç olabilir miydi? Ümran'ın çok yetenekli olacağını düşünüyordu. Mutlaka aralarında iyi bir uyum sağlanacaktı. Bu bakımdan da çok heyecanlıydı. Arkadaş evinde buluşmaya karar verdiklerinde içi kıpır kıpır olmuştu. Bütün gece yatağında ilk cinsel buluşmanın nasıl olacağını düşünmüş ve gözüne uyku girmemişti. Kafasında çeşitli senaryolar yaratmış ve o mutluluk anlarını tekrar tekrar hayal etmişti.

Bu cinsel bağ bir tutarsa? O zaman bu ne mükemmel bir ilişki olacaktı. Sanki dünyayı yeniden yaratacaklardı. Biri Âdem olacaktı, biri de Havva. Gökyüzünün yedinci katına yükseleceklerdi. Birlikte oldukları ilk gün yedinci katı da aştılar. Samanyolunun üzerinden uçtular.

Artık yeni bir dönem başlıyordu ikisinin de yaşamında. Jean Pierre kendini Milil Mücadele'nin başarısına adamıştı. Önünde, Ümran'la birlikte olacakları mutlu günleri vardı.

Zeytinburnu I

Jean Pierre, Paris'teki en yakın arkadaşı Delacroix'nın İstanbul'a gelmesi için her türlü desteği göstermişti. Delacroix da İstanbul'a geldiğinin ertesi günü Jean Pierre'le buluştu ve ona, neler yapılması gerektiğini kısaca anlattı.

Fransa zaten Ankara'ya sıcak bakıyordu. Yapılacak ilk iş General Pellé'nin silâh kaçırma işine göz yummasını sağlamak olacaktı.

Velit Bey'le General Pellé'nin konuşmalarından sonra Topçu Kemal Baruthane ve Zeytinburnu depolarında bir keşif yaptı. Depolar kilitliydi ve anahtarlar da nöbetçi subayındaydı. Adam yardımcı olmaya niyetli değildi. Kemal Bey onu ikna etmeye çalıştı.

— Yüzbaşı, inat etmeyin. Hepimiz vatan için çalışıyoruz. Depodan çıkartacağımız silâhlar düşmana değil, bizim kendi ordumuza gidecek. Siz de vatanını seven bir askersiniz, bize karşı gelmeyin, dedi.

Nöbetçi yüzbaşı Nuh dedi, Peygamber demedi. Kapıyı zorla açmaktan başka çare kalmamıştı. Bunun için de cephane kapısındaki kalın demir halkaları kesmek gerekiyordu. Kemal Bey Polis Müdür Yardımcısı Sadi Bey'e uğrayıp ona durumu anlattı. Sadi Bey, "Sen üzülme," dedi, "bu işi hemen çözeriz."

Zile bastı ve içeri giren adamına aşağıdaki hücrelerde kalan mahkûmlardan birini getirmesini söyledi. İki dakika sonra İstanbul'un en ünlü kasa hırsızı karşılarındaydı. Sadi Bey, "Bak oğlum," dedi, "şimdi vatan görevini yapman gerekiyor. Zeytinburnu Silâh Deposu'nun demir halkalarını keseceksin."

Kasa hırsızının sevinçten gözleri parladı. Bu iş onu herhalde hapisten kurtaracaktı. Ama en önemlisi yaşamında ilk kez onurlu bir iş yapmış olacak ve bütün namusunu temizleyecekti. Bir an düşünmeden,

— Başüstüne Beyim, dedi. Bu benim işim, benim açamayacağım kapı, sökemeyeceğim kilit yoktur.

Ertesi akşam Velit Ebuzziya'nın Bakırköy'deki evinde toplandılar. Silâhları kaçırmak için kiralanan gemi Üsküdar açıklarında, karanlıkta, ışıklarını söndürmüş bekliyordu. Cephane ve silâhları taşıyacak olan mavnalar da teker teker Zeytinburnu İskelesi'ne yanaştılar. Kemal Bey, Delacroix ve kasa hırsızıyla iskeleye çıktılar. Depoların girişinde Senegalli bir asker duruyordu. Delacroix onunla Fransızca konuştu ve yüzbaşıyı göreceklerini söyledi. Senegalli hiç itiraz etmeden onları içeri aldı. İçeride karşılaştıkları bir çavuş onları depo sorumlusu Fransız yüzbaşının dairesine götürdü. Çekine çekine kapıyı vurdular. Yüzbaşı herhalde yatmış olacaktı ki kapıyı açtığı zaman pijamalıydı.

— Çok özür dilerim, dedi. Sizi bu kılıkta karşılamak istemezdim.

Kemal Bey,

— Önemli değil, dedi. Biz özür dileriz. Böyle vakitsiz ve habersiz gelip rahatınızı bozduk.

Delacroix, hemen konuya girdi.

— General Pellé'den izin aldık, işimiz çok acele, dedi. Bize cephanelerin bulunduğu depoları gösterin. Lütfen işimize de engel olmayın.

Yüzbaşı cephanelerin yerini tarif ettikten sonra,

— Ben sizinle gelemeyeceğim, siz işinizi görün, dedi.

Kaza hırsızı çok becerikliydi, çantasından aletlerini çıkardı ve bilek kalınlığındaki zincirleri peynir keser gibi kesti.

Mavnalarla gelen işçiler cephaneliklere dağıldılar. Binlerce sandık piyade cephanesini taşımaya başladılar. O arada Velit Bey' le Albay Sivaslı Sırrı mermileri kontrol ediyorlardı: Silâhlara uyar mı, uymaz mı diye.

Sonra sandıklar iskeleye taşınıyor, oradan mavnalara yükleniyordu. Bazı mermi sandıkları, ancak İngiliz silâhlarında kullanılır diye geri çevriliyordu.

Mermilerin ve silâhların bir bölümü İstanbul'daki silâhlı örgütler için ayrı bir yere saklandı. Gerisi de gemiye yüklenip İnebolu'ya ulaştı.

Zeytinburnu II

Hüsnü Himmetoğlu 1922 Ocak ayının son günlerinde Sirkeci'deki ardiyesinde otururken içeriye yabancı kılıklı bir adam geldi. Kendini tanıttı:

— Ben Marcel Savois. Sizin adınızı ve adresinizi bana gizli örgütten Topçu Kaymakamı (Yarbay) Eyüp Bey verdi. Siz Anadolu'ya silâh kaçırma işleriyle ilgileniyormuşsunuz. Ben size silâh, top mermisi ve her çeşit cephane bulabilirim. Bunları Fransa'dan getirtmeye hiç gerek yok. Sizin istediğiniz her şey Fransız kuvvetlerinin denetiminde olan Zeytinburnu ve Gülhane'deki depolarda var. Bunların Anadolu'ya kaçırılması işini sizinle konuşabilirim.

Himmetoğlu bu öneri karşısında şaşkına dönmüştü. Bu adama ne ölçüde güvenebilirdi? Ama adam Eyüp Bey'in adını verdiğine göre sağlam kaynaklara ulaşmış sayılırdı. Hüsnü Bey:

— Beyefendi, dedi, güzel konuşuyorsunuz ama bu iki depo da Fransızlar'ın işgali altındadır. Fransız işgal kumandanlığının izni olmadan oradan tek mermi bile çıkartamazsınız. Ama siz General Pellé'den gerekli izni alırsanız, sonra da oradaki silâh ve cephanenin çıkartılmasına Fransızların göz yummalarını sağlarsanız biz bütün güvenlik önlemlerini alarak bunları iskelelere kadar götürmeyi üzerimize alırız. Bizim taşıyıcı adamlarımız ve taşıt araçlarımız var. Silâh ve cephane hiçbir sakınca olmadan iskelelere ulaşır. Yeter ki siz General Pellé'den gerekli izni alın.

Fransız komisyoncu Himmetoğlu'nun bu sözlerine çok sevindi ve daha sonra buluşmak üzere ardiyeden ayrıldı.

28 Şubatta Marcel Savois yine Sirkeci'deki ardiyeye geldi. General Pellé ile ilişki kurduğunu anlattı. General silâh kaçırma olayına zaten sıcak bakıyordu. Paris'teki yetkililerin de bunu destekleyeceklerini biliyordu. Ankara hükümetinin İstanbul'daki siyasal temsilcisi, Hilaliahmer Cemiyeti Başkan Yardımcısı Hamit Bey'le de yakın ilişkiler içindeydi. General Pellé şifreli bir yazıyla durumu Paris'e bildirdi. Onlar da İngilizlere hiç duyurmadan uygun bir formül bularak silâh kaçırma işine göz yummasını önerdiler.

Formül ne olabilirdi? General Pellé Zeytinburnu'ndaki silâh ve cephanenin satışa çıkartılmasına karar verdi. Marcel Savois bunları satın alacaktı. Ne var ki silâhların taşınması sırasında İngilizler bir baskın düzenlerlerse Fransızlar Türklere yardım edemeyeceklerdi. Ankara'nın da onayı alındı.

Uzun görüşmelerden sonra Hüsnü Himmetoğlu ile Felah Grubu temsilcisi Topçu Kaymakamı (Yarbay) Eyüp Bey arasında bu konuda bir sözleşme imzalandı. Buna göre cephane sandıkları Himmetoğlu'nun kiralayacağı gemilerle Akçaşehir, Akçakoca, Ereğli, Zonguldak ya da İnebolu iskelelerinden birine gönderilecek ve taşımacılık ücretini Eyüp Bey ödeyecekti. Hamalları bulma işi de Himmetoğlu'nun göreviydi. Gemiye bir günde ne kadar sandık yüklenirse yüklensin, ambarlar dolsun dolmasın, gemi o akşam limandan ayrılacaktı. İngilizler gemiyi yakalarlarsa bütün sorumluluk Himmetoğlu'nda olacaktı.

Ertesi gün Eyüp Bey Gülhane deposuna giderek oradaki mermilerin durumunu inceledi. Ne yazık ki bunlar milli ordudaki silâhların kullanacağı cinsten değildi.

İş kalıyordu Zeytinburnu'ndaki malzemeye. Eyüp Bey gidip onları da inceledi. Bütün mermiler milli ordunun kullanacağı türdendi.

Hemen malzemenin satın alınması için gerekli işlemler başlatıldı. Bütün silâh ve cephanenin hurda olarak satılması kararlaştırıldı. Fransız hükümeti ve General Pellé bu işlerden asla sorumlu tutulmayacaklardı. Pandikyan Efendi de bu konudaki bütün ayrıntıları biliyor ve bunları İngiliz Haberalma Örgütü'ne duyurmuyordu.

Gemiyi kiralayan Charles Calchi de navlun ücreti konusunda bütün kolaylıkları gösteriyordu. Peki sözleşmede Eyüp Bey'in yüklendiği taşımacılık ücretini kim ödeyecekti? Ankara mı? Nasıl? Ne zaman? Hiç de kolay değildi bu paraların ödenmesi.

Artık her şey hazırdı. Hüsnü Bey 10 Nisan sabahı Deniz İşçileri Çavuşu Süleyman Efendi'yi bulup görüştü. Deniz işçileri de milli hükümetten yanaydılar. Hiçbirinin davaya ihanet etmesi söz konusu olamazdı. Süleyman Efendi 70 işçiyi Hüsnü Bey'in emrine verdi.

Hüsnü Bey onun ardından Mavnacılar Cemiyeti Reisi Mehmet Efendi'yle konuştu. O da bu iş için 80'er tonluk beş mavna ile bir römorkör bulabileceğini söyledi.

11 Nisan 1922 Salı sabahı taşıma ve yükleme işlerinin başlatılması gerekiyordu. Yarbay Eyüp Bey, Himmetoğlu ve grubun yetkili kişileri Zeytinburnu deposunun önünde buluştular. Depoların kapıları açıldı. İşçilerin bir bölümü depoların boşaltılmasına, bir bölümü kamyonların yüklenmesine, bir bölümü de mavnalara ayrıldı. Denizden gelecek bir baskını gözetlemek için de açığa iki sandal çıkartıldı. Uzaklarda bir İngiliz gemisi görülecek olursa hemen kıyıya haber iletilecekti.

İşçiler büyük bir özveriyle harıl harıl çalışıyor, kamyonlar ve mavnalar hızla yükleniyor ve açıkta duran *Movano* gemisine taşınıyordu. Sabahtan akşama kadar vapura 917 sandık piyade mermisi ve 11.516 adet top mermisi yüklenmişti. Bu görülmedik bir başarıydı. Cephanelerin üzerine uydurma mallar yerleştirildi. Akşamüstü gemi Zeytinburnu açıklarından kalkarak Kız Kulesi açıklarında demir attı.

Yine Fransız denetçiler girdi gemiye. Onlar için yine içkili ve mezeli bir sofra hazırlanmıştı. Yine kafalar çekildi ve denetim biter bitmez *Movano* demir alarak Karadeniz'e açıldı. Gemide herkes bayram ediyordu. Türküler söylendi, oyunlar oynandı. Gemi ertesi gün Ereğli limanındaydı. Cephane orada da bütün deniz işçilerinin özverisiyle boşaltıldı. Bu cephane hemen Ankara'ya iletilecek ve en kısa zamanda düşmana karşı kullanılacaktı. Zafer bu cephaneyle kazanılacaktı. Herkes şimdiden zaferin sarhoşluğu içindeydi. *Movano* ertesi gün İstanbul'a döndü.

Bu seferin başarısı, Zeytinburnu deposunun tamamen boşaltılması için hiçbir engel kalmadığı anlamına geliyordu.

Movano gemisi altı gün sonra ikinci, ondan beş gün sonra da üçüncü seferini yaptı. Marcel Calchi bir hafta sonra gizli örgüte daha büyük bir gemi ayırdı. *Moryak* vapuruna da 29 Nisan'da Zeytinburnu'nda on binlerce çeşitli top mermisi yüklendi ve gemi hiçbir engelle karşılaşmadan Karadeniz'e açıldı. Ondan sonraki haftalarda Zeytinburnu'ndan kalkan gemiler birbirini izledi ve bütün cephanelikler boşaltıldı.

Milli Mücadele yıllarında Felâh Grubu İstanbul'dan Karadeniz limanlarına toplam 165 motor ve 80 gemi dolusu silâh ve cephane kaçırdı.

Bu başarı yalnız üç-beş kişinin işi değildi. Bütün İstanbul hamalları, deniz işçileri, mavnacılar ve gizli örgütlerle ilişkisi olan bütün kumandanlar, subaylar, erbaşlar, askerler, polisler, inzibatlar, esnaf kuruluşları, gümrükçüler, gençler, yaşlı kadınlar, genç kızlar, hepsi o günlerde Milli Kurtuluş için çalıştılar. Büyük taarruzun başarısına hepsinin katkısı oldu. Cephede atılan toplarda, vızlayan kurşunlarda bütün İstanbul Kuvayı Milliyecilerinin alınlarının teri vardı.

Topkapılı ve Son Kez Maçka

1920 Haziranı'nda Maçka Silâhhanesi'nden, aynı yıl Ekim ayında da Karaağaç Silah Deposu'ndan kaçırılan silâh ve cephanenin İkinci İnönü (Nisan 1921) ve Sakarya (13 Eylül 1921) zaferlerinin kazanılmasında büyük katkısı olmuştu. Şimdi de kesin zaferlere ulaşmak için yeni silâh ve cephanelere ihtiyaç vardı. Erkânı Harbiye bu konuda İstanbul'daki yeraltı örgütlerinden yardım istiyordu. Çalışmalarını sürdüren Mim Mim ve Felah gruplarına büyük işler düşüyordu.

Topkapılı Cambaz Mehmet Bey Ankara'dan bu işareti alınca kara kara düşünmeye başladı. Maçka Kışlası'ndaki silâhhane hâlâ cephane doluydu. Bunları kaçırmak için ne yapabilirdi? Mehmet Bey önce Kışla'nın durumunu gözden geçirmek için Maçka'ya gitti. Silâhhane'nin kapısı İngiliz askerleriyle doluydu. Onları atlatıp da içeri girmek, hiç olacak iş değildi. Kışla'nın çevresinde bir aşağı bir yukarı saatlerce dolaşıp durdu. Oralardaki evleri gözden geçirdi. Hiçbirinin bahçesi Kışla'ya komşu değildi. Arada yol vardı, bahçelerden Kışla'ya geçmek söz konusu olamazdı.

Sonunda Topkapılı'nın aklına parlak bir fikir geldi. Acaba Kışla'ya yeraltından bir tünel kazılarak girme olanağı yok muydu? Bu tünelin ağzı nerede olacaktı? Herhalde sokak ortasında değil, bir evin bahçesinde. Topkapılı, bir evi gözüne kestirdi. Onun bahçesinden bir tünelle Kışla'ya girmeyi aklına koydu.

Gözüne kestirdiği evin kapısını çaldı. Ses veren olmadı. Yandaki komşuya gitti.

— Bu bitişik evde kimse oturmuyor mu?

— Hayır, boş orası.

— Sahibi nerede?

— Vişnezâde'de oturuyor.

— Kiraya verir mi orasını?

— Neden vermesin? Kaç zamandır kiracı arıyor ama yok. Eskiden olsa asker aileleri tutardı orasını. Ama şimdi Kışla'da Türk askeri mi kaldı?

— Sen versene bana ev sahibinin adresini.

Topkapılı adresi alır almaz Vişnezâde'ye gitti. Ev sahibi yaşlı bir emekliydi. Topkapılı evi tutmak istediğini söyledi. Birlikte gidip eve baktılar. Her şey tam Cambaz Mehmet'in istediği gibiydi, hemen evi kiraladı. Bir de kaparo verip anahtarları aldı.

Ertesi gün Cambaz Mehmet yanında üç soyguncu arkadaşıyla birlikte eve geldi. Onlar tünel işini çok iyi biliyorlardı. Bunlardan ikisi kaç kez duvar delerek, tünel kazarak cezaevinden kaçmıştı. Biri de lağımcı ustasıydı.

Keşif yaptılar, toprak elverişliydi, tüneli kazmak hiç sorun değildi.

Cambaz Mehmet ondan sonra Kışla'daki arkadaşı Yüzbaşı Arif Bey'i gördü. Durumu anlattı. Gerçekten de bu tünel planı olmayacak bir iş değildi. Tünelin Silâhhane'nin bodrumuna açılması gerekiyordu. En kestirme yolun neresi olacağı saptandı. Cephaneler geceleri yavaş yavaş oraya indirilecek ve üstleri örtülerek gizlenecekti. En önemli sorun, tünelin Kışla'nın altına gelen bölümü kazılırken gürültü çıkartılmamasıydı.

O bölüm de kazıldıktan sonra cephane her gece evin bahçesine kaçırılacak ve oradan da yine geceyarısı bir kamyona yüklenerek iskelelerden birine götürülecekti.

Burada Arif Bey'e düşen görev geceleri cephanenin bodruma indirilmesiydi. Tünel işini Mehmet Bey üstleniyordu. Ama en büyük sorun İngiliz askerlerinin uyutulmasıydı.

Arif Bey bu durumu Nedim Bey'e anlattı. İngiliz nöbetçiler sorununu onun çözmesi gerekiyordu. Durumu araştırarak buna bir çözüm bulacağını söyledi.

İlk işi Çamlıca'ya giderek Neriman'ı bulmak oldu.

— Neriman, dedi, şimdi sana büyük bir görev düşüyor. Maçka Silâhhanesi'ndeki nöbet durumunu araştıracaksın.

Neriman,

— Aman Ağabey, dedi, ne rastlantı, John Maçka'daki nöbetçi birliğin kumandanlığına atandı.

— Harika. Şimdi sana şimdi bir sır vereceğim, bizim çocuklar Maçka Kışlası'nı boşaltacaklar.

— Nasıl olur?

— Tünel kazacaklar. En önemli olan da tüneli kazmanın tamamlanacağı son gece İngiliz nöbetçilerinin gürültüyü duymamaları.

— Bunu nasıl yapacağız?

— Ben şunu düşündüm. O gece sen John'un apartmanında

kalırsın. Söylememe gerek yok, bu durumdan faydalanmasına izin vermeyecek kadar olgun olduğunu biliyorum.

— Şüphen mi var ağabey?

— Ben sana bir kasa viski vereceğim. Sen onu kendi adına John'a hediye edersin. "Bunu," dersin, "bölüğündeki askerlere dağıt."

— Harika bir düşünce. Peki hangi akşam yapacağız bunu?

— Ben sana söylerim. Tünelin biteceği gece.

— Peki ben eve ne diyeceğim?

— Kolay, o gece Perihan'la birlikte Fuham Paşalarda kalacağınızı söyleyeceksin. Onların kızları Behice ile Şadiye sizin çok iyi arkadaşınız değil mi?

— Yaşa Ağabey, bu planı çok beğendim.

İş kalıyordu planın uygulanmasına. Topkapılı'nın adamları gerçekten de tünel işinin uzmanıydılar. Kazı üç gecede hızla ilerledi ve kışlanın bodrum duvarına kadar geldi.

İşte o gün Neriman John'a ulaşarak,

— Sevgili John, dedi, bugün benim doğum günüm. Geceyi senin evinde benimle geçirmek istemez misin?

— Hiç istemez olur muyum? Ne kadar mutlu olacağımı bilmiyor musun? İlk kez seninle bir gece geçireceğiz.

— Evet tatlım, ben anneme ve babama arkadaşlarımda kalacağımı söyledim. Sabaha kadar beraberiz. Ne kadar çok istiyordum bunu.

— Ya ben? Sevinçten çıldıracağım. Biliyorsun, şimdi Maçka Kışlası'nda nöbetçi subayıyım, ama hiç sorun çıkmaz.

— Bak, sana bir de hediyem var, bir kasa viski. Onu da nöbetçilere dağıtırsın.

— Sevgilim, bundan daha büyük bir hediye olmaz. Bizim çocuklar bayram edecekler. Onlar da hiç bilmeden bizim mutluluğumuzu kutlasınlar.

Gerçekten de o gece her şey Nedim Bey'in tasarladığı gibi oldu. Perihan Fuham Paşalarda kaldı. Neriman Ayaspaşa'da John' un arkadaşının apartmanında. Yüzbaşı Arif Bey Kışla'nın bodrumunda geceledi. Cambaz Mehmet Bey'le Nedim Bey de bitişik komşu evde beklediler. Kışlanın duvarı nöbetçilere fark ettirmeden kırıldı. Tünel tamamlanmıştı. Bunu izleyen gecelerde cephane yavaş yavaş dışarı kaçırılmaya başlandı.

Bu, son ayların en başarılı operasyonuydu. Erkânı Harbiye kayıtlarına göre o günlerde Maçka'dan 200 ton silâh ve cephane Beykoz ve Paşabahçe'ye, 200 ton cephane Haliç'e taşınmış ve mavnalara yüklenmişti. Bütün bu silâh ve cephane birkaç ay sonra Büyük Taarruz'da kullanılacaktı.

Olayın duyulmasına hiç olanak yoktu. Bütün önlemler alınmıştı. Tünel kazılıp da Silâhhane'nin boşaltıldığını hiç kimse fark etmedi. Ama İngilizlerin denetleme ekibi günün birinde Silâhhane'ye geldikleri zaman bir de baktılar ki depo boşaltılmış. Büyük bir araştırma yapıldı. Silâh ve cephanelerin nereden, ne zaman, nasıl kaçırıldığı anlaşılamadı.

Ama bu olayda yüzbaşı John White sorumlu görülüyordu. Birkaç gece nöbetinin başında bulunmadığı saptandı. Ortada belirli bir suç yok ama bir ihmal vardı. İngiliz Kuvvet Komutanlığı işe el koydu ve kovuşturma sonunda John White'ın Londra'ya alınmasına karar verildi.

John bu atanma kararını duyunca deliye döndü. Elbette bir gün Londra'ya döneceğini biliyordu. Ama bunun hiç bu kadar erken olacağını düşünmemişti. O İstanbul'da muazzam bir aşk yaşıyordu. Çok mutluydu. Yarın Neriman'ı da alıp İngiltere'ye birlikte dönme düşüncesi vardı kafasında. Ama bu öyle bir hafta içinde olacak bir iş değildi ki. Kendi ailesiyle bu konuyu konuşacak, onların onayını alacak, sonra da Neriman'a kendisiyle evlenmeyi isteyip istemediğini soracak ve ona İngiltere'de birlikte yaşamayı önerecekti. Daha sonra da Neriman'ı babasından istemek konusu gündeme gelecekti. Bakalım Hulusi Bey kızının bir İngiliz'le evlenip gitmesini ister miydi?

Bunlar aylarca hazırlık gerektiriyordu. Şimdi alelacele ne yapabilirdi? Konuyu arkadaşlarına açtı. Onlar da kendi ailesinin onayı olmadan böyle bir işe girişmemesini söylediler.

Bir de işin bürokratik ve siyasal yanı vardı. İngiliz Yüksek Komiserliği ve Genelkurmayı John'un böyle bir evlilik yapmasına izin verirler miydi?

Ayrı dinden olmaları da sorundu. John White'ın eşi Müslüman mı kalacaktı? Ya ileride doğacak çocukların dinleri nasıl saptanacaktı? Kilisenin onayını almak gerekli miydi acaba?

John bu soruların yanıtını bir türlü bulamıyordu. En iyisi bunları Londra'da serinkanlılıkla incelemek ve duruma göre bir karar almaktı.

Ama ortada kanayan bir yara vardı. John Neriman'a delicesine âşıktı ve hiç ondan ayrılmak niyetinde değildi. Yaşamının kadınını bulmuş ve onunla her konuda anlaşmıştı. Bu hem bir duygu ve düşünce beraberliğiydi, hem de cinsel alanda tam bir uyum.

Yalnız bu konuyu nasıl açabilirdi Neriman'a?

Neriman'la John yine Ayaspaşa'daki arkadaş apartmanında buluştular. John'un ağzını bıçak açmıyordu. Neriman şaşırmıştı.

— Tatlım, canını sıkan bir şey mi oldu? dedi.

John,

— Sevgilim sana hemen söylemem gereken bazı şeyler var. Önce onları konuşalım. Beni geri alıyorlar. Hemen İngiltere'ye dönmem gerekiyor.

— Ne dedin? Ne dedin? Hemen İngiltere'ye mi döneceksin? Ya ben ne olacağım? Biz ne olacağız? Nasıl yaparsın bunu?

John korkunç bir fırtınanın başlayacağını zaten sezmişti. Kendini buna biraz hazırlamıştı.

— Neriman, dedi. Sakin ol, beni hiç hırçınlaşmadan dinle. Seni nasıl sevdiğimi biliyorsun. Senin için vazgeçemeyeceğim hiçbir şey yok. Ama serinkanlılıkla bu işi incelemeliyiz. Ben bir gün geri çağrılacağımı biliyordum. Bu hiç sürpriz değil. Genelkurmay eninde sonunda geri dönmemi isteyecekti. Ama ben bu işin bu kadar erken olacağını hiç aklıma getirmemiştim. Bütün İngiliz işgal kuvvetleriyle birlikte buradan ayrılmamı beklerdim. Ama şimdi olağanüstü bir durum oldu. Beni cezalandırarak buradan alıyorlar.

— Ne diyorsun? Seni cezalandırıyorlar mı?

— Evet sevgilim, ne yazık ki öyle. Yüksek Komiserlik benim başarısız olduğuma karar vermiş. Görevimi ihmal etmişim. Nöbette olmam gerekirken Kışla'ya dönmemişim.

— Canım, buna ben neden oldum değil mi? Kabahat benim. Demek benim yüzümden ceza görüyorsun?

— Senin bir kabahatin yok. Ne zaman, nasıl oldu, bilmiyorum ama, Mustafa Kemal'ciler Silâhhane'yi boşaltmışlar. Ben hiç farkına varmamışım. Bunu nasıl yapmışlar, anlamadık. Kesin bir şey varsa o da deponun boşaltılmış olması. Silâhların kapıdan çıkartılması ya da pencerelerden kaçırılması asla söz konusu olamaz. Düşün, kamyonlar dolusu silâh ve cephane kaçırılmış! Denetim Komisyonu bunu saptadı. Bu işler benim buraya atanmamdan sonra olmuş. Bütün nöbetçiler hep dürüst ve görevlerine bağlı askerler. Hiçbirinden şüphe edemem. Silâhhane'deki Türklerin de böyle bir iş yapmaları asla söz konusu olamaz. Silâhları nereden kaçırabilirler?

Bütün araştırmalar hiçbir sonuç vermedi. Sonunda suçu bana yüklediler. Bu haksızlık değil mi? Ben mi yok ettim bunca silâhı ve cephaneyi? Kötü sicil almış oluyorum. Bundan sonra ilerleme yollarım tıkandı. Nasıl bunun altından kalkacağım? Askerlik yaşamım mahvoldu.

Neriman'ın boğazında bir şeyler düğümleniyor ve konuşamıyordu. Ne diyebilirdi ki? "Bunları hep ben düzenledim. Seni ben baştan çıkardım," diyemezdi ki. Gözlerinden yaşlar boşanıyordu.

— Sevgilim, diyebildi, Çok haklısın. Ben de ne söyleyeceğimi bilmiyorum. Ama biliyorsun, seni deliler gibi seviyorum. Benim ilk erkeğimsin ve son erkeğim olacaksın. Ne yapalım, her şeye katlanmasını bileceğiz. Yeter ki sen moralini bozma. En önemli şey bizim aşkımız. Bunu sürdürmek için her şeyi yapmamız gerektiğine inanmıyor musun?

— Elbette inanıyorum Neriman. Bunun bir çaresini bulacağız. Ben şimdi emirlere uymak zorundayım. Birkaç gün içinde beni İngiltere'ye gönderecekler. Gitmemek elimde değil. Ama orada yapacağım işler var. Babama seni sevdiğimi anlatacağım. İlk fırsatta İstanbul'a geri döneceğim. Seni babandan isteyeceğim. Önce burada, Konsolosluk'ta evlenir, sonra da Londra'da kilisede nikâhımız kıyarız. Var mısın yaşamını benimle birleştirmeye? Yaşam boyu benimle birlikte olmaya?

— Buna nasıl hayır diyebilirim John?

— O halde beni bekleyeceksin. Geri geleceğim. Ve seni kucağıma alıp Londra'ya götüreceğim. Orada birlikte yaşayacağız.

— İnanamıyorum John, bu ne kadar tatlı bir düş.

— Düş değil Neriman, yakında gerçek olacak.

— Evet John, seni tanıdığımdan beri hep bu sözleri beklemiştim. Birlikte mutlu olacağız. Güzel günler göreceğiz. Beni bırakma sevgilim, beni unutma. Burada umutla seni beklediğimi bir an aklından çıkartma.

XIV

Mutlu Yarınlara Doğru

Nedim Bey bir süredir Perihan'ı görmemişti. Oysa can atıyordu onunla buluşabilmek için. Birbirlerine açıldıktan sonra hemen her gün onunla başbaşa kalabilmeyi çok düşünmüş ama duygularının sesine kulaklarını tıkamaya çalışmıştı. Bu durumda Hulusi Bey ve Handan Hanım'la karşılaşmak ona çok güç gelecekti. Oysa Neriman'ı ve Ümran'ı da çok özlemişti. Üçüyle konuşacağı o kadar çok şey vardı ki. Son haftalarda olanı biteni onlara anlatarak morallerini yükseltmesi gerektiğini biliyordu. Bu onun için bir görevdi. Kızları dilediği gibi etkilemiş ve onları eylemin içine sokmuştu. Onlar da bu işe öyle bir bağlanmışlardı ki.

Nedim Bey hemen telefona sarıldı. Perihan çıktı karşısına,

— Perihancığım, dedi, seni ne kadar çok özlediğimi biliyor musun?

— Ya ben? Deli ettin beni Nedim. Ne kadardır senden bir haber bekliyordum. Yoksa dedim, pişman mı oldu bana duygularını açtığına.

— Hiç pişman olur muyum Perihan? Düşünsene seninle ne güzel bir gün geçirmiştik. Bunları nasıl unuturum? Sen benim yaşamımda yepyeni bir dönemin başlangıcı olduğunu bilmiyor musun?

— Öyle olsun istiyorum. Ama ne kadar çok istiyorum seni. Senden hiçbir ses çıkmayınca dünyalar başıma yıkıldı.

— Sana anlatacağım çok şey var. Eminim onları duyunca seni daha önce aramayışımı mazur görürsün. Yarın seni evimde bekleyeceğim. Yani, Beşiktaş'ta. Bilmediğin yer değil. Yıllar önce kaç kez kardeşlerinle birlikte gelmiştin. Ama yarın yalnız geleceksin, oldu mu?

— Nasıl olmaz Nedim? Beni hiçbir şey bu kadar mutlu edemez. Ne söyleyeceğimi bilmiyorum. Yine de seni affedebilmiş değilim. Neden bekledin şimdiye kadar? Neden?

— Öyle gerekiyordu. O kadar doluydum ki. Bunları hep anlatacağım sana. Sabırlı ol. Seninle huzur içinde buluşmak istedim, gerilim içinde değil. Mutluluğumuzu hiçbir şey bozsun istemiyorum. Seni kollarıma aldığım zaman yalnız seni yaşamalıyım. Kendimi yalnız sana vermeliyim. Hiçbir kara düşünce olmamalı kafamda. Sen de bunu istemez misin?

— Ne demek Nedim? Elbette. Aklın başka şeylerde olursa beni sevmediğini düşünürüm, sana kendimi bırakamam.

— Bırakacaksın Perihan. Göreceksin her şey olağanüstü güzel olacak.

— Peki saat kaçta geleyim sana?

— Saat 12'de, öğleyin. Tamam mı?

— Tamam da. Nasıl bekleyeceğim yarın öğleye kadar?

— Benim güzel Perim, ileride seni hiç bekletmeyeceğim. Haydi sevgilim, telefonu kapatıyorum. Santralden dinleyecekler diye korkuyorum. Yoksa sana daha neler neler anlatırdım.

Ertesi gün Perihan tam 12'ye 5 kala Beşiktaş'taki evin kapısındaydı. Kapıyı elbette Nedim açtı. Evde zaten başka kimse yoktu. Kapı kapanır kapanmaz Perihan öyle bir sarıldı ki Nedim'in boynuna. Birkaç dakika hiç konuşmadan öyle sımsıkı durdular. O sırada Nedim'in dudakları Perihan'ın dudaklarına uzandı. Dakikalarca birbirlerinden ayrılamadılar. Sonunda Nedim,

— Hoş geldin Perihan, dedi. Dünyalar güzeli sevgilim, hoş geldin.

— Beni çok şımartıyorsun Nedim. Sen de benim biricik erkeğimsin. Yıllardan beri duygularıma, düşüncelerime yön veren insansın. Hele son buluşmamızdan beri kalbim yalnız seninle çarpıyor. Sen gönlümde başköşeye oturdun. Senden başka bir şey düşünemiyorum. Gece yatağımda lambayı söndürdüğümde hayallerimde. Seninle başbaşa kalıyoruz. Gözüme uyku girmiyor. Seni tanımış olduğum onca yıl gözümün önüne geliyor. Hiçbir şey umut etmeden seni delicesine sevdiğim günlerin anıları bir an aklımdan çıkmıyor.

— Yavrucuğum, seni şöyle oturma odasına alayım önce. Biraz soluk al.

— Ben yorgun değilim ki.

— Biraz otur, üstünü başını çıkar. Şöyle bir rahat et.

— Tabii elbette.

— Benim tatlı Perim, bırak artık utangaçlığı.

— Elbette bırakacağım. Ama yavaş yavaş. Biraz alışmam gerek. Acele etme, olmaz mı?

— Hayır sevgilim, hiç acele etmiyorum.

— Ama Nedim, burası çok aydınlık. Şu perdeleri kapat. Utanıyorum senin yüzüne bakmaktan.

— Hiç utanma sevgilim, utanılacak hiçbir şey yapmıyoruz ki.

— Olsun, bana öyle geliyor. Ne olur oturup biraz konuşalım önce.

— Tabii sevgilim, konuşacağız, istediğin kadar. Zaten buraya konuşmak için gelmedik mi?

— Seni çok iyi anlıyorum Nedim. Ama n'olur sen de biraz beni anla.

— Elbette, senin bu tatlılığın biraz da acemiliğinden gelmiyor mu?

— Acemi diye alay etme benimle.

— Alay etmiyorum. Müthiş bir uyum sağlayacağız aramızda. Bu, yıllardan beri belliydi zaten. Gözlerimiz birbirimizi ele verdi. Her şey önce gözlerimizde oluştu.

— Ama ne güzel bakıyordun bana Nedim. Bütün içini okuyordum gözlerinde.

— Ben de senin gözlerinde.

— Peki, seni dinliyorum artık. Bu ilişkiyi sen yöneteceksin.

— Asla, birlikte yöneteceğiz. Ben gücümü senden alacağım.

— Ben de seni izleyeceğim. Ne dersen onu yapacağım.

— Benim bir şey dememe gerek yok. Her şey kendiliğinden oluşacak.

— Sana inanıyorum. Ne yapayım istiyorsun?

— İçinden geleni, aklından geçeni. Yahut hiçbir şey yapma. Bırak kendini bana.

— Peki, öyle yapacağım. İstediğin gibi olsun.

— İstediğimiz gibi.

Bu konuşma bu tempoyla belki de saatlerce uzayabilirdi: Ama uzamadı. Nedim sözlerini noktalamasını bildi. Sonra perdeler kapandı, birbirlerine kenetlendiler ve bir süre sonra Perihan uzandıkları divandan genç bir kadın olarak kalktı.

Uzun bir sessizlik oldu aralarında. Ama ikisinin gözlerinde sonunda erişilmiş bir mutluluğun izleri okunuyordu. Hiç konuşmadan bu mutluluğu paylaşıyorlardı sanki. İkisi de zaman hiç geçsin istemiyordu. Birlikteliklerinin her saniyesini içlerine sindirmenin mutluluğu içindeydiler. Neden bu kadar mutluydular? Bu sadece cinsel bir zevk ve doyum olayı değildi. Mutluluk birbirlerine sonsuz güvenden ve Perihan'ın hiçbir amaç gütmeden kendini, her şeyiyle Nedim'in kollarına bırakmasından kaynaklanıyordu. Hiçbir koşul öne sürmeden, hiçbir vaadde bulunmadan duygularının ve cinselliklerinin çağrısına uyarak birbirleriyle kenetlenmeleri ne muazzam iletişimdi. Sözsüz, yazısız, belki de görüntüsüz bir iletişim. Duygulardan ve düşüncelerden kaynaklanan akımların birbiriyle kesişmesi ve huzurlu bir doyum.

Bu suskunluğu bir süre sonra Perihan bozdu ve,

— Bu kadar yıldır tanışıyoruz, gözlerimi açtım seni tanıdım, ama gerçekte tanıyor muyum acaba? Bildiğim kadarıyla sen bir zamanlar anneme âşıkmışsın, ama onun seni sevdiğini hiç anlamadım. Sonra ben sana âşık oldum, Neriman gibi, Ümran gibi. Ama sonunda sen beni seçtin. Neden? Onu da pek bilmiyorum. Belki seni kardeşlerimden çok sevdiğimi anladığın için. Ama bu da yanlış bir düşünce, ben seni herkesten çok seviyorum diye bana âşık olamazsın ki. Sevilmek çok hoş bir şey, ama senin de sevmen gerek. Demek ki sen de benden hoşlandın. Bende daha değişik, başka bir şeyler buldun.

— Çok doğru. Galiba ben seni çok duyarlı, yumuşak, doğal, gösterişsiz, iddiasız, sevimli ve cana yakın buldum. Yüzünden hiç gülümseme eksik olmuyordu. Her şeyi çok çabuk algılıyordun. Gözlerinin içinde başka tür bir pırıltı seziyordum.

— Kardeşlerim tüm erkeklerin başını döndürecek kadar güzel. Onlara hiç ilgi duymadın mı?

— Onlarda senin gözlerindeki parıltıyı yakalayamadım. Onlarla seninle olduğu kadar sıcak bir diyalog kurduğumuzu söyleyemem. Sana duyduğum ilgi fiziksel beğeninin ötesinde bir şey.

— Peki senin hiç fizik olarak çok beğendiğin, ama aradığın iletişimi kuramadığın kızlar ya da kadınlar olmadı mı?

— Olmaz olur mu, oldu elbette. Örneğin bir arkadaşımın baldızı var. Dünyalar güzeli bir kız. Alımlı mı alımlı. Sendeki bütün güzellik onda da var. Bir içim su. Ama gelgelelim, olmuyor. Benim içimi ısıtmıyor. Hiç heyecanlanmıyorum. İçim titremiyor. Gözlerimi yumduğum zaman o hiç aklıma gelmiyor.

— Bir iletişim kopukluğu mu?

— Belki de öyle. Bazen onların evine gidiyorum. Bana kendini beğendirmek için ne söylersem onaylıyor. "Ben de öyle severim. Ben de onlardan hoşlanırım. Ben de öyle düşünüyorum. Tam sizin gibi," diyor. Bunları duyunca onun gibi düşünmekten vazgeçmek geliyor içimden. Bazen de çok ilginç bir kız olduğunu kanıtlamak için durmadan anlatıyor. Dün eve kimler gelmiş, neler anlatmışlar, o ne demiş, neler yemişler, neler konuşmuşlar... Ben susuyorum, bitirse de gitsem diyorum. Ve gidiyorum. Oh be demek geliyor içimden. Bu iletişim mi? Asla, monolog. Ben böyle şeylere yokum. Diyorum ya, seninle başka tür bir iletişim kuruldu aramızda.

— Güzellik tek başına yeterli değil demek istiyorsun galiba.

— Elbette, güzellik şart. Ama başlangıç için. Çok yaklaştırıcı bir faktör, ancak yeterli değil. Kadın kendi güzelliğini ve bütün yeteneklerini çok iyi kullanmasını bilmeli. Bunu yapamazsa beş para etmez. İyi bir heykel olur, iyi bir resim olur. Ama onlarla ne ölçüde bir diyalog kurabilirsiniz? Hele hele iletişim? Yani sözlerin dışındaki akımlardan, bakışlardan, seslerden, renklerden oluşan bir iletişim? Zor kurarsınız. Bunu kurmadan önce de birtakım sözler etmiş, vaadlerde bulunmuşsanız vay halinize! Yaşam boyu yanarsınız, kimse de sizi kurtaramaz.

— Peki Nedim, sen nasıl buralara ulaştın? Nasıl bu duygu ve düşünceleri oluşturdun? Sen askeri rüştiyeden gelme bir insansın. Sonra da Harp Okulu'nu bitirmişsin. Hayatın askerliğin katı disiplini altında geçmiş. Böylesine olgun ve duyarlı olman nereden kaynaklanıyor?

— Perihancığım, Harbiye'deki hocalarımız bize düşünmeyi, tartışmayı, değer yargılarını da öğretti. Ama bununla yetinmedik. Önümüzde kapılar açıldı, topluma ve ülkeye başka gözlerle bakmaya başladık. Aramızda Doğu Anadolu'dan, Rumeli'den, güneyden gelmiş nice kasaba ve köy çocukları vardı, onlarla birlikte yaşadık, onların sorunlarını paylaştık, onlarla kaynaştık, bir bütün olduk. Yazları tatillerimi İstanbul'da değil, o arkadaşlarımın köylerinde, kerpiç evlerde, çiftliklerde, tarlalarda, ahırların dibinde, tezek kokularının içinde geçirdim. Ben hiç kendimi İstanbul çocuğu saymadım. Çevremdeki bütün insanlara karşı benim sorumluluğum var.

Muhterem pederin Hulusi Beyefendi'yle benim anlaşmam imkânsız. Görüşlerimiz ayrı, yaklaşımlarımız ayrı, duygularımız, düşüncelerimiz, zevklerimiz ayrı. Ben Türkiye'nin geleceğini ne Amerikan mandasında görüyorum, ne İngiliz mandasında, ne de Fransız mandasında. Ama ben hem Amerikalıları anlıyorum, hem İngilizleri, hem de Fransızları. Onlar da bizim gibi insanlar, ama devleti yönetenler, devlete egemen olan güçler başka. Onların çıkarıyla o devletlere yön veren grupların çıkarı hiç aynı değil. Ben ne Vahdettin'den yanayım, ne Damat Ferit Hazretleri'nden, ne de Ali Kemal'den. Ben ülkemin insanlarından yanayım, Kuvayı Milliye'den yanayım, Mustafa Kemal Paşa'dan yanayım. Anlıyor musun beni?

— Anlıyorum elbette. Ben senin bu dürüstlüğüne, bu içtenliğine, bu delifişekliğine bağlandım zaten. Hepimizi sen eğittin. Seninle aynı görüşleri paylaştığımızı biliyorsun. Bizi öyle tatlı zehirledin ki. Her şeyimi sana borçluyum. Şimdi de kadınlığımı.

Nedim tatlı tatlı gülümsüyordu. Sonra uzun uzun gelecek günlerden söz ettiler, gelecek mutlu günlerden, birlikte yaşamaktan, her akşam birlikte yatıp her sabah birlikte kalkmaktan, birlikte kahvaltı etmekten, akşamları birlikte birer kadeh içki içmekten. Her şeyi paylaşmaktan, her şeyi birbirlerine anlatmaktan, birbirlerine destek olmaktan, birlikte savaşmaktan, çok ileride birlikte yaşlanmaktan. Göklerde uçuyorlardı sanki, düş ülkelerinde, mavi ve pembe ufuklarda, aydınlık bir dünyada, kurtarılmış bir Türkiye'de.

Sonunda konu yine günlük olaylara geldi. Nedim ona Ekrem Bey'i anlattı, sonra Neşet Bey'i, Pandikyan Efendiyi, Charles Calchi'yi, Hüsnü Himmetoğlu'nu, *Ararat* gemisinin yüklenmesini, Zeytinburnu'nun boşaltılmasını. Ama daha yapılacak çok şeyler vardı.

Peki, kurtarılmış Türkiye nasıl bir Türkiye olacaktı? Perihan bunu sormak istedi Nedim'e.

— Anlatır mısın bana, yarın Kurtuluş Savaşı'nı kazanırsak nasıl bir Türkiye'de yaşayacağız? Yine Osmanlı hanedanının egemen olduğu bir ülkede mi, yoksa İngilizlerle işbirliği yapmış bir hanedandan arındırılmış, insan haklarına saygılı, özgür ve bağımsız bir devletin yönetiminde olan bir ülkede mi?

Nedim,

— Evet, dedi, bütün sorun burada. Ankara'da şimdi bir Büyük Millet Meclisi hükümeti var, ama bunun geçici olduğunu kabul etmek gerek. Yarın Türkiye'de yeni bir rejim kurulacak. Bu rejim elbette halkın egemenliğine ve demokrasiye dayanacak. Öyle olması gerekir. Ama biz bu hanedandan nasıl kurtulacağız? Bütün gerici ve tutucu güçler hanedandan yana olacaklar. Bize altı yüz elli yıllık Osmanlı Hanedanından söz edecekler. Evet, benim Osmanlı hanedanına çok saygım var, koca bir imparatorluk kurdular. Ama bunu tek başlarına mı başardılar? Halkın katılımı olmasaydı zor başarırlardı bu işleri. Hanedanın rolünü inkâr etmiyorum, ama bu devletin ayakta durmasında on sekizinci yüzyıldan itibaren onların ne katkısı oldu? Hele Abdülhamit için, Sultan Reşat için, Vahdettin için ne diyebilirsin? Hanedan çağını çoktan doldurdu. Ama tutucu çevrelerde hâlâ Osmanlılara karşı bir saygı ve sevgi var. Bunlar Sultan Osman'ın, Fatih Sultan'ın, Yavuz Selim'in ve Kanuni Süleyman'ın özlemi içindeler. Düşünsene, Abdülhamit'in, Sultan Reşat'ın ve Vahdettin'in bu padişahlarla hiçbir benzer yanları var mı? Onların yüzsuyu hürmetine bunlar bir dokunulmazlık ve saygınlık kazandılar. Bu görüntüyü yıkmak gerek. Hele şimdi başımızda olan Vahdettin'in eski hünkârlara hiç benzemediğini, düşmanlarla işbirliği yapmaktan hiç çekinmeyen bir zavallı olduğunu açıklamak gerekmiyor mu?

Ankara bu işi nasıl başaracak, çok merak ediyorum. Ama başaracaklar, başaracağız. Bunlar gidecek. Bütün işbirlikçiler, bütün satılmışlar, bütün Kuvayı Milliye düşmanları bu yurttan ayrılacaklar. Yakında hep birlikte göreceğiz ve vatanın yalnız düşmanlardan değil, bütün bunlardan da kurtuluşunu kutlayacağız.

— Ya sonra? Ankara'da yeni bir rejim mi kurulacak? Cumhuriyeti mi kuracaklar?

— Sanıyorum öyle olacak. Öyle olması gerekmiyor mu? Saltanatın ve Hilafet'in gereği kalıyor mu artık? Onlar çağlarını doldurmadı mı? Sen öyle düşünmüyor musun?

— Bence de öyle. Ama Ankara'da herkes buna inanıyor mu? Benim korkum bu, Mustafa Kemal Paşa'nın çevresinde bulunanların arasında hâlâ Saltanatı ve Hilafeti tutanlar yok mu? Onlar Gazi'nin karşısına dikilmeyecekler mi?

— Çok haklısın Perihan. Ama onları destekleyen tabanın şimdiden eridiğini görmüyor muyuz? Kimden destek alacaklar? Hangi kesimlerden? Ordudan mı? Büyük tüccarlardan mı? Toprak sahiplerinden mi? Esnaftan mı? Aydınlardan mı? Hepsini yitirdiler. Çevrelerinde yalnız işbirlikçiler, soylular ve eski paşazâdeler kaldı. Nedir ki onların gücü?

— Buna inanıyorum. Ama yeni rejim yabancı ülkelerden destek görebilecek mi?

— Biz yabancı ülkelerde halkların desteğini kazandık bile. Sovyetler Birliği bizden yana değil mi? Bütün Fransız kamuoyu bizi desteklemiyor mu? İtalyanlar, Almanlar bizden yana değil mi?

— Ya Asya ülkeleri? Hindistan?

— Hindistan'daki Müslümanlar büyük bir yanılgı içindeler. Mustafa Kemal'in İslamiyeti kurtaracağını sanıyorlar. Onlar bizim savaşımızı Hıristiyanlığa karşı Müslümanların yürüttüğü bir savaş sanıyorlar. Mustafa Kemal hiçbir zaman ne Hıristiyanlığa savaş ilân etti, ne de Hilâfeti kurtarmak ve yüceltmek istedi. Bunun farkında değiller. Varsın olmasınlar. Bir gün anlarlar elbette. Biz bağımsızlık savaşlarında onlara yol göstereceğiz.

— Biliyorum, onlar bir gün Mustafa Kemal Paşa'ya başkaldıracaklar, ama geçti artık, ezilecekler. Kurtuluş Savaşı'nın bu ikinci dönemi onlar için büyük bir düş kırıklığı ve yenilgi olacak. O günleri de göreceğiz.

Nedim tatlı aşk saatlerinin ardından güncel olaylarla Perihan'ın kafasını hiç şişirmek istemiyordu. Hele böyle bir günde. Ama Perihan sevgilisinin günlük yaşamıyla yakından ilgileniyor ve onun tehlikeler içinde boğuşmasından korku duyuyordu.

Nedim Bey o akşam saat 7 sularında Perihan'ı Çamlıca'ya götürürken sevgilisi yaşamının en coşkulu gününü geçirmiş olmanın mutluluğu içindeydi. Artık Perihan'ın kafasında yalnız Nedim vardı. Eninde sonunda birlikte yaşayacaklarını biliyordu. Evlenmeleri de hiç şart değildi. Önemli olan yaşamlarını birleştirmeleriydi. Bundan şimdilik anasına ve babasına söz etmeyi düşünmüyor ama kardeşlerinin bu durumu bilmelerinde hiçbir sakınca görmüyordu. Heyecandan içi içine sığmıyordu. Bütün vücudu ateşten yanıyordu sanki. Kadın olmanın mutluluğunu yaşıyordu. Nedim'e sonsuz bir güveni vardı. Birlikte yeni bir dünya ve yeni bir yuva kuracaklardı.

XV

Fransız Kemal Bey

Nedim Bey günlerden birinde Binbaşı Ekrem (Baydar) Bey' in odasında yakışıklı bir yüzbaşıyla karşılaştı. Esmer, uzun boylu, zayıf, güleryüzlü bu subayı Ekrem Bey arkadaşına tanıtarak,

— Yüzbaşı Kemal Bey, dedi.

— Çok mutlu oldum. Adınızı duymuştum zaten.

— Ben de sizi biliyordum. Herhalde zaman zaman birlikte çalışacağız.

Ekrem Bey,

— Evet, dedi, ben de öyle sanıyorum. Biliyorsunuz, Kemal Bey Fransa'nın Harbiye'si sayılan Saint-Cyr'da okudu. Çok iyi Fransızca bilir. Kendisine Fransız Kemal derler. Biz de ona yeteneklerine uygun bir görev verdik. Personel dairesindeki arkadaşlarımız hiç güçlük çıkartmadılar, kendisinin Fransız İşgal Kuvvetleri Karargâhı'na irtibat subayı olarak atanmasını sağladık.

Kemal Bey,

— Öyle oldu ama, dedi, ben hiç istemiyordum ki. Ben asker adamım. Masa başı işlerine hiç aklım ermez. Ben cephelerde savaşmak için eğitim gördüm. Neymiş, gidip Fransız Karargâhı'ndan askeri sırları çalacakmışım, bunlar benim hoşlanmadığım işler.

Ekrem Bey,

— Siz onun öyle dediğine hiç bakmayın, dedi. Kendisini eğittik, bal gibi bir haberalma uzmanı oldu. Bu işi çok iyi yürütecek.

— Sizin zorunuzla.

— Herkesten iyi başaracak.

— Orasını bilmem artık. Ama şans bana biraz yardım ediyor galiba.

— Evet, anlatsanıza işin o yanını.

— Peki, anlatayım. Fransız Karargâhı'na gittim. General bana oradaki subayları tanıttı teker teker. Bir de ne göreyim, Saint-Cyr Okulu'ndaki en yakın Fransız arkadaşım Karargâh'ta istihbarat subayı olarak görev almamış mı? Kucaklaştık. "Sen burada ha? Bu ne talih," dedim. O da, "Buraya geldiğimden beri herkese seni soruyorum. Bir türlü sana ulaşma olanağını bulamamıştım. Yazgı bizi buluşturdu" dedi. Bundan sonra birlikte olacağımızı öğrenince göklere uçtu. Paris'te yarım kalan dostluğumuzu burada sürdüreceğimizi söyledim. "Ne gerekirse benden iste," dedi. "Hiç çekinme. Ayrımız gayrımız olamaz. Biz de sizden yanayız. Bundan hiç şüphen olmasın. Ne yazık ki buraya görevle geldim. Keşke gezgin olarak gelseydim." "Üzülme," dedim. "Biz iki eski dostuz. Görevin dışında arkadaşlığımızı sürdürmesini elbette biliriz."

— Ne raslantı. Demek ki eski dostluğunuzu sürdürüyorsunuz.

— Daha da güçlü olarak. Onun burada Fransız arkadaşları var. Jean Pierre, Jacques, Marcel... Sık sık hep birlikte oluyoruz. Kız arkadaşları da var.

— Biri Ümran, değil mi?

— Nereden biliyorsunuz?

— Elimde büyüdü. Çok severim. Bizdendir.

— Tahmin etmiştim. Çok tatlı bir kız. İyi eğitim görmüş, aile kızı.

— Uzaktan akrabam olur. Ama akrabalık bir yana kendisiyle çok uğraştım. Eğitimine katkım oldu. Özellikle siyasal eğitimine. Yaşama ve olaylara bakışında da etkim oldu sanıyorum.

— Belli oluyor.

— Peki, Jean Pierre'le ilişkilerinizin nasıl olduğunu sorabilir miyim?

— Elbette, çok aklı başında bir genç. Sosyalist eğilimli. Milli

Mücadele'ye büyük sempati gösteriyor. Gerekli konularda bizi aydınlatmaktan da hiç çekinmiyor. Böyle davranmasında muhakkak ki Ümran Hanım'ın büyük katkısı oluyor.

— Evet, hiç kuşkum yok. Ümran öğrendiği bilgileri bana da zamanında iletiyor; değerlendiriyoruz.

Saat 12'yi geçiyordu. Nedim Bey,

— İsterseniz şuralarda bir lokantaya gidip birlikte bir şeyler yiyelim. Rahat rahat da konuşuruz, dedi.

Ekrem Bey, işlerinin çok yüklü olduğunu ve yemeğe gelemeyeceğini söyledi. Nedim Bey ile Kemal Bey birlikte Şehzâdebaşı'nda bir lokantaya gittiler. Dipte bir masaya yerleştiler. Birer kebap ısmarladılar. Sonra konuşmalarını orada sürdürdüler. Nedim Bey,

— Ne dersiniz Kemal Bey, dedi, durum çok iyi gidiyor, değil mi?

— Evet, ben de öyle düşünüyorum. İki ay önce kazanılan Sakarya Savaşı Milli Mücadelemizin tarihinde bir aşama oldu. O tarihe kadar kimse Milli Ordu'ya şans tanımıyordu. Savaş başlamadan bir hafta önce Ali Kemal ne yazmıştı, anımsıyor musunuz? "Yunanlılar Ankara kapılarına dayandılar. Mustafa Kemal'e barınacak yer kalmayacak. Hesap sorma zamanı geldi!"

— Evet, evet, deli olmuştum. Eski sadrazamlardan Salih Paşa da o yazıdan üç gün sonra Mustafa Kemal'e, "İngiltere'ye karşı direnip durmak gereksiz ve tehlikelidir," diye bir yazı göndermişti.

— Ya Yunan Savaş Bakanı Teodakis Sakarya Savaşı'nın başladığı gün kendisiyle görüşmek isteyen İngiliz ataşemiliterine ne demiş, duydunuz mu? "5 Eylül'de Ankara'da görüşelim!"

— Ne hayaller kurmuş adamcağızlar.

— Ya Yunan kralı ne demişti? "Mustafa Kemal bu kez savaşı kabul ederse ordusunu yok edeceğiz!"

— Ne de güzel yok ettiler!

— Sonra ne oldu? 13 Eylül'de savaşı kazandık. Tabii bunun bir bedeli olacaktı. 6 bine yakın şehit verdik, 18 bin kadar da yaralı.

Buna karşılık Yunan ordusunun yarısı Sakarya kıyılarında kaldı. Yenilgi İzmir'de duyulmasın diye de telgraflara sansür koymuşlar.

— Zaferden 6 gün sonra Büyük Millet Meclisi Mustafa Kemal Paşa'ya Gazi ünvanını verdi, derecesini de Mareşalliğe yükseltti. Helâl olsun.

— Bu zaferden tam bir ay sonra da Ermenistan, Azerbaycan ve Gürcistan'la Kars Antlaşmasını imzaladık. Sakarya'yı kazanmasaydık bizimle hiç bu anlaşmayı imzalarlar mıydı? Böylece Doğu Karadeniz'i güven altına almış olduk.

— Ondan tam bir hafta sonra da Fransızlarla Ankara Antlaşmasını imzalamamıza ne dersiniz? Güney cephesi de kalktı, Türkiye-Suriye sınırı kesinleşti.

— Sınır antlaşmasını da böylece yırtmış olmadık mı?

— Kesin, yırttık. İngilizler Fransızlara ateş püskürüyorlar.

— Doğru, ama onlar da bize Malta'daki sürgünleri geri vermeye razı oldular. Kimler kurtuldu biliyor musunuz?

— Evet, Hüseyin Rauf (Orbay) Bey, Ali (Çetinkaya) Bey, Kara Vasıf Bey, Yakup Şevki Bey, Celal Nuri (İleri) Bey, Numan Usta, Mersinli Cemal Paşa, Cevat (Çobanlı) Paşa...

— Lloyd George yine hırsını alamadı. Bu kez de Yunan Başbakan Gunaris'e, "Yunan ordusunu sakın Anadolu'dan geri çekmeyin," diye talimat verdi.

— Onlar istedikleri kadar çekmesinler, biz denize dökeceğiz hepsini.

— Bugün gazeteleri gördünüz mü Nedim Bey? İstanbul'da kurulan Anadolu Cemiyeti Yunanistan'a bakın neler önermiş: Padişah Hazretlerinin yüksek yönetim ve gözetimi altında Yunanlılardan ve Rumlardan oluşacak bir Batı Anadolu devletinin kurulması!

— Ne hain heriflermiş bunlar.

— Bu uyduruk devlet bir de gönüllü ordu oluşturacakmış. Bu ordu Yunan Başkomutanına bağlanacak ve Kemalistleri tepeleyecekmiş!

— Tepelesinler bakalım. Kimler kurmuş bu Anadolu Cemiyeti'ni?

— Tam olarak bilmiyorum ama başlarında Şeyhülislam Mustafa Sabri Efendi varmış. Görüyor musunuz, Padişah Efendimiz Şeyhülislam diye kimi din işlerinin başına geçirmiş? Şeyhülislam Efendi iki ay önce Pera Palas Otelinde yapılan İngiliz Muhipleri (Dostlar) Cemiyeti'nin kongresinde de onursal başkanlığa getirilmişti.

— Hiç şaşmıyorum vallahi. Bu heriflerden her şey beklerim. Ama çok yakında bunların sonunu da göreceğiz.

— Hiç kuşkum yok, buna ben de inanıyorum. Yunan askerlerini denize dökeceğiz. Bizimkiler sel gibi akacaklar.

— Sonra sıra İstanbul'dakilere gelecek. Yani, İngilizlerin emrinde olan, onların her istediğini kabul eden ve Milli Mücadele'yi kösteklemek için elinden gelen her şeyi yapan Vahdettin'e, ona yön veren Damat Ferit'e ve onların dümen suyunda giden bütün uşak takımına ve bütün işbirlikçilere. Bunların kimler olduğunu hepimiz biliyoruz: Sait Molla'lar, Ali Galip'ler, Ali Kemal'ler, Nemrud Mustafa Paşa'lar, Süleyman Şefik'ler, Refi Cevat'lar, Şeyhülislam Dürrizâde Abdullah Efendiler.

— Peki Nedim Bey, sizce bugün kimler bizden yana, kimler onlardan yana?

— Önce Ordu'dan başlayalım. Harbiye Nezareti'nde bize karşı olan çok az kumandan ve subay var. Herkes birbirini tanıyor ve kimlerin Milli Mücadele'ye hizmet ettiğini biliyor. Anadolu'ya adam ve silâh kaçırma işlerini biz örgütledik. Bazıları karışmak istemedi ama hainlik etmediler, göz yumdular, sustular. Bu da bir çeşit katılım sayılır. Anadolu'daki komutanlarımızın tümü de bizden yana.

Balkan Savaşı'nda ordu saygınlığını yitirmişti. Subaylar bunun ezikliğini duyuyorlardı. Dünya Savaşı yıllarında Enver Paşa'nın çabalarıyla çağdaş bir ordu oluşturuldu. Almanlar da buna yardımcı oldular. Savaşı yitirmemizde ordunun sorumluluğu olamaz. İttihatçılar askerlerimizi hiç olmayacak biçimde kullanmaya kalktılar. Orduyu kalkındırmakla övünen Enver Paşa askerlerimizi Kafkas Cephesi'nde perişan etti. Galiçya'da, Çanakkale'de, Irak cephesinde, Yemen'de milyonlarca şehit verdik. Siz de biliyorsunuz, bunun acısı içimize işledi. Ama genç kumandanlar yetişti. Şimdi onlar görev başında. Anadolu'da kumanda artık onların elinde. Bu işi başaracaklar. Subayların Padişah'a körü körüne bağlı oldukları artık söylenemez. Padişah'ın hangi güçlerin etkisinde kaldığını ve kimlere alet olduğunu pek iyi biliyorlar. Siz de, ben de, "Padişahım çok yaşa!" diye bağırdığımız zaman bunu içtenlikle söylemiyoruz.

— Gelelim memurlara, öğretmenlere ve gazetecilere.

— Memurlar bu savaş yıllarında çok yoksulluk çektiler, hepsi yönetimin bozukluğundan bıktı. Herkes memurları suçluyor. Muhtekirler (aşırı ve haksız kâr sağlayanlar), karaborsacılar, mal saklayanlar, soyguncular, memurun belini büktü. Üst düzeydekiler dışında bütün memurlar bu düzenin değişmesini istiyor ve Milli Mücadele'yi destekliyorlar. Tabii her işten rüşvet alarak vurguncularla işbirliği yapan memurlardan söz etmiyorum.

Öğretmenlerin tümünün Milli Mücadele'yi desteklemesi de bize güç kazandırıyor. Mustafa Kemal Paşa bu konuya ne derecede önem verdiğini savaşın en çetin olduğu geçen Temmuz'da, Kütahya-Eskişehir cephesinde büyük çarpışmalar olurken Ankara'da Öğretmenler Birliği'nin Kongresinde açış konuşması yaparak kanıtlamadı mı? İlk başlardan beri ne diyor Gazi Paşa? "Ordularımızın kazandığı zafer öğretmenler ordusunun zaferine zemin hazırlayacaktır. Gerçek zaferi öğretmenler kazanacaktır." Bütün öğretmenlerin bu işin bilincinde olduklarına inanıyorum.

Gazetecilerin tümü ise yazık ki bizden yana değiller. Bize karşı olanları hep biliyoruz: Ali Kemal, Refi Cevat (Ulunay), Pehlivan Kadri, Refik Halit... Ama bizden yana olanlar çoğunlukta: Yakup Kadri, Necmettin Sadık, Falih Rıfkı, İsmail Habib, Celâl Nuri, Suphi Nuri, Yunus Nadi, Ahmet Emin, Ahmet Asım... Biz güçlü sayılırız.

— Ya esnaf? Meslek dernekleri? İşçiler?

— Hepsi bizden yana. Bütün esnaf, mavnacılar, takacılar, hamallar, liman işçileri hep bize çalışıyorlar. İşçi örgütlerinin düzenlediği grevleri de unutmayalım. Tersane işçileri grevi, Tramvay işçileri grevi...

— Ya din adamları?

— Şeyhülislam'ın dışında hepsi bizden yana. Anadolu'daki müftüleri görmüyor musunuz? Hepsi Şeyhülislam'ın fetvalarına karşı çıktılar.

— Peki ya büyük tüccarlar, toprak sahipleri için ne düşünüyorsunuz?

— Bunlar savaş yıllarında büyük vurgun vurdular. Ama artık halkın sömürülecek yanı kalmadı. Onlar bir an önce Anadolu'da savaş bitsin ve Ankara düşmana boyun eğsin istiyorlar. Onlar İngiliz egemenliğinden yanalar. Fransızlardan da umudu kestiler. İşbirlikçilerin belkemiği onlar.

— Köylü ne durumda?

— Biz İstanbul'dan onların durumunu pek iyi göremiyoruz. Ama köylü savaştan bıktı. Milyonlarca ölü verdiler. Kimse askere gitmek istemiyordu. Askeri yeniden silâh altına almak çok güç oldu. Binlerce insan asker kaçağı olarak aranıyordu. Onlar da haklı, ama düşmanın köyleri, evleri, ekinleri yaka yaka, hayvanları kese kese Ankara'ya yaklaştığını görünce köylüler işin önemini anladılar. Bütün köylü kesimi, kadınıyla, erkeğiyle düşmana karşı seferber oldu. Halkta bir ulus olma bilinci uyandı. Mustafa Kemal Paşa halka bu ruhu aşıladı ve herkesi eyleme sürükledi. Bu ne güzel bir başarıdır, biliyorsunuz.

— Peki, Ermeni sorununu ne yapacağız?

— Evet, o tatsız bir sorun. Sayısını ben bilemem ama çok insan öldürülmüş Doğu'da. İttihatçılar Ermenileri Ruslarla işbirliği yaptığı için Güneye sürme kararı almışlar. Yollarda hepsi perişan olmuş ve soyguncular Ermenileri çoluk çocuk öldürmüşler, mallarına el koymuşlar, paralarını almışlar. devletin bunu istediğini hiç sanmıyorum. Ama bu kıyım bizim topraklarımızda olmuş, güvenliği sağlayamayan devletin elbetteki sorumluluğu var.

— Peki Ermenilerin hiç sorumluluğu yok mu? Onlar da önce Ruslarla, sonra Fransızlarla işbirliği yaparak bizi arkadan vurmaya kalkmadılar mı?

— Orası öyle, ama kadınların, çocukların, yaşlıların bunda ne suçu var? İnsanlar böyle mi cezalandırılır?

— Doğru, böyle olmamalıydı. Ama devlet'in başında bin bir dert vardı, Ermenileri koruyamadı. Sonra da biliyorsunuz. Boğazlayan Kaymakamı Kemal Bey'i Ermeniler yüzünden idam ettik.

— O da İngilizlerin zoruyla oldu ve İstanbul halkı buna büyük tepki gösterdi. Yurtdışına kaçan Ermeniler Kemal Bey'in idamıyla yetindiler mi? Asla, onlar daha çok şehit istiyorlar. Bu sürgün sorunu ileride başımıza çok dertler açacak. Ama şunu da unutmamak gerek, Anadolu'ya silâh kaçırılmasında Pandikyan Efendi gibi başka Ermeniler de bize yardımcı oldu.

— Peki Kürtlerle bir sorunumuz var mı?

— Yok, Ankara vatanın kurtuluşu için Kürt vatandaşlarımızla birlikte çalışıyor. Başta Diyab Ağa ve Mustafa Ağa olmak üzere Büyük Millet Meclisi'ne Kürt kökenli birçok milletvekili katıldı. Savaşı birlikte yürütüyoruz.

Ama İstanbul'da kurulan Kürt Teali Cemiyeti ile Kürdistan İstiklâl Cemiyeti'nin izledikleri politikaların Milli Mücadele'nin ilkelerine uygun olduğunu söyleyemem.

— Aleviler konusunda ne düşünüyorsunuz?

— Onlarla hiç ayrımız gayrımız yok. Aleviler Osmanlı döneminde büyük acılar çektiler. Biz bu ayrımları kökünden yok edeceğiz. Aleviler alevi olduklarının açıklamaktan hiç çekinmeyecekler. Şimdi onlar bize destek oluyorlar, yarın devlet bizim elimize geçince biz de onlara her türlü özgürlüğü tanıyacağız. Hak ettikleri saygıyı göstereceğiz. devleti hep birlikte yöneteceğiz.

— Ya aydınlar?

— Bir genelleme yapmak kolay değil. Aydınların çoğunluğu Milli Mücadele'den yana. Biliyorsunuz Darülfunun (Üniversite) hocaları da sık sık protesto eylemlerine giriştiler. Ama aydınların, yazarların arasında işbirlikçilerin, oportünistlerin sayısı hiç küçümsenecek gibi değil. Bunlar çıkarcı ve tehlikeli insanlar. Bazıları da Anadolu'daki direnişin ve savaşın başarısına hiç inanmadıkları için zararlı oluyorlar.

Bunlardan bazıları da kendilerine danışılmadığı için küskün durumundalar. Hep yenilmemizi bekliyorlar. Düşmanlar kazanacak olsa bunlar bayram edecek. İçlerinde öyle karamsar ve kötü niyetli olanlar var ki, düşmandan ayırt edemiyorsunuz. Yarın biz düşmanı denize döktükten, işgalcileri ve Hanedanı İstanbul'dan ve bütün yurttan kovduktan sonra bunların içinden biri çıkıp bize "Siz 650 yıllık Osmanlı İmparatorluğu'nu nasıl tasfiye ettiniz?", diye sorarsa hiç şaşmam.

— Kardeşim, bu imparatorluk zaten çökmüş, biz Misak-ı Milli sınırları içinde vatanımızı kurtarmaya çalışıyoruz. Beğenmiyorsanız siz gelin daha iyisini yapın. Bunlar sömürgecilik aşkıyla yanıp tutuşuyorlar. Onların gözü hâlâ Bosna-Hersek'te, Romanya'da, Bulgaristan'da, Girit'te, Mısır'da, Cezayir'de, Trablusgarp'ta, Sudan'da, Irak'ta ve Suriye'de. Biz o topraklar elimizden gitti diye karalar mı bağlayacağız? Bakın görürsünüz Nedim Bey, bu olumsuz ve kötü düşünceli insanlar yarın biz vatanı kurtardıktan sonra karşımıza dikilip "Yunan'lılarla Savaşa İstiklâl Savaşı denmez. Çünkü biz Osmanlı devletini yitirdik" diyebilirler. Böyle küstahlıklar olursa hiç şaşmayacağım. Bu yapıdaki "aydın"lardan her şey beklenebilir.

— Zaten Kemal Bey, görmüyor musunuz? Bunların kimisi daha şimdiden Amerikan mandasını istiyor, kimisi de İngiliz yönetimini. Yok kardeşim, bu vatan satılık değil, kimseye de bağışlamak niyetinde değiliz. Bize inanmayanlar ya haindir, ya işbirlikçi ve çıkarcı, ya da geleceğe ve ulusumuzun direnişine güvenmeyen karamsar kişiler.

— Bereket bunlar azınlıktalar. Biz bunların hakkından geleceğiz.

— Gazi Paşa'nın bu konuda neler söylediğini biliyoruz: "Amacımız ulus egemenliğine dayanan, kısıntısız, koşulsuz, bağımsız yeni bir Türk devleti kurmaktır. Bugün günün ağardığını nasıl görüyorsam, bütün Doğu milletlerinin de uyanışını öyle görüyorum. Bu milletler bütün güçlüklere, bütün engellere karşın zaferi kazanacaklardır. Sömürgecilik ve emperyalizm yeryüzünden yok olacak ve yerlerine uluslar arasında hiçbir renk, din ve ırk ayrımı gözetmeyen yeni bir uyum ve işbirliği çağı egemen olacaktır."

Kemal Bey, sömürgeciliğe ve emperyalizme karşı dünyada ilk kurtuluş savaşını veriyoruz. Ne yazık ki bazı sahte aydınlar bunu hâlâ anlamıyorlar. Bunlar yarın kaçıp gidecekler.

— Gitmezler kardeşim, gitmezler; yarın bizden daha çok Kemalist kesilirler. Öylesine ahlâksızdır bunlar.

Yunan Mevzilerini Gösteren Harita

İstanbul'dan gelen silâh ve cephane cepheye gönderildikten sonra Yunanlılar'ı kesin yenilgiye uğratacak Büyük Taarruzun hazırlıklarına girişilmişti. Erkânı Harbiye Yunan mevzilerinin durumu hakkında bütün kaynaklara başvurarak bilgi araştırıyordu. Bu konuda Felah Grubu başkanı Ekrem (Baydar) Bey'e çekilen şifreli bir telgrafta da şöyle deniyordu:

"Batı Anadolu'da Eskişehir-Afyon hattına çekilerek yerleşen ve orada esaslı tahkimata giriştiği anlaşılan Yunan ordusu hakkında kesin bilgi edinerek bize bildirmeniz gereklidir."

Ekrem Bey bu telgrafı alınca çok heyecanlandı. Demek ki Büyük Taarruz zamanı yaklaşıyordu. Artık kesin saldırıya geçilerek düşmana son darbe indirilecekti. Ama gizli örgüt nereden bulabilirdi bu belgeleri? İstanbul nerede, Eskişehir-Afyon hattı nerede? Yunanlılar enayi mi askeri sırları İstanbul'daki dostlarına göndersinler? Hem de ne diye göndersinler? "Biz burada çok iyiyiz. Siperlerimizi kazdık. Yığınaklarımız şurada. Yardımcılar şu dağın arkasında, toplarımızı şu tepelere yerleştirdik. Alaylarımızı şuralarda mevzilendirdik. Bizleri merak etmeyin. Kendinize iyi bakın" diye haber iletecek değiller ya.

Ekrem Bey gruptaki yönetici arkadaşları yanına çağırtıp sordu:

— Peki ne yapacağız? Bu bilgiler nereden bulunur?

— İngiliz Haberalma Servisi'ne başvurmak nasıl olur?

— Pandikyan Efendiye mi başvuracağız? Diyelim ki Yunan- lılar bu bilgileri İngiliz Karargâhına iletmiş olsunlar ve, "Duru- mumuzu bilin de bize yardım edin," demiş olsunlar, İngilizler bu bilgileri hiç açıkta bırakırlar mı? Bırakmazlar elbette. Bunlar ka- salarda saklanır. Pandikyan Efendi hiç bu kasaları açmaya kalkar mı? Diyelim ki kalktı, haritaları aldı ve bize getirdi. İngilizler bu haritaların çalındığını anlar anlamaz durumu Yunanlılara bildi- rirler, onlar da kuvvetlerini başka yerlerde toplarlar. Bu olacak iş değil. Pandikyan'dan bir şey beklemeyelim.

— Peki, Fransızlardan bir şeyler öğrenemez miyiz?

— Fransızlar güneyden çekildiler. Batı Anadolu'ya da hiç el atmadılar. Benim bildiğim kadarıyla oralarda hiçbir gizli haberal- ma servisleri yok. Yalnız İstanbul'a önem verdiler. Karadeniz Bo- ğazı, bir de Üsküdar'dan Kanlıca'ya kadar olan kıyı şeridine yer- leştiler. Bilseler bilseler oraların durumunu bilirler. Bize gereken bu değil.

— Peki, Hilaliahmer Cemiyeti'nin yeni Başkanı Hamit Bey, Fransızların yakın dostudur. Hem de bize çalışır. Gidip Fransız kumandanından bir şeyler öğrenemez mi?

— Canım nasıl olur? Hamit Bey Fransız kumandanına gide- cek de, "Sevgili Generalim," diyecek, "siz de hiç Yunan ordusu- nun durumunu gösteren bir harita var mı? Acele lâzım oldu da, bize ödünç verebilir misiniz?" Hiç olur mu? Boş yere konuşuyor- sunuz!

— Peki ya bizim Yüzbaşı Fransız Kemal Bey? Fransız istihba- rat subayının sınıf arkadaşı değil midir? Dostunu bir yoklasa. Hiç belli olmaz, bir de bakarsınız, bir şeyler çıkar.

— Evet, doğru, bir deneyelim.

Ekrem Bey bu işi Nedim Bey'e havale etti. "Sen Kemal Bey'e bu konuyu bir aç bakalım," dedi.

Kemal Bey'in resmi görevi Fransız Kumandanlığı ile Harbiye Nezareti ve Saray arasında bir haber alışverişi sağlamaktı. Yani, göstermelik görevi İstanbul hükümetine hizmet etmekti. Gerçek görevi de Felah Grubu'na bilgi iletmekti. Nedim Bey, Ekrem Bey adına Kemal Bey'le konuştu. O da,

— Kardeşim, bu iş hiç kolay değil, dedi. Benim Fransız arkadaşımda hiç bu türlü bilgiler bulunmaz ki. Şimdiye kadar ne istedimse bana verdi. Allah razı olsun, hiçbir dediğime olmaz demedi. Sen bana birkaç gün izin ver, bir düşüneyim bakayım.

— Kemalciğim, biliyorsun, bu iş çok acele. Taarruzu bu bilgilere göre başlatacaklar.

— İyi de, ben nereden bulacağım bu belgeleri? Dur hele bir düşüneyim.

Yüzbaşı Kemal Bey, ertesi gün Nezaret'te Nedim Bey'in odasındaydı.

— Nedimciğim, dedi, düşündüm, bir şeyler düzenliyorum. Yarın akşam Union Française'de buluşacağız. Benim Fransız dostum André, onun yakın arkadaşı Jean Pierre, ortak dostları Ümran, sen ve ben. Böyle bir dostluk havası içinde durumu bir yoklayalım bakalım, bir ipucu elde edebilecek miyiz?

Ertesi akşam Union Française'de buluştular. Ümran Jean Pierre'in yanında çok keyifliydi. Durmadan espriler yapıyor, kahkahalar atıyordu. Kemal Bey ise çok üzgün bir havadaydı. Yüzbaşı André Kemal Bey'e neden keyifsiz olduğunu sordu.

— Geldiğimden beri yüzün hiç gülmüyor. Ağzını bıçak açmıyor. Anlatsana, nen var?

— Aziz dostum, nasıl üzülmeyeyim. Batı Anadolu'dan her gün korkunç haberler geliyor. Yunanlıların yapmadıkları rezalet yok. Bu sabah yine bir haber geldi, Yunanlılar Akhisar yakınlarında bir köyde evleri basmışlar, bütün kadınların, kızların ırzına geçmişler. Hem de erkeklerin önünde. Bu tahammül edilir bir şey değil.

Nedim Bey de,

— Doğru, dedi, bize de her gün bu tür haberler geliyor. Bu milletin sabrını taşırdılar artık. Bu herifleri İngilizler kışkırttılar, Anadolu'nun ortasına kadar yolladılar. Ama onların bu işte sorumluluğu yok mu?

Ümran,

— Elbette, hiç olmaz olur mu? Baş sorumlu onlar, dedi. Peki ya sizler, Fransızlar? İngilizlerle suç ortaklığı etmiyor musunuz? Biliyorum, onlardan yana değilsiniz, İngilizlerden hoşlanmıyorsunuz. Ama lütfen artık siz de bir şeyler yapın. Suskunluğunuzla bu insanlık dışı olaylara katılmayın. Ne olur, bir tepki gösterin. Bu cinayetleri durdurmak için elinizden hiçbir şey gelmiyor mu? Kemalistlere yardımcı olun. Yapabileceğiniz o kadar çok şey var ki...

Jean Pierre de,

— Evet, dedi, suskunluk suç ortaklığıdır. Alnımıza kara bir leke sürülüyor. Yarın bütün İslam dünyası bize karşı ayaklanacak. Cezayirliler, Tunuslular, Faslılar, Senegalliler bizi destekliyorlar mı sanıyorsunuz? Fransız devrimciliğinin bütün onurunu yitirmekte olduğumuzun farkında değil misiniz?

Yüzbaşı André sessiz sessiz bu konuşmaları dinliyordu. Onun da suratı asılmıştı. Yüzbaşı Kemal Bey,

— Niye bizimkiler hâlâ saldırıya geçmediler, anlamıyorum, dedi. Artık Büyük Taarruz'un sırası gelmedi mi? Daha ne kadar bekleyecekler?

Nedim Bey,

— Bir bildikleri vardır herhalde, diye yanıt verdi. Belki de düşman mevzilerinin ve güçlerinin kesin durumunu henüz öğrenmemişlerdir. Onu araştırıyorlardır.

Kemal Bey,

— Bana da öyle geliyor, diye söze karıştı. Cephe gerisi hakkında bilgi alamıyorlar. Bu bir haberalma işi. Bizimkiler bu konuda çok zayıf durumdalar. Hiçbir yerden bilgi iletilmiyor. Bu bilgileri elbette Yunanlılar iletmeyecekler. İngilizlerden de hiç haber sızacağını sanmıyorum. Ama Fransızlar? Ellerinde belgeler olsa bize aktarmazlar mı? Çünkü biz hem Yunanlılara karşıyız, hem de İngilizlere. Bize yardım etmekle İngiliz emperyalizmine dur demiş olmazlar mı?

Jean Pierre,

— Benim bu konuda bildiğim bir şeyler olsa size mutlaka iletirdim.

— Ama ne yazık ki yok. Senin elinden bir şey gelmez.

Artık yemek bitmiş, kahveler de içilmişti. Tam kalkılırken Yüzbaşı André Kemal Bey'in kulağına eğilerek,

— Yarın mutlaka beni gör, dedi. Sana bir sürprizim olacak!

Kemal Bey'in o gece gözüne uyku girmedi. Neydi acaba André'nin sürprizi? Aradığı bilgileri mi iletecekti? Bilgiler elinde olsa sofrada bunu belirtecek hiçbir şey söyleyemez miydi? Ama nasıl söyleyebilirdi? Bu bilgiler herkesin içinde açıklanabilir miydi?

Kemal Bey sabahı güç etti. Alelacele traş oldu, giyindi ve herkesten önce Fransız Karargâhına gitti. Bir süre sonra yüzbaşı André geldi, selâmlaştılar, geceye dair söz ettiler. Bir ara André dışarı çıktı, Kemal Bey büyük bir merakla sürprizini bekliyordu. On dakika sonra André elinde bir haritayla döndü.

— Al, Kemal. İşte sana gerekli bütün bilgiler burada var.

Kemal Bey'in gözleri yaşarmıştı. André'yi coşkuyla kucakladı.

— Hayatımın bu en büyük sürprizi dostum, dedi. Beni hiçbir şey bu kadar mutlu edemezdi.

André,

— Dün akşam bana insanlık sorumluluğumu anımsattınız, dedi. Artık Fransızlığımdan hiç utanmayacağım. Her şey özgürlük için. Halkların bağımsızlığı için. Kardeşlik için. Dayanışma için.

André'nin de gözleri nemlenmişti. Yeniden kucaklaştılar. Kemal,

— Savaşı artık kazanmış sayılırız, dedi. Düşmana son darbeyi birlikte indiriyoruz.

— Savaşımız kutlu olsun. Yakında zaferi birlikte kutlayacağımıza inanıyorum.

— Ben de.

Kemal Bey hemen bir arabaya atlayarak Nezaret'e gitti. İçi içine sığmıyordu. Merdivenleri koşarak çıktı ve Ekrem Bey'in odasına daldı.

— Binbaşım, tamam, dedi. İşte harita. Bütün düşman mevzileri, topların yeri, yığınaklar, süvariler, hepsi hepsi bunda gösterilmiş.

Ekrem Bey kulaklarına inanamıyordu.

— Ne diyorsun Kemal Bey? Olmaz böyle bir şey, diye haykırdı.

Sonra haritayı eline aldı, inceledi. İnanılır gibi değil, ama gerçekti.

— Bunu hemen Ankara'ya ileteceğiz.

— Nasıl?

— Özel bir kurye ile. Yani, elden. Bu iş yirmi dört saat alır. Ama hemen şifreli bir telgrafla Mustafa Kemal Paşa'ya durumu bildireceğim.

Ertesi gün harita Erkânı Harbiye'nin elindeydi. Gazi Paşa, Fevzi Paşa ve İsmet Paşa hemen bir araya gelerek belgeyi incelemeye başladılar. Her ne kadar bilgiler akla yakın gözükse de, bu kadar ayrıntılı bir belgenin ellerine geçebileceğine kimse inanamıyordu. Fevzi ve İsmet Paşalar Gazi'ye,

— Paşam, dediler, bu, bizi yanıltmak için düzenlenmiş bir belge olabilir. İzin verirseniz bu konuda Ekrem Bey'den bilgi isteyelim.

Mustafa Kemal Paşa,

— İyi olur, diye yanıt verdi. Benim de kafam takıldı. Hemen şu telgrafı çeksinler.

"Gönderilen bilgileri nereden sağladığınızı çok acele bildirin."

Yarım saat sonra Ekrem Bey'den şu yanıt geldi:

"Gönderilen bilgiler kesin olarak doğrudur. Kaynağının herhangi bir iletişim aracıyla açıklanmasında büyük sakınca olduğunu arz ederim. Kurmay Binbaşı Ekrem."

Bu yanıt yeterli görülmemişti. Erkânı Harbiye üst üste iki şifreli telgraf daha göndererek haberin kaynağını sordu, ama yine de kaynak açıklanmadı.

Aradan kısa bir süre geçtikten sonra Ekrem Bey Ankara'dan bir telgraf aldı. Mustafa Kemal Paşa kendisini İzmit'e çağırıyordu. Paşa o günlerde Adapazarı'nda annesiyle, sonra da İzmit'te Fransız yazarı Claude Farrére ile buluşacaktı. Günlerden 17 Haziran 1922'ydi.

Ekrem Bey üç gün üst üste traş olmamıştı. Sırtına bir heybe alarak köylü kılığıyla Haydarpaşa'dan üçüncü sınıf bir vagona bindi. Böylece İngiliz denetimini atlatmış oluyordu.

İzmit'te trenden indi. Geleceğini bildirmişti. Gelip kendini karşılamalarını bekliyordu. Ama kimse onunla ilgilenmiyordu. Gar binasının önünde bekleyen bir yarbay gözüne ilişti. Gidip kendisini tanıtınca Yarbay,

— Binbaşım, sizi bu kılıkta görmeyi hiç beklemiyordum. Sizi karşılamaya geldim. Gazi Hazretleri sizinle Sapanca'da görüşecekler. Arabamız hazır. Hemen gidelim.

Ekrem Bey Gazi'yi Sapanca'da bir çardak altında Fevzi ve İsmet Paşalarla sohbet ederken buldu. Yarbay kendisini Paşalara tanıttı. Gazi,

— Çok sevindim sizi burada gördüğüme, dedi. Ben zaten sizi Çanakkale'den tanırım. Yolladığınız belge çok ilginç. Şimdi hep birlikte yemek yiyelim. Sonra sizinle ayrıca görüşeceğim.

Yemekten sonra bir yaver Ekrem Bey'e,

— Paşa sizinle kendisine ayrılan evdeki yatak odasında gizli görüşmek istiyor, dedi.

Birlikte Gazi'ye ayrılan eve gittiler. Paşa'nın yatak odası üst kattaydı. Nöbetçiler kimseyi o kata çıkarmıyorlardı. Mustafa Kemal Paşa Ekrem Bey'i güler yüzle karşıladıktan sonra odada yer gösterdi. Sonra da,

— Yolladığınız belge çok değerli, dedi. Size teşekkür ederim. Ama kumandanlar bu haritanın doğruluğuna inanamadılar. Ben de kendilerine şöyle dedim:

"Erkânı Harbiye'deki bilgilerle bu bilgileri karşılaştırın.

Uzak mesafelere sızabilecek güçlü bir keşif kolu oluşturun. Bunlar ayrı ayrı yerlerden düşmana yaklaşarak durumu incelesinler."

Bu talimat üzerine istediğim araştırmalar yapıldı. Verdiğiniz belgenin doğruluğu anlaşılıyor.

Biz yakın bir zamanda taarruza geçeceğiz. Siz İstanbul'a dönün ve oradan bize sürekli olarak bilgi yollamaya devam edin.

Ekrem Bey büyük bir mutluluk içinde İstanbul'a döndü.

Bu görüşmelerden yaklaşık iki ay sonra 26 Ağustos 1922 sabahı Büyük Taarruz başlatıldı. Sabah saat 6 ile 7 buçuk arasında Fazıl, Yahya, Eliya, Mükerrem, Besim, Halim, Osman Nuri ve Kenan Hamdi efendilerin kullandığı 6 uçak Akşehir'den havalandı. Bu uçakların üçü avcı uçağıydı, üçü de keşif uçağı. Görevleri Fransız Kemal Bey'in ilettiği haritada gösterilen yığınak ve mevzilerde değişiklik olup olmadığını araştırmaktı.

Havacıların yaptığı keşifler belgelerdeki bilgilerin hâlâ geçerli olduğunu gösterdi. Uçaklar saat 10'da hava alanlarına inip raporlarını verdiler. Erkânı Harbiye keşif bilgilerini sabırsızlıkla bekliyordu. Kemal Bey'in verdiği bilgiler doğrulanınca bu olay büyük bir coşku yarattı. Hedefler bu bilgilerin ışığında seçiliyordu.

Bu bilgilere uyularak ilk önce Yunan topçusunun gözetleme yerleri yok edildi. Sonraki hedef Yunan topçuları oldu. Yunan piyadeleri kendi topçularının desteğinden yoksun kaldılar. Yunan mevzileri susturuldu ve Türk piyadeleri Türk topçularının desteğiyle Yunan piyadeleri üzerine saldırdılar. Haritadaki bilgilerin savaşın kaderini tayin etmede çok büyük yararı olmuştu.

Çarşaflı Yüzbaşı

İstanbul'a artık her gün zafer haberleri geliyor ve halk bayram ediyordu. Yalnız o ara Ekrem Bey'in keyfini kaçıran bir olay oldu. Ekrem Bey Yunan işgalindeki Batı Anadolu'dan güvenilir haber alabilmek için oraya bir yüzbaşı göndermişti. Bu yüzbaşı oraya çarşaflı bir kadın kılığında gitmiş ve böylece kimsenin dikkatini çekmeden çalışmaya başlamıştı.

Ama çarşaflı yüzbaşı bu haberleri İstanbul'a ya da Ankara'ya nasıl iletecekti? Yüzbaşı Kemal Bey Fransız Karargâhından o bölgedeki bir Fransız ajanının kimliğini öğrenmiş ve onu çarşaflı yüzbaşıya bildirmişti. Yüzbaşı André oradaki Fransız ajanına çarşaflı yüzbaşıyla işbirliği yapmasını önerdi. Çarşaflı yüzbaşı Fransız ajanına bazı bilgileri aktaracak o da bunları şifreli telgrafla Fransız Karargâhına iletecekti. Böylece bu bilgiler Felah Grubu' na ulaşmış olacaktı. Nitekim öyle oldu. İşgal bölgesinden elde edilen birçok haber bu yolla İstanbul'a, oradan da Ankara'ya iletildi.

Ama savaşın son günlerinde, yani tam İzmir kurtulurken Yunanlılar bu çarşaflı ajanı yakaladılar. Çarşaflı yüzbaşının başka tutuklularla birlikte bir vapurla Yunanistan'a gönderilmek üzere yola çıkartıldığı Fransız Karargâhına bildirildi.

Ekrem Bey bunu öğrenince o zamanki Polis Umum Müdürü aracılığıyla İngiliz Kumandan General Harrington'a şu telgrafı çekti:

"Yunanlılar tarafından yakalanarak Yunanistan'a gönderilmekte olan Türk yüzbaşının derhal bize teslim edilmesini istiyoruz. Aksi durumda General Trikupis'in ve Digenis'in kurşuna dizileceklerini üzüntüyle bildiririz."

İngilizler hemen bir torpidoyu bu işle görevlendirdiler. Yunan vapuru Ege açıklarında durduruldu. Çarşaflı yüzbaşı feci bir biçimde dayak yemiş olarak vapurdan indirildi ve İstanbul'a gönderildi. Bu da gizli örgütün bir başarısıydı.

XVI

Ali Kemal Olayı

İzmir'in kurtuluşundan kırk gün sonra, 19 Ekim 1922'de Refet Paşa İstanbul'a geldi ve Divanyolu'nda karargâhını kurup Felah Grubu liderleriyle çalışmalarına başladı. En yakın çalışma arkadaşları da İstanbul Valisi Albay Esat Bey, Felah Grubu Başkanı Binbaşı Ekrem Bey, grubun ikinci başkanı Eyüp Bey ve Fırka Kumandanı Abdurrahman Nafiz Bey'di.

Mütarekenin başından beri ulusal direnişi sabote etmeye çalışan İngiliz yandaşları ve Padişah'ın dümen suyunda giden işbirlikçiler büyük bir korku içindeydiler. Yarın ordu İstanbul'a girerse ne olurdu onların durumu? Bereket işgal kuvvetleri henüz İstanbul'dan ayrılmamışlardı.

Yüzbaşı Nedim Bey de o günlerde sık sık Cağaloğlu'nda Hilaliahmer Cemiyeti merkez binasının üst katında çalışmalarını sürdüren Felah Grubu başkanı Ekrem Bey'i görmeye gidiyor ve alınacak önlemleri birlikte tartışıyorlardı.

Kasım başlarında yine böyle bir günde Ekrem Bey'i telâşlı buldu.

— Size önemli bir konuda söz edeceğim, dedi. Az önce Ankara'da Genel Kurmay Başkanı Fevzi (Çakmak) Paşa'dan şifreli bir telgraf aldım. *Peyam-ı Sabah* başyazarı Ali Kemal'in Anadolu'ya kaçırılmasını istiyor. Bu konuda Vali Albay Esat Bey'e iletilmek üzere bir not yazmış. Kaçırma işlemi için gerekli hazırlıkları hemen yapmak zorundayız.

— Çok önemli bir iş. Neydi bu adamın kaç yıldır yazdıkları? Bize düşmanlarımızdan çok zarar verdi. İngilizlerden çok İngiliz yanlısı oldu. Bunun bedelini ödemesi gerek. Tamam, hemen kendisini yakalarız. Ama Ankara'ya nasıl göndereceğiz?

— Hiç endişe etmeyin. Şimdi buraya Üsteğmen Cevdet Bey'i çağırttım. Fevzi Paşa'nın Vali Esat Bey'e yolladığı mesajı o alıp kendisine götürecek. Yarın Ali Kemal'i yakalatacağım. Cevdet Bey de bir motorla kendisini İzmit'e götürüp orada Nurettin Paşa'ya teslim edecek. Bizim görevimiz orada bitiyor. Ali Kemal'in Ankara'ya gönderilmesi bizim işimiz değil. O işi Nurettin Paşa yapacak. Tamam mı?

— Tamam Binbaşım.

— Öyleyse siz şimdi Ali Kemal'i nerede ve nasıl yakalayabileceğimizi araştırın. Ben de bu akşam karargâhta yapılacak toplantıyı düzenleyeceğim.

Nedim Bey bu işe çok sevindi. Çünkü nefret ediyordu Ali Kemal'den. Hele şu son dört yıldır yazdıkları yenilir yutulur şeyler değildi. Anadolu'ya kan kusuyordu her yazısında. Nedim Bey bunları düşündükçe deliye dönüyordu. Ama mutluydu. Ali Kemal'in tutuklanması için şimdi kendisine bir görev verilmişti.

Kimdi bu Ali Kemal? Nedim Bey onunla ilgili bilgileri kafasında toplamaya çalıştı. Ali Kemal o günlerde 55 yaşındaydı. İstanbul'da Mülkiye Mektebi'nde, Paris'te ve Cenevre'de okumuştu. 1908'de İkinci Meşrutiyet'in ilânında İstanbul'a dönmüş ve İttihat ve Terakki'ye karşı gelen *Peyam* gazetesini çıkartmıştı. Kimler yoktu o gazetede? Rıza Tevfik, Ahmet Refik, Yahya Kemal, Yakup Kadri... Gazete Hürriyet ve İtilaf Partisi'ni tutuyordu.

1919 Martında Damat Ferit Paşa sadrazam olunca Maarif Vekilliğine getirilmiş, ama bu görevi ancak dört buçuk ay sürmüştü. İkinci Damat Ferit Paşa kabinesinde de Dahiliye Nâzırlığına atandı, o görevi de topu topu iki buçuk ay sürdü.

Nezaret'ten ayrıldıktan sonra yine gazeteciliğe döndü. O sıralarda *Peyam* gazetesi ile *Sabah* gazetesi birleşmiş ve yeni gazetenin adı *Peyam-ı Sabah* olmuştu. Ali Kemal gazetenin başına getirildi.

Ali Kemal Dahiliye Nâzırlığı sırasında neler yapmamıştı ki? Nâzır olarak Ali Kemal Mustafa Kemal'i yıpratmak için elinden geleni yapmıştı. 26 Haziran 1919'da yayınladığı bir genelgede şöyle demişti:

"Mustafa Kemal Paşa büyük bir asker olmakla birlikte, güncel politikayı o derecede bilmediği için yeni görevinde başarılı olamadı. İngiliz Olağanüstü Temsilciliğinin isteği ve üstelemesi üzerine görevinden alındı. Alındıktan sonra da yaptıkları ve yazdıklarıyla bu kusurlarını daha çok açığa vurdu. Adı geçenin İstanbul'a getirilmesi bir görevdir. Benim size kesin emrim artık o kişinin görevinden çıkarıldığını bilmek ve hiçbir isteğini yerine getirmemektir..."

Mustafa Kemal Paşa bu genelgeyi okuduktan sonra şöyle demişti: "Ali Kemal Bey'in genelgesi memurların ve halkın kafasını gerçekten karıştırmış, her yerde eksik olmayan yıkıcı ruhlu insanlar hemen bana karşı propagandaya girişmişlerdir."

Nâzırlığı sona erdikten sonra Ali Kemal Kuvayı Milliye'yi ve Milli Mücadele'yi baltalamak için neler yapmıştı?

Nedim Bey belleğini tazelemek için Karargâh'tan ayrılır ayrılmaz doğru Beşiktaş'daki evine gitti ve dolabındaki yazıları karıştırmaya başladı. Ali Kemal'in yazıları kendisini çılgına çevirdiği için bunları kesip saklamıştı. Bu kesitleri bulup okumaya başladı. İşte bunlardan bazı bölümler:

"Milli Hareketin içyüzü çirkindir, gaflet, nefis düşkünlüğü ve hırsla perişandır. Mustafa Kemal ve Rauf Bey iktidar hırsı içindedirler. Siyasetten habersizdirler. Ateş olsalar ancak kendi kapladıkları kadar yer yakarlar. Yaktıkları yer de Anadolu olur." (14 Kasım 1919)

"Damat Ferit Paşa'nın izinden gitseydik İstanbul tehlikesi olmayacaktı. Şimdi kurtarıcı Damat Ferit Paşa'nın yerine Mustafa Kemal'in ardından gidiliyor. Müttefikler bize nasıl inanabilirler?" (15 Ocak 1920)

"Düveli Muazzama (büyük devletler) ile eski dostluğumuzu sürdürseydik, değil İzmir'den, hiçbir yerden yoksun kalmayacaktık." (19 Şubat 1920)

"Para, dolap, dalavere sayesinde Ankara'da iktidarı ele aldılar.

Medeniyet dünyasını aleyhimize çevirmek için Anadolu'da akıl almaz delilikler ve cinayetler işlediler." (4 Mart 1920)

"Kuyucu Murat Paşa Celâli'lere nasıl davranmışsa Kuvayı Milliye'ye de öyle davranmak gerekir (yani kafalarını kopartarak). Anadolu halkı Mustafa Kemal şakisine (eşkiyasına) haddini bildirmeli." (20 Nisan 1920)

"İdam, idam, idam! Mustafa Kemal haydut. Çete reislerine istedikleri idam yetkisini veriyor. Bu haydutlar İttihatçılardan daha âdi, daha kötü oldukları için cezalarını daha önce bulacaklar." (25 Nisan 1920)

"Padişahımızdan adalet bekleriz. Bu canilerin (Kuvayı Milliyecilerin) cezası çabuk ve şiddetli verilmelidir." (29 Nisan 1920)

"Hükümet Yunan ordusunun ileri hareketini protesto etmek niyetinde değildir. Çünkü Yunan ordusu ceza verme işini yapıyor. Mustafa Kemal'in ordusu haydutlardan, yağmacılardan sabıkalılardan kuruludur." (12 Temmuz 1920)

"Hükümet önce Anadolu'yu Mustafa Kemal'lerden, o ipsiz sapsız, akılsız, fikirsiz zorbalardan temizlemelidir." (5 Ağustos 1920)

"Büyük Millet Meclisi üyeleri figürandır, kukladır. Bu ne idüğü belirsiz hizip, dışarıdan ve içeriden dilediğini yapıyor." (1 Eylül 1920)

"İtilaf devletlerinin (İngiltere, Fransa) Ankara hükümetini tanımamaları gerekir." (11 Şubat 1921)

"Ankara'daki adamlar ufak bir aşireti bile yönetemezler." (13 Şubat 1921)

"Mebuslar hükümetin elinde birer figürandır. Bu milletin muradını temsil edenler vardır. Onların başında Padişah gelir." (4 Ağustos 1921)

"Hiddet ve şiddet, şarlatanlık ve şaklabanlık beş para etmez. Harp olmazsa Ankara kahramanları yaşayamazlar, küflenirler, sönerler." (23 Kasım 1921)

"Emperyalizm, kapitalizm! Bu iki kelime bir zamandan beri Ankara'nın dilinden düşmez oldu. Zorbalarımız bu davaları Lenin'lerden, Troçki'lerden işittiler. İkide bir emperyalizmden bahsetmek gülünçtür. Siyasal ve başka davalarımızı kapitalizmle karıştırmak gülüncün gülüncüdür. Sermayeye harp ilân etmekten daha anlamsız ne vardır? Emperyalizmden ve kapitalizmden sana ne, bana ne?" (4 Aralık 1921)

"Ankara'daki görüşmeleri üzüntüyle, dehşetle izliyoruz. Zavallı Anadolu ne hallere düştü? Başka düşmana gerek yok. Bu kuru kafalar kâfi." (11 Aralık 1921)

"Bu devletin çöküşünü durdurmak istiyorsak yine Saltanat'a ve Hilâfet'e bel bağlamalıyız." (13 Aralık 1921)

"Ankara'da ağalar Abdülhamit devrini arattı. Bu milletin varını, yoğunu aldılar." (12 Ocak 1921)

"Ankara'nın eline geçsek diri diri derimizi soyarlar." (1 Nisan 1921)

"Bu milletin yazgısını bu başıbozukların elinden kurtarmak gerekir." (16 Nisan 1921)

"Ah Ankara, vah Ankara, bu mülke ve millete ne büyük ihanet, düşmana nasıl hizmet ettiğini birgün itiraf edecektir." (24 Nisan 1922)

"Ankara bol keseden kuru kuru atıyor." (13 Haziran 1922)

Ali Kemal'in son yazısı "Gayeler Birdi ve Birdir" başlığıyla 10 Eylül 1922'de yayınlanmış, 11 Eylül'de ise Peyam-ı Sabah'da kendisinin gazeteden atıldığı haberi çıkmıştı.

Nedim Bey büyük bir kızgınlıkla bu yazılara göz attıktan sonra görevinin başına döndü. Güvendiği adamlarını yanına çağırarak bir durum değerlendirmesi yaptı. Aldığı istihbarata göre Ali Kemal o gün yakın arkadaşlarıyla birlikte, Tünel yakınlarındaki apartmanında bir toplantı yapmış ve ne yapmaları gerektiğini tartışmıştı. Bazıları derhal İstanbul'dan uzaklaşmak niyetindeydi. Ali Kemal ise İngilizlere güvendiği için kaçmak istememişti.

Toplantıdan sonra Ali Kemal Cercle d'Orient kulübüne gitmiş, oradaki dostlarıyla neler yapılması gerektiğini konuşmuştu.

Sonra da tıraş olmak için Beyoğlu'nda her zaman gittiği bir berbere girmişti.

Nedim Bey bu durumu öğrenir öğrenmez bütün takımını seferber etti. Üsteğmen Cevdet Bey, Şehzâdebaşı Merkez memuru Cem Bey ve Babıali Komiseri Mazlum Bey yanlarına beş sivil polis alarak doğru berber dükkânını kuşattılar. Ali Kemal'in yüzü daha sabunluydu. İki sivil polis dükkâna girerek,

— Ali Kemal Bey, dediler, işimiz çok acele. Sizi götürmeye geldik. Lütfen traşı bırakıp bizimle gelin.

Ali Kemal şaşkına dönmüştü. Kendini traş eden berber de durumun ciddiliğini anladı ve usturayı rafın üstüne bırakarak elindeki havluyla hemen Ali Kemal'in yüzündeki sabunları sildi.

Ali Kemal,

— Peki, nereye götüreceksiniz beni, diye sorarken polisler kollarına girdiler ve

— Yolda anlatırız, buyurun gidelim, demekle yetindiler.

Felah Grubu Başkan Yardımcısı Yarbay Eyüp Bey Ali Kemal'i İzmit'e götürme görevini Üsteğmen Cevdet Bey'e vermişti. Kaçırma ekibine o başkanlık ediyordu. Sivil polisler Ali Kemal'i karga tulumba bir arabaya attılar. Zaten o da hiç karşı koymaya kalkmadı.

Araba Beyoğlu'ndan dolaşarak Samatya Odun İskelesi'nin önünde durdu. Cevdet Bey İzmit'e gidecek motoru da sağlamış ve Tersane depolarından benzin alarak uzun yol hazırlığı yapmıştı.

Ali Kemal arabadan iner inmez kıyıda kendisini bekleyen motoru gördü, içi rahatladı. Demek ki kendisini hemen orada öldürmeyecekler, bir yere götüreceklerdi.

— Motorla beni nereye götürüyorsunuz? diye sordu.

— Refet Paşa'nın evine gideceğiz, diye kandırdılar.

Yine rahat etti. Refet Paşa ile pekâlâ görüşüp tartışabileceğini düşünüyordu.

Motor geceyarısına doğru iskeleden ayrıldı. Motorda bulunanlar onun bağırıp yardım istemesinden korkuyorlardı. Çünkü

Moda önlerinde işgal gemileri duruyordu. Ali Kemal bağırıp yardım istese bir olay çıkabilirdi. Ama öyle bir durum olmadı.

Üsteğmen Cevdet Bey bir süre sonra Ali Kemal'e şöyle bir soru yöneltti:

— Beyefendi, Yunanlılar denize döküldü. Siz bunu hiç umut etmiyordunuz. Şimdi ne diyorsunuz?

— Efendim, bu, Allah'ın bir lütfudur. Ama bu yetmez. Şimdi anlaşma yollarına gitmeliyiz. Bunu yapamazsak kazanılan zaferin değeri olmaz.

Cevdet Bey bu konuda tartışmayı sürdürmek istemedi. Ali Kemal bir süre sonra yeniden sordu:

— Nereye kadar motorla gideceğiz?

— Çok uzaklara kadar değil. İzmit'e gidiyoruz. Fevzi Paşa sizinle Ankara'da görüşmek istiyormuş.

Ali Kemal rahat bir nefes aldıktan sonra,

— Fevzi Paşa'yı tanırım, dedi. Halim selim bir adamdır. Fakat Mustafa Kemal Paşa'yı tanımıyorum. Ahlâkı ve karakteri nasıldır bilmem.

Ali Kemal kısa bir süre sonra konuşmasını şöyle sürdürdü:

— Uygar milletlerde hiç kimse yazdığı yazılardan sorumlu olamaz. Gazetede ben kendi duygu ve düşüncelerimi yansıttım. Benim için "İngilizlerden para alıyor" diyorlar; kimseden beş para almadım. Eğer bunu kanıtlarlarsa beni idam etsinler, kendi ipimi kendim çekerim. 55 yaşındayım, rahat döşeğimde ölmek isterim.

Moda açıklarına gelindiği zaman motor bozulmaz mı? Ne yapacaklardı şimdi? Kaptan kolları sıvadı, ha babam, de babam, motoru tamir etti. Yola koyuldular. Bereket o yakınlarda hiçbir işgal gemisi yoktu.

Bir süre sonra yine motorun sesi boğuldu, yavaşladı, yavaşladı... Durdu. Kaldılar mı denizin ortasında? Kaptan yine motoru icat edenlerin, yapanların analarını babalarını saygı ile anarak motoru temizledi ve arıza giderildi.

Bu da yetmedi. Derince önlerinde motor üçüncü bir kez huysuzlandı, acı sesler çıkardı ve durdu. Artık yapacak bir şey kalmamıştı. Beklemeye başladılar. Ali Kemal öyle telâşlı görünmüyordu. Seviniyordu belki de. Bir süre sonra bir de baktılar ki yanlarına bir mavna yaklaşıyor. Hemen ona seslendiler. Mavna motora yanaştı. Kaptan,

— Reis, dedi, denizin ortasında kaldık. Bir halat atalım da bizi yedeğe al, Değirmendere iskelesine kadar götür.

Reis,

— Elbette, dedi. Atın halatınızı.

Halat atıldı. Motor mavnaya bağlandı ve az sonra Değirmendere'ye ulaştılar. Artık selâmeti bulmuşlardı. Cevat Bey sivil polislerle konuklarını kıyıda bir çınarın altında bırakarak köye gitti, Mevki Kumandanı'nı buldu,

— Yüzbaşım, dedi, işimiz çok acele. Değerli bir yolcumuz var. Fevzi Paşa Hazretleri'nin konuğu. Kendisini hemen İzmit'e götürmek zorundayız. Orada ağırlanacak.

Yüzbaşı bu sözler üzerine iskelede duran istimbota motoru yedeğe alarak İzmit'e götürmesi emrini verdi. Yolcular yeniden motora alındılar. Ali Kemal de artık huzurlu bir havadaydı. Korkuları dağılmıştı.

İzmit İskelesi'ne yanaştıklarında saat öğleden sonra bir buçuk olmuştu. Değirmendere Mevki Kumandanı yolcuların geleceğini bildirmiş olduğu için görevliler iskelede onları bekliyordu. İçlerinden bir binbaşı, Ali Kemal'i küfürlerle karşıladı. Ali Kemal,

— Binbaşım, dedi, bu sözlerinizi hiç de üzerinizdeki giysilerle bağdaştıramadım. Neler söylediğinizi kulaklarınız duyuyor mu?

Binbaşı,

— Senin gazetede yazdıklarının yanında benim söylediklerim çok hafif kalır, diye yanıt verdi.

Hep birlikte Merkez Kumandanlığı'na gidildi. Kumandanlık saat kulesinin hemen yanındaydı. Ali Kemal'i sorgu yargıcı yedeksubay Necip Ali (Küçüka) Bey'in odasına aldılar. Necip Ali hemen kendisini sorgulamaya başladı:

— Neden Milli Mücadele'ye karşı çıktınız, anlatır mısınız?

— Efendim, ben bu davanın başarılı olacağını hiç sanmıyordum. Yenilgi durumunda büyük devletler daha çok kızacaklar ve vatan harap olacaktı.

— Demek ki yanılmışsınız. Milli Mücadele bize vatanımızı ve onurumuzu kazandırdı. Yaptıklarınızdan ve yazdıklarınızdan şimdi pişmanlık duyuyor musunuz?

— Evet, çok doğru söylüyorsunuz. Türk milletinde bu kadar büyük bir yaşama gayreti ve savaş ruhunun var olduğunu bilmiyordum. Bu bilgisizliğimden dolayı mazur görülmeliyim. Çünkü yaşamımın büyük bölümü Avrupa'da geçti. Türk Milleti'ni tanımıyormuşum, tanıyamamışım.

Anadolu Ajansı'nın bir muhabiri de oradaydı. Binbaşının ardından o da Ali Kemal'e sorular sordu. Ali Kemal meslekten bir gazeteci olarak onunla daha rahat konuşuyordu. Ajansa şu demeci verdi:

— Ben Kuvayı Milliye'nin bu kadar büyük bir kahramanlık göstererek buralara kadar gelmesini beklemiyordum. Kuvayı Milliye bizim askeri gücümüzün sembolü oldu. Ordunun İstanbul'a girmesini de beklemeye başlamıştım. Benim veremeyeceğim bir hesabım yok. Dahiliye Nâzırı olduğum zaman hiçbir suç işlemedim. Sadrazam Damat Ferit Paşa ne istediyse onu yaptım (Ali Kemal'le yapılan bu konuşma sansürden geçtikten tam on gün sonra İstanbul basınında yayınlandı).

Bu sorgulama sürerken Birinci Ordu Kumandanı Nurettin Paşa'nın Ali Kemal'i çağırttığını bildirdiler. Ordunun Haberalma Şubesi Başkanı Rahmi (Apak) Bey kendisini alarak Kumandan'ın odasına götürdü. Yüzbaşıdan albaya kadar bütün şube müdürleri odada toplanmış Paşa'yı bekliyorlardı.

Rahmi Bey Ali Kemal'e bir sandalye göstererek oturmasını söyledi. Birkaç dakika sonra da Ordu Kumandanı odaya girdi. Ali Kemal ayağa kalkıp düğmelerini ikledi. Paşa,

— Sen kimsin, diye sordu.

Ali Kemal,

— Efendim, bendeniz Ali Kemal, diyecek oldu.

— Haa, Artin Kemal dedikleri adam sen misin?

— Hayır efendim, ben Artin Kemal değilim, Ali Kemal'im.

— Bilgisiz bir adam bir suç işlerse aynı suçu işleyen bilgili ve aydın bir adam gibi aynı cezaya mı çarptırılır, yoksa cezası daha ağır mı olur?

— Tabii efendim, bilgili ve aydın bir kişinin cezasının daha ağır olması gerekir.

— O halde seni askeri mahkemeye göndereceğiz. Savunmanı orada yaparsın.

— Ben adaletin karşısına çıkmaya hazırım.

— Tamam. Rahmi Bey, Ali Kemal'i götürebilirsiniz. Sonra hemen gelip beni görün.

Rahmi Bey Ali Kemal'i yeniden Necip Ali'nin odasına bıraktıktan sonra Paşa'nın odasına döndü.

— Rahmi Bey, size önemli bir görev veriyorum, dedi. Derhal gidip sokaktan birkaç yüz kişi toplayın. Kapının önüne gelsinler. Ali Kemal'i cezaevine götürmek için Karargâhtan çıkartın. İşte tam o sırada sokaktan topladığımız adamlar Ali Kemal'in üzerine çullansınlar, adamı linç etsinler!

Rahmi Bey buz gibi oldu. Kekeleyerek,

— Paşam, dedi, ben İzmit'te yeniyim. Kimseyi tanımıyorum. İnsanlar beni dinlemezler. Uygun görürseniz bu işi inzibat yüzbaşısı Kel Sait Bey'e havale edelim.

— Peki, öyle olsun.

Rahmi Bey Yüzbaşı Sait Bey'i odasına çağırtarak,

— Kumandan seni istiyor, dedi. Sana önemli bir görev verecekmiş.

— Peki Binbaşım, hemen gidiyorum.

Rahmi Bey bu işi üzerinden attığına çok mutlu olmuştu. Böyle bir idam uygulamasını üstlenmeyi hiç istememişti. Neden? İleride sorumlu olmaktan korktuğu için mi? Adam öldürtmekten çok acı duyacağı için mi? İdama karşı olduğu için mi? Hiçbiri değil, Rahmi Bey yasa dışı yollarla adam öldürülmesine, yani, doğrudan infaz (uygulama) denen yönteme karşı olduğu için bu işten kaçmıştı. Ali Kemal yargılansa askeri mahkeme nasıl olsa ölüm cezası verecekti. Ama bu iş yasal yollarla olacaktı. O nedenle de linç olayını düzenlemekten çekindi.

Sonra Necip Ali'nin odasına gitti. Ali Kemal'in sorgulanması devam ediyordu. Rahmi Bey, sehpaya çıkmadan önce bir idam mahkûmuna bakar gibi ona baktı. Yüreği sızladı. Bu adam beş on dakika sonra büyük işkencelerle öldürülecekti. Onun yerde nasıl kıvranacağını düşündü. Belki başına taşlar yağacaktı. Belki de çiğnenecekti. Suratına basacaklardı. Üstüne çıkacaklardı. Yüzünden gözünden kanlar fışkıracaktı. Bunları düşündükçe ter içinde kalıyor ve titriyordu.

Sorgu yargıcına yanıtlar yetiştirmeye çalışan adama acıyan gözlerle bir kez daha baktı. Sanık durumunda olan adam orta boylu, biraz tıknaz, gözlüklü, beyaz yüzlü, kırmızı yanaklı, çok temiz giyinmiş zarif bir kişiydi. Giydiği elbise herhalde usta bir terzi elinden çıkmış ve pahalı bir İngiliz kumaşından yapılmıştı. Efendi efendi konuşuyordu. Az sonra başına geleceklerden o kadar habersiz ve rahattı ki bir ara Necip Ali Bey'e,

— Efendim, bir ricam olacak, dedi. Burası courant d'air (cereyan) yapıyor; iskemlenin yerini değiştirebilir miyim?

— Hayhay efendim, buyrun.

İşte tam o sırada Kel Sait Bey kapıda göründü,

— Binbaşım, dedi, her şey hazır, çıkabilirsiniz.

Rahmi Bey bu linç olayına tanık olmak istemediği için Necip Ali Bey'e,

— Ali Kemal Bey'i cezaevine sen götüreceksin. Haydi birlikte gidin, dedi.

Onlar ayağa kalktılar. Rahmi Bey'in ağzı kurumuştu. Ne söyleyeceğini bilmiyordu. Karşısındaki adam bir dakika sonra hunharca öldürülecekti. Sadece,

— Kısa zamanda kurtulursunuz inşallah, diyebildi: Uğurlar olsun.

Ali Kemal Bey de gülümsedi. Rahmi Bey huzursuzdu. Hemen odasına kapandı ve telâşla beklemeye başladı.

Dışarıdan korkunç sesler geliyordu. Bağrışmalar, küfürler, yürek parçalayacı, tüyler ürpertici haykırışlar. Rahmi Bey kulaklarını tıkadı. Bir süre bekledi. Derken odaya Necip Ali Bey hışımla girdi. Yüzü gözü şişmiş, kalpağı düşmüş saçları darmadağın olmuştu.

— Beyefendi, ne duruyorsunuz, diye haykırdı. Dışarıda Ali Kemal'i öldürüyorlar. Kurtaralım.

Rahmi Bey,

— Biliyordum, diye yanıt verdi. Haberim vardı.

— Aşk olsun size, iyi vallahi. Bana ne diye söylemediniz. Az daha ben de güme gidiyordum. Güç kurtuldum ellerinden, beni de linç ediyorlardı. Benim günahım ne?

— Sâkin olun Necip Bey. Elbette sizin hiçbir suçunuz yok.

— Binbaşım, ne bileyim ben? Adamı kurtarmak için boynuna sarıldım. Hiç dinlemediler. Elleri bıçaklı, demir çubuklu, zincirli insanlar, gençler, çocuklar, başladılar saldırmaya. Ben de üç beş yumruk yedim. Başıma taş attılar. Tam o sırada adamın biri Ali Kemal'in beline bir bıçak sapladı. Kemal Bey yere düştü, kurtaramadım. Başladılar taşla, tekmeyle, postallarla adamın kafasını ezmeye. Ben canımı güç kurtardım.

Rahmi bey, sonrasını da askerlerden öğrendi. Ali Kemal'i soyup elbiselerini almışlar, sonra parmağındaki yüzüğünü, altın saatini, cüzdanını, cebindeki paraları. Sonra ayaklarına bir ip bağlayarak sürüklemişler. Adam ölmeden önce uzun süre can çekişmiş.

Durumu Nurettin Paşa'ya anlattılar. O da garın önünde bir sehpa kurulmasını emretti. Sehpayı kurdular ve Ali Kemal'in cesedini boğazına ip geçirerek oraya astılar.

O sırada İsmet Paşa Lozan Konferansı'na gitmek için trenle İzmit'ten geçiyordu. Nurettin Paşa kendisini karşılamaya gitti ve marifetlerini anlattı. İsmet Paşa buz gibi olmuştu, "'Keşke bunu yapmasaydınız. Gözlerim görmesin. Hemen hareket edelim," dedi.

XVII

Bağ Bozumu

Hulusi Bey son aylarda kendini hiç iyi hissetmiyordu. Güvendiği dağlara kar yağmıştı. İzmir'in Mili Mücadelecilerin eline geçmesi, Hulusi Bey'in dostu İngilizler için büyük bir yenilgiydi. Bütün millet ve İstanbul halkı bayram ederken Hulusi Bey'in içi kan ağlıyordu. O hep İngiltere İmparatorluğu'nun yenilmez olduğuna inanmıştı. Gelecek üzerindeki bütün planlarını İngiltere'nin Osmanlı devletine el koymasına dayandırmıştı. İngiliz kumandanlarıyla yakın ilişkilerine bu tasarılar yön vermişti. Dûyunu Umumiye işlerinde de Hulusi Bey İngiltere'nin çıkarlarını ne büyük bir titizlikle koruyacağını kanıtlamış değil miydi?

Bütün yaşamı boyunca hem İttihatçılara karşı olmuştu, hem de İtilafçılara. Milli Mücadele'ye karşı olduğunu da her olayda kanıtlamış bir kişiydi. İngiltere'nin onun gibi birine ihtiyacı olacağını düşünmüştü. Günün birinde İngiltere'nin önerisiyle Başbakanlığa atanma fikri hayallerini süslemişti.

Oysa olaylar onun hiç de beklemediği bir yönde gelişmiş, Milli Mücadeleciler Yunanlılara karşı büyük bir zafer kazanmıştı. Günün birinde İstanbul'u da ellerine geçirirlerse Hulusi Bey'den hesap sormazlar mıydı? Ya ailesinin durumu ne olurdu? Hoş öyle beş parasız da sayılmazdı. Kıyıda köşede biriktirdiği bir şeyler vardı çok şükür. Nişantaşı'nda bir konak, Eminönü'nde bir han ve birkaç dükkân edinmişti. Babadan kalma bir de yalı vardı. Onları değerlendirerek bal gibi geçinirlerdi ama artık kim bakardı onun yüzüne? Kızlarını da hayırlısıyla bir gelin edememişti. Üçüne de çeyiz düzmek kolay mıydı?

Bunları düşündükçe deliye dönüyordu. Köşkten sanki cenaze çıkmış gibiydi. Handan Hanım'ın artık hiç yüzü gülmüyordu. Her fırsatta Hulusi Bey'e ters düşecek sözler söylemekten de hiç geri kalmıyordu. Neymiş bu kadar İngilizleri tutmak? Elâlem Ankara'lara kaçarken o neden buradan ayrılmayı hiç düşünmemişti? Neden bütün Müdafaa-i Milliyecileri kendine düşman etmişti? Neden vaktiyle Rauf Bey'i kırmıştı? Neden Hamdullah Suphi Bey'i hiç köşke çağırmamıştı? Neden Celalettin Arif Bey'e hep ters düşmüştü? Neden İsmail Fazıl Paşa'yı hiç dinlememişti?

Varsa yoksa o Ali Kemal'i tutmuş, Rıza Tevfik'i desteklemiş, Refi Cevat'a hayran kalmış, Celâl Nuri'ye, Necmettin Sadak'a, Yakup Kadri'ye hep karşı çıkmıştı. İşte bu yüzden de tutunacak bir dalı kalmamıştı.

Maliye işlerinde onun en büyük ustası Cavit Bey'di. Hulusi Bey onu İngiltere'nin ve Fransa'nın has adamı olarak görmüş ve her konuda ona güvenmişti. Ama Cavit Bey'in yıldızı çoktan sönmüştü.

Türk ordusunun İzmir'e girişi de Hulusi Bey'in son umutlarını söndürmüştü. devlet çöküyordu. Ya Dûyunu Umumiye ne olacaktı? Hulusi Bey'in orada bir danışmanlık görevi vardı. Osmanlı devletinin 1854'ten bu yana dışarıdan aldığı borçların düzenli bir biçimde ödenmesi için borç veren ülkelerle Osmanlı devleti arasında 1903'te yapılan bir anlaşmayla kurulan bu kurumun yönetimi Fransız, Alman, İtalyan, İngiliz ve Hollandalılar'ın elindeydi.

Dünya Savaşı çıkınca ödemeler durdurulmuş, İngiliz ve Fransız üyeler de yönetimden ayrılmışlardı. Ateşkes antlaşmasından sonra kurum yeniden işlerlik kazanmıştı.

Ama Dûyunu Umumiye'nin tarihe karışacağı günler yaklaşıyor gibiydi. Bu durumda da Hulusi Bey'in son saltanatı yıkılmış olacaktı. O hiçbir zaman Anadolu'nun zaferini düşünememiş, çözümü hep kapitalist ülkelerin egemenliğinde aramıştı. Oysa Ankara kapitalist düzene karşı bir ekonomi politikası izliyordu.

Mustafa Kemal Paşa 1922 Ocak ayının başlarında Sovyetler Birliği Başkanı Lenin'e yolladığı bir mektupta şöyle demişti:

"Batıda kapitalist sınıfın bütün ulus üzerinde egemenlik kurmasına benzer bir durum bugün artık Türk ülkesinde yoktur. Bu bakımdan biz kapitalist düzenden ötede halkçılık düzenini gerçekleştirmiş bulunuyoruz.

"Toplumun artık sömürüye baş eğmemek konusundaki kararının sonucu olarak, başkalarının emeğiyle yaşayan asalaklar sınıfı bütünü ile ortadan kalkmamışsa da bunların sayısında büyük bir azalma olmuştur. Yeni Türkiye'de imparatorluk döneminin efsaneleşen varlıklı sınıfı artık yoktur. Büyük toprak sahiplerinin gelirleri düşmüştür. Şimdi Türkiye'de herkes çalışmak zorundadır.

"Ülkelerimiz arasında bir başka benzerlik bizim kapitalist ve emperyalist düzene karşı savaşmamızdır. Kapitalizm Türkiye'de Rusya'da olduğundan daha güçsüzdür. Ama durum, yapılan girişimlerdeki bütün kapitalin yabancılarca yatırılmış olmasından dolayı karmaşıktır.

"Halkımızın sömürülmesini kolaylaştırmak için kurulmuş olan Kapitülasyon düzeni gelişmemizi engellemiştir.

"Türkiye bütün saldırıya uğramış ülkelere kurtuluş yolunu göstermektedir. Çılgınca saldırılara hedef olmamızın nedeni, bütün yoksul uluslara kurtuluş yolunu göstermiş olmamızdır…"

Hulusi Bey nasıl hoşlanabilirdi bu sözlerden?

Ankara hükümeti İstanbul'daki yabancı işletmelerle de sömürü düzenini engelleyecek anlaşmalar hazırlıyordu. İstanbul Reji İdaresi (Tütün Tekeli), Dersaadet (İstanbul) Telefon Şirketi, İstanbul Tramvay Şirketi, İstanbul Elektrik Şirketi, Üsküdar-Kadıköy Su Şirketi, Mudanya-Bursa Demiryolu Şirketi, Aydın Demiryolu Şirketi, Deniz Fenerleri İdaresi artık devletin yönetimine geçecekti.

Hulusi Bey neredeyse çıldıracaktı. "Bunlar şımardıkça şımaracaklar. Memleket battı!" diyor da başka bir şey demiyordu.

Hulusi Bey, geceleri karabasanlar görüyor ve çığlıklar atarak uyanıyordu. "Handan, Handan, bak evi bastılar, beni kaçıracak-lar, öldürecekler!" diye haykırıyordu.

Bir sabah ateşler içinde uyandı. Ayakta duracak gücü yoktu. Bütün ev halkı telaşa kapıldı. Eve doktor çağırdılar. Tansiyonu yükselmişti, bir depresyon geçiriyordu. İlâçlar alındı, ama nafile. Hulusi Bey yataktan kalkacak durumda değildi. Kızlar da peri-şan oldular. Yenge Hanım birtakım otlar kaynattı. Kompresler yapıldı. Islak bezler, soğuk bezler, sıcak bezler, hepsi denendi. Sır-tına şişe çektiler. Durmadan ter döktü, sayıkladı. Sonra bir titre-me geldi. "Üşüyorum, beni örtün!" diye bağırdı. Sonra ağzından köpükler geldi, ne söylediği hiç anlaşılamadı. Daha sonra başı bir yana düştü. Boğazındaki hırıltılar da kesildi. Nefes alıp vermesi duyulmaz oldu. Neriman babasının nabzını eline aldı, saymaya çalıştı. Ama nafile, kalbi artık durmuştu!

Ayrılıklar

24 Temmuz 1923'te Lozan Antlaşması'nın imzalanmasından sonra artık işgal kuvvetlerine İstanbul'u boşaltmak düşüyordu. Fransızlar zaten 1921 Ekimi'nde Ankara Anlaşması'nı imzaladık-larından beri İstanbul'da kalmaya pek hevesli görünmüyorlardı. İstanbul'daki Fransız işgal kumandanı General Charpy Yüksek Komisere bir yazı yazarak, "Eğer," dedi, "Kemalistler ateşkes ant-laşmasını hiçe sayarak İstanbul'a girmeye kalkarlarsa İngilizler, olay çıkmaması için bütün güçlerini Çanakkale'ye çekecekler. Biz de itibarımızı korumak için İstanbul'da çok az sayıda asker bıra-karak çekilmeye hazırlanalım."

Yüksek Komiser, "Buna ben karar veremem," dedi. "Hele bir hükümete soralım." Fransız hükümeti de Mareşal Foch'a başvur-du. Fransa'nın ünlü Mareşali, "Hayır," dedi, "İstanbul'dan vaz-geçemeyiz. Bütün güçlerimiz İstanbul'da toplanmalıdır."

İstanbul'daki yetkili Fransızlar bütün güçlerinin İstanbul'da toplanmasını sakıncalı gördüler, General Charpy toplanma yer-lerinin Yeşilköy ve Bakırköy olmasına karar verdi. Bazı birlikler de ufak ufak İstanbul'dan ayrıldılar. İstanbul'da topu topu 10 bin kadar asker ve subay kaldı. Bunların da 3 bini Senegalli ve Kuzey Afrikalı'ydı.

1923 Martı'nda Fransızlar ayrılık hazırlıklarına başladılar. He- le Lozan Antlaşması imzalandıktan sonra Fransızlar buralarda kalma umudunu büsbütün yitirdiler.

Jean Pierre de bu durumu çok iyi biliyor, ama Ümran'dan ayrılmayı hiç istemiyordu. İlişkileri köklü bir bağımlılık yaratmıştı. İlk seviştiklerinde dostluklarının hiç bu kadar güçlü olacağını sanmıyorlardı. Jean Pierre için bu tatlı bir serüvendi. Ümran ona hiç bilmediği bir ülkede, bambaşka koşullar altında yetişmiş bir nilüfer çiçeği gibi gelmişti. Zamanla, Ümran'ın inceliği, tatlılığı, akıllılığı, duygusallığı, zarifliği, alaycı ve neşeli havası, gülümsemesi, bakışları, terbiyesi onu büyüledi.

Önceleri haftada bir buluşuyorlardı, Union Française'de başka dostlarla birlikte. Sonra yalnız buluşmaya başladılar, ilk başlarda yine kulüplerde, sonra da bir arkadaşın apartmanında. Cinselliklerini orada tanıdılar. Muazzam bir uyum oldu aralarında. Jean Pierre Ümran'a sevişmeyi öğretti. Ümran da, sevişme oyunlarını ve kurallarını hiç yadırgamadı. Dame de Sion'dan sonra öğrenmesi gereken ne kadar çok şey olduğunu anladı. Birkaç ayın içinde diploma alabilecek bir duruma geldi. Hem de en iyi derece ile ve üstün başarılarla.

Bir süre sonra Jean Pierre kaldığı otelden ayrılarak Ayaspaşa'da ufak bir apartman tuttu. Böylelikle otelden de kurtuldu, arkadaşının anahtarını istemekten de. Orayı birlikte döşediler, yerleştirdiler. Çarşaflar, yastıklar, havlular, bardaklar, kadehler alındı. Ufak bir içki dolabı yaptılar. Fransız şarapları, şampanyalar, Rus votkaları yerleştirildi bu dolaba. Jean Pierre buluşma günlerinde Balıkpazarı'ndan çeşitli mezeler alıp sofrayı donatıyordu.

Bir de gramofon aldılar, Fransız plakları bulundu. Kimlerin plağı yoktu ki? Mistinguett'ler, Maurice Chevalier'ler, Josephine Baker'ler, Frehel'ler, Mireille'ler... Ümran bunların hiçbirini tanımıyordu. Bayıldı Fransız şarkılarına.

Önce bir kanapede oturuyorlardı, yan yana. Sonra Jean Pierre'in kolu Ümran'ın beline dolanıyordu. Sonra Jean Pierre kadehlere ya beyaz Alsace şarabı koyuyordu, ya da Rusların İstanbul'a getirdiği, "limonaya" denen limonlu sarı votka. Ümran artık bu votkanın tiryakisi olmuştu. Apartmana gelir gelmez, uzun ve ıslak bir öpüşmeden sonra ilk sözü, "Hani benim sarı votkam?" oluyordu.

Jean Pierre sevgilisine ince Havana purolarını da tanıttı. Bunlara "cigarillo" deniyordu. Ümran bunların kokusuna da bayıldı. Başka bir ülkeye gitmiş gibi oluyordu. İlk kadehlerden sonra perdeler sıkı sıkıya kapanıyor, gramofona bir plak konuyor ve divana uzanıyorlardı. Önce ikisi de hiç soyunmadan, sonra da yavaş yavaş üstlerini çıkartarak...

Uzun bir süre sonra da yeniden kanapeye, bazen de koltuklara geçip ciddi konuları tartışmaya dalıyorlardı. Jean Pierre neler neler açıklamıyordu Ümran'a? Örneğin Beyrut'taki Fransız temsilcisi Georges Picot daha 1919 Aralık ayında Sivas'a gidip Mustafa Kemal Paşa ile dostça görüşmüş ve iki ülke arasında barışın gerçekleşmesini tartışmıştı. Bunları anlatıyordu. Mustafa Kemal Paşa ne demişti Picot'ya?

— "Türkiye'nin gerçek bir dosta ihtiyacı vardır. Siz Türkiye'nin savaştan önceki sınırlarını tanıyacak olursanız biz de sizinle dost oluruz. Aksi halde ne olur? Padişah Damat Ferit Paşa'nın etkisindedir. O da İngilizlerin adamıdır. Osmanlı devleti İngilizlerle anlaşır, biz de savaşı sürdürmek zorunda kalırız."

Ne yazık ki Georges Picot bu barışçı yaklaşımı Fransız hükümetine kabul ettirememişti.

Ya İngilizlerle ilişkileri? Jean Pierre daha ilk başlarda bu konuda şunları anlatmıştı:

— Sevgili Ümran, son İngiliz hükümetinin size ne kadar düşman olduğunu biliyorsunuz. Başbakan Lloyd George'un amacı İstanbul'u mutlaka Türklerin elinden almaktır. Ama bunu başaramadılar. Lloyd George'a göre savaş Türklerin yüzünden iki yıl uzamıştır. Çünkü İngilizler ve bizimkiler Boğazlar'dan geçerek Rusların yardımına koşmadılar. Lloyd George bu yüzden size düşmandır. Bizimkiler bütün bunları biliyorlar ve Osmanlı devletinin bir İngiliz sömürgesine dönüşmesine karşı çıkıyorlardı. Bunu başardık.

Ama şimdi ne olacak? Çekip gideceğiz.

— Evet, nihayet İstanbul işgalden kurtulacak. Buna çok seviniyorum. Ama çok da üzgünüm; çünkü sen de beni bırakıp gideceksin.

— Gideceğim, ama sen de benimle geleceksin.

— Neler söylüyorsun? Nasıl olur?

— Sevgilim ben çocuk değilim, gideceğimizi biliyordum. Seni de götürmeye karar verdim. Bu niyetimi Paris'e anneme ve babama da yazdım.

— Ne diyorsun?

— Evet sevgilim, onların onayını aldım. Seni bekliyorlar.

— Nasıl olur?

— Olmayacak bir şey yok. Zaten babanı yitirdiğinden beri köşkteki hava çok değişti. Ev çöktü çökecek. Herkes başının çaresine bakıyor. Sen burada annenle başbaşa mı kalmak istiyorsun? Yoksa Paris'te benimle yepyeni ve mutlu bir yaşama başlamak mı?

— Elbette sevgilim seninle olmak isterim.

— Bunu bekliyordum senden. Benim tanıdığım sevgili Ümran zaten bana hayır diyemezdi. Bak neler düşündüm. En geç Ekim'de bizim askerler buradan ayrılacaklar. Ben de onlarla birlikte gideceğim. Ben askerlikten ayrılacağım, yani terhis olacağım. Paris'te boş bir katımız var. Babam orasını bana veriyor. Öyle anlaştık. Paris'e döner dönmez orasını hazırlayacağım. Sen de annenden çeyiz filan istemeyeceksin, olduğun gibi bana geleceksin. Ben orada seni donatacağım. Çok hoş bir apartmanımız olacak, Paris'in göbeğinde, Ile Saint Louis'de. Ben belki Dışişlerine girerim. Çok iyi ilişkilerim var. Kısa zamanda yükselebileceğimi biliyorum. Belki de bir gün beni büyükelçi olarak Ankara'ya gönderirler. Sen de "Sefire Hanım" olarak Türkiye'ye dönersin. İstemez misin?

— Nasıl istemem Jean Pierre!

— Harika, sevgilim. Ben buradan ayrıldıktan en geç iki ay sonra sen de Paris'te olacaksın. Anlaştık mı?

— Hem de nasıl...

Bu konuşmadan yaklaşık bir buçuk ay sonra işgal kuvvetleri İstanbul'un boşaltılması için hazırlıklara başladılar. İngiliz ve Fransız askerlerinin içinde yaşadıkları kışlalar, okullar, oteller ve evler teker teker boşaltılarak Türklere teslim edildi. Her bir yerin boşaltılması coşkunluk gösterilerine neden oluyordu.

İşgal Kuvvetleri Komutanı General Harrington işgal orduları adına 29 Ağustos'ta Türk ordusunun onuruna Tarabya'daki Sumer Palas'ta bir çay ziyafeti verdi. Başta İstanbul Kuvvetleri Komutanlığı'na atanan Selahattin Adil Paşa, Doktor Adnan Bey ve Refet Paşa olmak üzere Ankara'nın İstanbul'daki tüm temsilcileri oradaydılar.

1 Ekim 1923 günü işgal kuvvetleri ellerindeki malzemenin Türk hükümetine teslim edildiği yolunda bir belgeyi karşılıklı imzalayarak yetkiler verdiler. Büyük şenlik ertesi günüydü. Türk, İngiliz, Fransız ve İtalyan birliklerinden birer müfreze Dolmabahçe'de saat kulesinin önünde sıralanmışlardı. İşgal kuvvetleri kumandanları orada, halkın coşkun alkışları arasında bu müfrezelerin önünden geçtiler ve Türk bayrağını selâmladılar.

Kendilerini açıkta duran *Arabik* gemisine götürmek için Dolmabahçe Camisi'nin rıhtımında bekleyen bir römorköre bindiler. Halk sevinç gözyaşlarıyla kumandanları yolladı ve İstanbullular tarihin en coşkulu günlerinden birini yaşadılar.

Kumandanların ayrılmasını seyredenler arasında başı örtülü siyah elbiseli, gözleri yaşlı, çok güzel bir kız da vardı. Ağladığını kimseye belli etmek istemiyordu. Römorköre binen subaylardan biriyle kucaklaştılar. Subayları geçirmeye gelenler genelde Rum ve Ermeni kadınlarıydı. Oysa o başı örtülü kızın Türk olduğu her davranışından belliydi. Zaman zaman gözler bu genç kıza çevrildi. Bu solgun yüzlü kız, subayla çok temiz bir Fransızca konuştuğu için herkesin daha çok ilgisini çekti. Kucaklaştığı subayın tam römorköre binerken söylediği şu sözleri de herkes duydu:

— *Ümran, mon amour, à bientôt* (Sevgilim, yakında buluşmak üzere).

Ümran'ın içi kan ağlıyordu. Römorkör rıhtımdan açıktaki gemiye yanaşıncaya kadar sevgilisine el salladı. Sonra gözyaşlarını başörtüsüyle gizleyerek Dolmabahçe'den uzaklaştı.

Artık Türk ordusunun İstanbul'a girmesi bekleniyordu. Şükrü Naili Paşa'nın kumandasındaki Üçüncü Kolordu'nun İstanbul'a girmesi kararlaştırılmıştı. Türk birlikleri İzmit'ten Bostancı'ya kadar olan bölgeye yayılmışlardı. Halk askerleri her geçtikleri yerde coşkuyla karşılıyor ve köylüler ağlayarak onları kucaklayıp bağırlarına basıyordu.

5 Ekim sabahı askerler Göztepe'ye vardılar. Orada bir geçit resmi yapıldı. Kadın erkek, bütün insanlar askerlere alkış tuttular ve çiçekler attılar. Kurbanlar kesildi, dualar edildi. Heyecandan bayılanlar bile oldu. Askerler o geceyi Haydarpaşa'da İngilizlerden kalan barakalarda geçirdiler.

Ertesi sabah Demir Tümen denen Birinci Tümen Üsküdar'dan araba vapurlarına bindirilirken bütün Üsküdar, Kısıklı, Çamlıca halkı oradaydı. Nedim Bey Neriman'a, Perihan'a ve Ümran'a da askerlerin o sabah Üsküdar iskelesinden vapura bindirileceklerini haber vermişti. Kızların üçünün de o gece gözlerine uyku girmemiş ve sabah karanlığında yollara dökülmüşlerdi. Gösterilere onlar da katıldılar ve birbirlerine sarılarak ağlaştılar.

İçlerinde bir burukluk var mıydı? Üçü de şu son dört beş yıllık dönemde büyük aşklar yaşamışlardı. Bunlar geçici aşklar mıydı? Perihan için bu aşk hiç de geçici değildi; devam ediyordu ve edecekti. İşgal yılları belki bu sevginin açığa vurulmasına ve gelişmesine yardım etmişti. Perihan bir mutluluğu yaşarken ve sürdürürken de bu ilişkinin doğup geliştiği günleri düşünüyor ve o anıların özlemini çekiyordu. Ama içinde hiçbir burukluk yoktu.

Neriman genç kızlığının en tatlı günlerini John'la yaşamıştı; Ama John bir yıl önce buradan ayrılmak zorunda kalmıştı. Dolaylı yollardan mektuplaşmayı hiç aksatmadılar. Bu büyük aşkı bu kadar uzaklardan sürdürmek elbette kolay değildi. Zaman küllendirebilirdi bu sevgiyi. Ama bunun tam karşıtı da olabilirdi. İkisi de bu ilişkiye bir dokunulmazlık kazandırabilirlerdi. Zaman ve uzaklık bir ilişkiyi yüceltebileceği gibi yok edebilirdi de. O bakımdan Neriman endişeliydi. John'la yaşadığı çılgın aşkın belki de tükenmiş olacağını düşünüyordu. Sevgilisi İstanbul'dan ayrıldığından beri kafasında bu tür düşünceler vardı.

İşgalin sona ermesi hem Neriman'a Londra'nın kapılarını açacak, hem de John'un İstanbul'a dönmesi için engelleri kaldıracaktı. Neriman bu yüzden Türk ordusunun İstanbul'a girmesinin coşkusunu yaşıyordu. Sorunlar çözüme bir adım daha yaklaşmış oluyordu. Ama bu bir çözüm müydü? Bunu zaman gösterecekti. Aydınlığa, güneşe ve barışa ne ölçüde dayanabilecekti bu ilişki?

Ümran ise hiç de huzursuz değildi. Jean Pierre birkaç gün önce son işgal temsilcileriyle birlikte İstanbul'dan ayrılmıştı. Ama Ümran bu ayrılığın yeni ve kesin bir birleşmenin ilk basamağı olduğunu biliyordu.

Askerlerin İstanbul'a girmesi durumun normale dönmesi demekti. Yasaklar kalkacak ve Ümran bir an önce Paris'te sevgilisine kavuşacaktı. Paris'te yaşam onun için ulaşılmaz bir düştü ama artık sabah oluyordu ve o rüya gerçekleşecekti.

Araba vapurları Üsküdar rıhtımından uzaklaşana kadar halk askerlere alkış tuttu, bayraklar, mendiller ve eller sallandı.

Sarayburnu'nda halk birikmiş, araba vapurlarını bekliyordu. Vapurlar rıhtıma yaklaşırken gösteriler doruğa ulaştı. Orada da insanlar rıhtıma çıkan askerleri kucakladılar. Askerler önce Gülhane Parkı'nda toplandılar, oradan Sirkeci ve Köprü yoluyla Karaköy'e vardılar. Oralarda yaşayan yabancılar, işbirlikçiler ve Kuvayı Milliye düşmanları ortalıkta gözükmüyordu. Herkes askerleri, yani Anadolu'dan kalkıp, bütün savaşları başararak İstanbul'a gelenleri coşkun gösterilerle karşıladı.

Kuvayı Milliye askerleri oradan Voyvoda Caddesi'ne yöneldiler ve o zamanlar adı henüz İstiklâl Caddesi olmamış olan Caddei

Kebir'den geçerek Taksim'e ulaştılar. Orada da yer yerinden oynadı. Beyoğlu artık düşman çizmeleri altında değildi.

Ünlü bir Fransız tarihçisi General Jean Bernachot ise o gün şöyle diyordu:

"Lozan Antlaşması Fransa'nın Ortadoğu'daki gücüne kötü bir darbe indirmişti.

"Tarihsel haklarımızı yitirdik. Doğu Hıristiyanlarının koruyucusu olmaktan da vazgeçtik.

"Kapitülasyonların kaldırılmasıyla birkaç yüzyıldan beri koruduğumuz imtiyazları ve Türkiye'deki etkilerimizi yitirdik. Bizi birbirimize bağlayan bağlarla birlikte bu ülkedeki kültürel ve maddi çıkarlarımızdan oluşan varlığımız da yok oldu."

Fransız İşgal Kuvvetleri Komutanı General Charpy de aynı gün yayımladığı bir veda bildirisinde şunları demişti:

"Doğu ordusunun mirasçısı olan işgal ordusu 1920'den bu yana Türkiye'de bayrağımıza saygı sağladıktan sonra görevini onurlu bir biçimde sona erdirmişti. Adaletin ve hukukun savunucusu olduk. Yunanlılara İstanbul'un kapılarını kapadık, Trakya'yı ve Edirne'yi Yunan işgalinden koruduk. Böyle bir orduda yer almış olmakla öğününüz. Hepinize teşekkürler."

Bu bildiride ilginç olan şey Fransa'nın İstanbul'u Yunanlılara bırakmamış olmasının açıklanmasıydı. Çünkü Fransızlar İstanbul'un Yunanlılar aracılığıyla İngilizlerin eline geçmesinden her zaman korkmuşlardı.

Köşk Dağılıyor

İşgal askerleri İstanbul'dan ayrıldıktan sonra olaylar büyük bir hızla gelişti. Yabancı zırhlıların limandan ayrılmalarının ertesi günü gazeteler vatan haini eski sadrazam Damat Ferit Paşa'nın Nice'te öldüğünü yazdılar. Damat Ferit'in en çok güvendiği yabancı devletin İstanbul'dan çekildiği gün onun da yaşamı sona ermişti; garip bir rastlantı. Güvendiği dağlara kar yağmasaydı belki daha uzun süre yaşardı. Üç yıl önce Mustafa Kemal Paşa'nın idamını istemişti, yaşamın cilvesine bakın, ecel önce onu götürmüştü.

Bir hafta sonra Ankara'nın başkent olduğu ilân edildi. İstanbul'un saltanatı böylece sona ermiş oluyordu. Zaten hangi saltanat kalmıştı İstanbul'da?

Ondan on gün sonra da, 23 Ekim'de Mustafa Kemal Paşa ile Recep Peker Dahiliye Nezareti'ne bir dilekçe vererek Halk Partisi adında bir partinin kurulduğunu bildirdiler. Bu yeni partinin adı sadece Halk Partisi'ydi. Cumhuriyet ilân edilmemişti daha.

Ondan üç gün sonra Fethi (Okyar) Bey başbakanlıktan istifa etti. Günler artık yeni yarınlara gebeydi. Beklenen bir şeyler vardı.

28 Ekim akşamı Mustafa Kemal Paşa Çankaya'da verdiği bir yemekte arkadaşlarına o güne kadar gizli tuttuğu bir kararını açıkladı: Yarın Cumhuriyeti ilân edeceğiz!

Ertesi akşam 101 pare top atılarak Cumhuriyet'in ilânı bütün Ankara'ya duyuruldu. Bu olay bütün yurtta coşkun gösterilerle kutlandı. Ya Saltanat'ın yasını tutanlar? Onlar o günlerde seslerini yükseltmeye kalksalar kimse onları kurtaramazdı.

Peki o günlerde Çamlıca'da neler oldu?

Köşk zaten uzun süredir Hulusi Bey'in yasını tutuyordu. Ne olacaktı o köşkte yaşayanların hali?

Handan Hanım hâlâ şaşkınlık içindeydi. Hulusi Bey'in ölümüne mi üzülsün? Vahdettin'in kaçışına mı? Damat Ferit Paşa'nın ölümüne mi? Sevdiği bütün İngiliz dostlarının pılıyı pırtıyı toplayarak İstanbul'dan ayrılmalarına mı? Aile dostu Ali Kemal Bey'in linç edilmesine mi? Bir zamanlar Nedim Bey'e hiç yüz vermemiş olmasına mı? Kızlarının bu perişan durumlarına mı? Neriman'ın sevgilisi John White'tan ayrı düşmesine mi? Ümran'ın bir Fransız subayına gönlünü kaptırmış olmasına mı? Yoksa Perihan'ın Nedim Bey'le en kısa zamanda evlenmek için hazırlıklar yapmasına mı?

Handan Hanım'ın içinde fırtınalar kopuyordu. Ama neye yarar? Olan olmuştu bir kez. Köşk dağılacaktı artık. Kolay mıydı köşkü döndürüp çevirmek? Şöyle bir hesapladı, köşkte tam 14 kişi yaşıyordu. Hepsine yemekler pişiyordu. Yaşlılarla ayrı ayrı uğraşmak gerekiyordu. Örneğin Hulusi Bey'in annesi İkbal Hanım'a, Büyük yenge Servet Hanım'a, Şehbender Hayri Bey'e, Süt-nine Kadriye Hanım'a bakacak birileri gerekiyordu. Köşkün bir bölümü huzurevi gibiydi. Ama Hulusi Bey'in ölümünden sonra köşkün gelir kaynakları biraz azalmıştı. Bunalımlı bir dönem başlıyordu.

Ailenin en yoksul üyesi Ali Amca hiç kimseye yük olmuyordu. Zaten köşke yine eski alışkanlıklarına uyarak çekine çekine, annesini görmeye geliyor, ona ufak tefek hediyeler getirdikten sonra yok olup gidiyordu. Annesi İkbal Hanım ona,

— Ali... Yine nerelere kayboldun, şimdi kaçıncı karınla berabersin, diye soracak oldu mu Ali Amca,

— Anneciğim, vallahi, senin bilmediğin hiç kimse yok. Önce Mürgidil'di, sonra Kezban geldi, biliyorsun ondan bir oğlumuz var. Sonra Cevriye ile evlendik, ondan bir kızımız oldu. Sonra Hayriye, o çocuğunu düşürdü. Sonra Saniye'yi tanıdım, ondan bir kızım oldu, ama evlenmedik. Sonra Asiye beni sevdi, şimdi onunla beraberiz. O da gebe. Bir torun sahibi daha olacaksın. El öpmeye getireceğim.

— Allah cezanı vermesin Ali. Sen kime çekmişsin bilmem. Uslan artık. Bak yaşın 40'a yaklaştı. Seni artık teneşir paklar demeye de dilim varmıyor, ama Ali hâlâ gözün doymadı mı senin? Bu Asiye mi, ne haltsa onunla güzel güzel otur artık.

— Olur anneciğim, onunla güzel güzel oturacağım.

— Allah iyiliğini versin Aliciğim. Yaşamana bak, vallahi ne diyeyim? Başına bir belâ gelmesin de ne yaparsan yap.

Şehbender emeklisi Hayri Bey kara kara düşünüyordu. Ne yapacaktı şimdi bu yaştan sonra? Handan Hanım'ın kendisini pek sevmediğini biliyordu. Ya şimdi onu kapıya koyarsa? Çoluğu çocuğu da yoktu. Diyar diyar gezmekten evlenmeye hiç vakit bulmuş muydu ki? Aslında pek de evlenme yanlısı değildi. Gittiği yerlerde onu eğlendirecek çok insan çıkmıştı. Kadın olsun, kız olsun, genç bir kâtip olsun, hepsiyle gününü gün etmesini bilmişti. Ama şimdi tek başına kalıvermişti. Hiç geleni gideni de yoktu.

Emekli maaşıyla bir eve taşınır ve gül gibi yaşardı ama kim artık kapısını çalardı. Yatağında ölüp kalsa kimsenin haberi olmaz, cesedi kokardı. İşte bunlara üzülüyordu. Ama, hiç belli olmaz, belki de Servet Hanım'la ortak bir yaşam kurabilirlerdi.

Büyük yenge Servet Hanım da karaları bağlamıştı. Kocası öldüğünden beri, yani otuz yıldır Çamlıca'daki köşkün vazgeçilmez bir üyesi gibiydi. Kimilerinin annesi, kimilerinin de büyükannesi durumundaydı. Köşkte ona "Kırk Yıllık Yenge" adını takmışlardı. O da bu sözden çok haz ediyordu. Asla hiçbir yere gitmeye niyeti yoktu. Bir gün köşk yıkılır o da enkazın altında kalırdı. Hiçbir güç onu bu köşkten ayıramazdı.

Ya Sütnine Kadriye Hanım? Ona sahip çıkacak birileri bulunurdu herhalde. Hiç ortalarda kalmazdı.

Ya aşçı Ömer Ağa? Gülfidan Bacı? Nuri Ağa? Bahçıvan Ramazan? Çerkez evlatlık Nevbahar? Yetim Zehra? Arabacı Hasan? Hepsinin gidecek yerleri vardı ama, Köşk kendi evleri gibiydi. Perişan olacaklardı gittikleri yerlerde. Buna bir türlü alışamayacaklar ve ölümü bekleyeceklerdi. Hepsinin içlerinde bir burukluk, bir özlem. Nasıl yeni bir hayat kurabilirlerdi? Bunları düşündükçe gözyaşlarını gizleyemiyorlardı. Acaba kendi öz çocuklarıymış gibi koyunlarında büyüttükleri Neriman, Perihan, Ümran onlara sahip çıkar mıydı? Çıksalar ne iyi olurdu. Beş para da istemez, onların yanında yaşar ve yazgılarının uygun göreceği zamanı beklerlerdi. Son umutları onlardı. Canları gibi sevdikleri, çiçek gibi bakarak, severek büyüttükleri o kızlar son tutunacakları dal olacaktı.

Kokuşmuş bir dönem kapanıyordu artık. Bütün çirkinlikleriyle, bütün yolsuzluklarıyla, bütün ihanetleriyle, bütün karanlık ilişkileriyle… Türkiye şimdi yeni umutlara yelken açıyordu. Ankara'da yeni bir devlet doğuyordu. Bu devrimci devlet de bir süre sonra kendi içinde birtakım mikropları üretecek ve uzun yıllar onlarla boğuşacaktı. Ne var ki bunlar çağdaş uygarlık koşullarına ayak uydurmanın yarattığı zorunluluklardı. Bütün yanlışlara karşın hiçbir zaman eskinin özlemi çekilmeyecekti.

Her yanı çökmekte olan köşkün insanları bir süre sonra yavaş yavaş dağıldı. Yaşlılar birkaç yıl içinde teker teker gözlerini yumdular. Nuri Ağa, Gülfidan Bacı, Ömer Ağa bir yerlere yerleşti. Bahçedeki havuz susuzluktan çatladı, dibinde otlar bitti, kertenkeleler sardı duvarları. Saçakların altını yarasa yuvaları kapladı. Güller, nergizler, aslanağızları, şebboylar, sardunyalar, ıtırlar, menekşeler, hüsnüyusuflar, ateş çiçekleri, hanımelleri, yaseminler, salkımlar, sarmaşıklar, çimler kurudu gitti.

İspanya'dan getirtilen boğa heykeli çalındı. Bahçedeki tahta koltuklar, sıralar çürüdü, seraların camları kırıldı, bahçe kapısının çıngırağını çocuklar yürüttü. Tavan çöktü, kanapeler, şezlonglar, koltuklar patladı. Kümeslerde tavuk kalmadı. Güvercinleri avcılar vurdu. Keçiler öldü. Asmalar üzüm vermez oldu. Vişne ve kiraz ağaçları, incirler kurudu. Kuyunun tulumbası parçalandı, çevresini yeşil yosunlar kapladı.

Sebze bahçesinin ortasında bir tek korkuluk kaldı. Üzerinde Hulusi Bey'in rengi atmış, paramparça redingotuyla rüzgârda sallanıp duran bir korkuluk.

Ya Handan Hanım? Bir zamanlar köşke gelip giden emekli bir paşayla evlenip köşkten ayrıldı.

Ümran Kurtuluş'tan kısa bir süre sonra, Paris'e Jean-Pierre'e gitti. Evlenmişler ve çok mutlu olmuşlardı.

Ya Perihan? O da Ankara'da Nedim Bey'le evleneceğini annesine yazdı. Handan Hanım galiba biraz kıskandı ve bu işten hiç hoşlanmadı. Ama evlendiler, bir de çocukları oldu. Nedim Bey Erkânı Harbiye'de önemli bir göreve getirildi. İkisinin de içi sevgi doluydu. İnançlarını ve yaşama heyecanlarını hiç yitirmeden yeni amaçlara yöneldiler.

Neriman ise köşk dağılırken büyük bir burukluk içindeydi. John'dan pek haber alamıyordu. Bazı dostları Neriman'ı evlerinde konuk etmek istediler. Oysa o düşünceleriyle başbaşa kalabileceği bir yer arıyordu. İşte o sıralarda Adile Abla onu Yeşilköy'deki evlerine çağırdı. Adile Abla eski Reji müdürlerinden Yunus Fettah (Akçan) Bey'in eşiydi. Sık sık Çamlıca'ya gelir giderlerdi.

Yunus Fettah Bey Mavnacılar Loncasının genel sekreteriydi. Silâh kaçırma işlerinde önemli roller oynamıştı. Kara Kemal'in, Hamallar Loncası Başkanı Hamal Ferit Bey'in, Memduh Şevket (Esendal) Bey'in de yakın arkadaşıydı. Yeşilköy'de İstanbul Caddesi'nde güzel bir köşkleri vardı. Neriman işte o köşke taşındı ve çok rahat etti. Ama aklı fikri Londra'daydı. Sevgilisine kavuşabilmek için ufak bir işaret bekliyordu. Herkese, "Ben çok yakında Londra'ya gideceğim," diyor ve uzun süreli hiçbir işe girişmiyordu. John'dan bir türlü beklediği davet gelmedi. Ama Neriman günün birinde valizini alıp Londra'ya gitti. Kendisinden bir daha hiç haber alınamadı. Ne Yunus Fettah Bey onun izini bulabildi, ne Ümran, ne Perihan, ne de Nedim Bey. Londra Büyükelçisi'ne Ankara'dan yazılar yazıldı, İngiliz Hariciye Nezareti aracılığıyla da araştırmalar yapıldı. Kimse bir şey öğrenemedi.

Gerçek mi, Kurgu mu?

Çamlıca'nın üç gülü acaba gerçekten Çamlıca'da yaşamış kızlar mıydı? Kimlik kâğıtlarında Neriman, Perihan ve Ümran mı yazılıydı? Yoksa Rukiye, Muzaffer ve Neclâ mı? Çamlıca'da o yılları yaşamış olan insanlar genelde ayrıntılı bilgi veremiyorlar ama bazıları da, "Yazık oldu o kızlara, onlar İstiklal Madalyası hak etmişlerdi. Milli Mücadele'ye yaptıkları hizmetleri kim unutur?" diyorlardı.

İşin gerçek yanını bilmeyenler onlara kara çaldılar, adları kötüye çıktı. Kızlar ise yaptıkları işlerle asla övünmediler. Belleklerde hoş ve buruk anılar kaldı.

Yıllar sonra Bestekâr Yesâri Âsım Bey onlardan esinlenerek "Biz Çamlıca'nın üç gülüyüz" adlı Nihavent şarkıyı besteledi. Tek o şarkı unutulmadı. Ama o şarkı gerçekten o kızlar için mi yazılmıştı? Bunu da bilen kalmadı.

Bir süre sonra Handan Hanım köşkü yıkıcıya verdi ve o anıt köşkün yerinde zevksiz beton bloklar yükseldi.

Yıllar sonra oralardan geçen Çamlıcalı yaşlı hanımlar birbirlerine köşkün olduğu yeri göstererek, "İşte," diyorlardı, "eski Hariciye Nâzırı Hulusi Beyefendi'nin köşkü buradaydı. O dünyalar güzeli Neriman'la Perihan şuradan arabaya binip okula giderlerdi. O tatlılar tatlısı Ümran da bahçenin şu köşesinde bebeği ve köpeğiyle oynar, Gülfidan Bacı da arkasından koştururdu. Ümran'ın kısa beyaz çorapları, kolej eteği, kısa saçları, hâlâ gözlerimin önündedir."

Ne kaldı o üç güzel Çamlıcalı kızdan? Ne kaldı o eski köşklerden?

Bütün o insanlarda değeri sonradan anlaşılan mutlu, bazen de acı günlerin ve doyulmamış zevklerin, belleklerden hiç silinmeyen özlem dolu anıları yok mudur?

Zaman hepsini küllerle örttü…

Milli Mücadele'de İstanbul'daki Direniş Örgütlerinin ve Gizli Grupların Tablosu

1- **Karakol Cemiyeti:** *3 Kasım 1918*
   Başlıca kurucular: Kara Vasıf, Kara Kemal, Baha Sait, Dr. Refik İsmail (Kakmacı), Galatalı Şevket, Sevkiyatçı Ali Rıza, Edip Servet, Yüzbaşı Emin Ali, Kemalettin Sami (Paşa), Yenibahçeli Şükrü...
   Bu Cemiyet Nisan 1920'de Albay Mustafa Muğlalı'nın yönetiminde Zabitan Grubu'na, Ekim 1920'de de Yavuz Grubu'na dönüştü. Ama Karakol adı da sürekli kullanıldı.

2- **Milli Kongre:** *Aralık 1918*
   Kurucusu: Göz Doktoru Esat (Işık) Paşa
   İstanbul'da yaklaşık 50 sivil toplum derneği Milli Kongre örgütüne katıldı.

3- **İmalatı Harbiye Grubu:** *19 Mart 1920*
   Kurucusu: Yarbay Eyüp Durukan

4- **Moltke Grubu:** *19 Mart 1920*
   Kurucusu: Yüzbaşı Çopur Neşet
   Bu grup üç ay sonra Hamza Grubu'nu oluşturdu.

5- **Müdafaa-i Milliye Teşkilâtı – Mim Mim Grubu:** *Nisan 1920*
   Topkapı Grubu: Yüzbaşı Emin Ali, İsmail Hakkı, Ahmet Niyazi...
   Şehremini Grubu: Cambaz Mehmet, Yarbay Kemal (Koçer), Yarbay Hafız Besim, Muhasebeci İhsan, Bican Bağcıoğlu, Yarbay Hüsamettin (Ertürk)
   Mim Mim Grubu kısa sürede tüm Anadolu'ya yayılmış ve bazı kaynaklara göre üye sayısı 40 bini bulmuştur.

6- **Hamza Grubu:** *23 Eylül 1920*
   Kurucular: Yüzbaşı Neşet, Binbaşı Ekrem (Baydar), Yüzbaşı
   Seyfettin (Akkoç), Yarbay Eyüp Durukan, Yüzbaşı (Fransız)
   Kemal, Binbaşı Aziz Hüdai, İhsan Aksoley, Yüzbaşı İsmail
   Hakkı, Yüzbaşı Rasim.

7- **Mücahit Grubu:** *15 Aralık 1920*
   Hamza Grubu bu ad altında yeniden örgütlendi.

8- **Namık Grubu:** *30 Ocak 1921*
   Kurucu: Yüzbaşı Halil İbrahim

9- **Müsellah (Silahlı) Müdafaa-i Milliye Teşkilâtı:** *25 Mart 1921*
   1920 Nisanı'nda kurulmuş olan ve içinde bölünmeler olan
   Müdafaa-i Milliye Teşkilâtı Yarbay Hüsamettin Ertürk'ün
   girişimleri ve (Mareşal) Fevzi Çakmak'ın desteğiyle Ankara
   hükümetince tanındı ve örgütteki subaylar ordu kadrosuna
   alındı.
   Yöneticiler: Albay Esat Tomruk (Başkan; kod adı İngiliz Ke-
   mal), Yarbay Kemal (Koçer), Yarbay Hafız Besim, Binbaşı
   Ferhat... İhsan Paşa 1922'de başkan oldu.

10- **Muharip Grubu:** *26 Temmuz 1921*
    Mücahit Grubu ad değiştirdi.

11- **Felah Grubu:** *31 Ağustos 1921*
    Mücahit ve Muharip adlarını alan Hamza Grubu Ankara'nın
    desteğiyle yeniden örgütlenerek Felah Grubu oldu.
    Kurucular: Yüzbaşı Neşet, Binbaşı Ekrem (Baydar), Yüzbaşı
    Seyfettin (Akkoç), Yüzbaşı Şakir Muzaffer, Yüzbaşı (Fransız)
    Kemal, Yüzbaşı Aziz Hüdai, Ahmet Ağa, Yarbay Eyüp (Du-
    rukan).

12- **Muaveneti Bahriye (Denizcilik Yardımı) Grubu:** *17 Ekim 1921*
    Başkan: Albay Nazmi
    Grup 15 Aralık 1921'de Felah Grubu'na katıldı.

Teşekkür

Bu romanı yazarken aşağıdaki kişilerin kitaplarından, anılarından, araştırmalarından, yazı dizilerinden, bana verdikleri bilgilerden, belgelerden, fotoğraflardan, anlattıkları anılardan ve önerilerden yararlandım:

Nihat Akçan, Leylâ Tepedelenli, Yıldız Kenter, Prof. Şerafettin Turan, Seyfettin Turhan, Hüsnü Himmetoğlu, Şeref Çavuşoğlu, Tomris Işık, Selâhattin Salışık, General Ekrem Baydar, General Cemal Karabekir, Aykut Kazancıgil, Zeki Sarıhan, Çelik Gülersoy, Nezih Başgelen, Emre Öktem, Kemal Arıburnu, Falih Rıfkı Atay, Prof. Niyazi Berkes, Demirtaş Ceyhun, Tülay German, Sipa Press, (Gökşin Sipahioğlu, Ferit Düzyol, Elif Alkan) Bilge Criss, Mesut Aydan, Üstün Akmen, Burhan Oğuz, Hüsamettin Ertürk, Muharrem Alkor, Selâmi Akpınar, Kandemir, Rahmi Apak, Emrullah Nutku, "Cumhuriyet" arşivi (Edibe Buğra), Prof. Utkan Kocatürk, Jak Deleon, Zeynep Atayman, Mehmet Temel, Prof. Yahya Akyüz, Semih Mümtaz, S. Philip Mansel, General Jean Bernachot, Fransa Kara Kuvvetleri Arşivi, General Franchet d'Esperey, Tête de Turc, Jacques Prévert, Emre Kongar, Erol Erduran, Ömer Erduran'a...

Hepsine teşekkürler ve saygılar...